마지막은 다정하게

I

마지막은
다정하게
수레국화꽃말 장편소설
I
D&C BOOKS

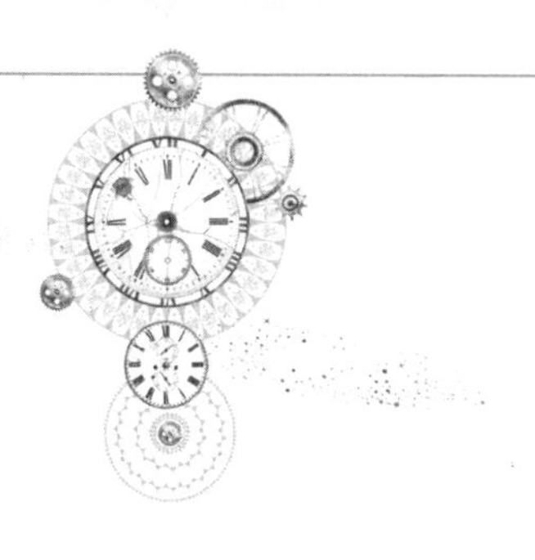

목 차

프롤로그

프롤로그

바람이 차다.

붉은 캉캉 치마에, 검은 벨벳 스타킹 차림의 여인이 깊고 푸른 강가의 하얀 다리 난간 위에 서 있었다.

마치 심연을 들여다보듯 아래를 내려다보는 여인의 두 눈엔 마스카라가 흉하게 얼룩져 꼬리를 끌고 있었고, 그녀의 눈에서 흐르는 눈물은 방울방울 떨어져 내리며 강물을 더해 가고 있었다.

'어디서부터 잘못된 것일까?'

그녀는 촉촉이 젖은 보라색 눈동자로 하염없이 강물을 훑어보고 있었다.

정원사 가드너 씨, 유모 낸시, 주치의 브라운 박사, 주방장 샐리, 빅터 선생님, 브렌다, 데비……. 그리고 차마 먹먹해서 부를 수 없는 이름, 이안과 루카를 차례로 불러 보았다.

세상에 혼자 남겨진 줄 알았다. 모두가 자신의 적이라고 생각했다. 고아라서 손쉽게 갖고 놀다 버려졌다고 믿었었다.

그런데…….

그녀는 편지 한 장을 꼭 쥐고 있었다. 떨리는 그녀의 손만큼이나 편지가 바르르 떨렸다. 눈물로 얼룩진 종이에는 그가 직접 펜을 들어 정중하게 적은 글자들이 흘러내리고 있었다.

[나의 전 재산을 이사벨라 엘 아르티드 양에게 상속합니다.]

자꾸만 눈앞이 눈물로 흐려지고 있었다. 이미 여러 번 닦아 보기 흉하게 번진 붉은 립스틱은 손등을 따라 두 눈가에도 흉물스럽게 번져 가고 있었다.

'냉정하려거든 끝까지 냉정하든가……. 나를 이토록 부끄럽게 하다니…….'

벨라는 터져 나오는 울음을 삼키려고 애썼지만, 어깨가 저절로 들썩거려 결국은 참았던 여한을 입 밖으로 쏟아 내었다.

"대체 왜 그랬어요? 왜? 왜? 왜에에!"

벨라는 머리에 썼던 검은 망사가 달린 화려한 모자를 강물에 내던졌다. 그리고 머리를 장식하던 큼직하고 붉은 장미 문양 머리핀도 뽑아서 강물에 버렸다.

손에 들고 있던 종이에 분풀이라도 하듯 마구 우그러뜨리더니, 제 성질을 못 참고 갈기갈기 찢어서 공중으로 날렸다.

그리고 난간에 털썩 주저앉아 그만 오열하고 말았다.

"이렇게 가 버리면 남은 삶은 죄책감 속에서 살아가라는 건가요! 그런 건가요?"

벨라는 꺽꺽거리며 울면서 앙다문 잇새로 서러운 통곡을 쏟아 내었다. 그녀의 축 처진 어깨가 경련을 일으켰다.

"그냥…… 나 혼자였다고 생각하다 죽게 놔두지 왜 그랬어요? 이렇게 살려 주면 누가 고맙다고 할 줄 알아요? 제발 시간을 돌려놔요! 나 대신 죽는 거 다 필요 없어요! 제발, 제발, 시간을 되돌려서 당신 삶을 살지 그래요! 나같이 쓸모없는 것 더 살라고 놔두지 말고 당신의 값진 인생을 살지 왜 그랬느냐고요! 왜!"

멀리서 울리는 증기선의 고동 소리가 벨라의 울음소리를 흩어 놓았다. 그리 멀지 않은 곳에서 들려오는 석탄 실은 기차 소리에 벨라의 존재는 더욱 작게 쪼그라드는 것만 같았다.

'루카……. 이럴 거면 차라리 다정하게 대해 주지 그랬어요? 항상 냉정한 척 거리를 두고 나를 가르치려 드는 당신이 싫었어요. 철없는 마음에 그저 속상하게 해 주고 싶었어요. 그러면 못난 내가 잘나지기라도 하는 줄 알았어요. 그간 내뱉은 나의 수많은 말실수를 어찌하면 다시 주워 담을 수 있을까요?'

겉옷도 걸치지 않은 벨라의 망사 블라우스 틈새를 강바람이 불어와 차갑게 헤집고 지나갔다.

'외롭고 힘든 나를 묵묵히 뒷받침해 주던 나의 고용인들. 당신들에게 지은 나의 죄는 어떻게 씻어 낼 수 있을까요?'

초점 없는 보라색 눈동자가 한밤중이 되어 가도록 차디찬 그랑블루 강물을 내려다보고 있었다.

추워서 감각조차 마비되어 버린 손으로 주저앉았던 몸을 다시 일으켜 세운 그녀는 고개를 살며시 들고 눈을 지그시 감았다.

이윽고 뇌리에 그녀의 과거들이 빠른 속도로 차례차례 펼쳐졌다.

일곱 살이었던가. 공작저에서 크리스마스 만찬이 있었던 날. 다비드 엘 아르티드 후작의 외동딸이자 모친 애너벨의 미모를 고스란히 물려받은 벨라는 단연코 어린 나이에도 불구하고 만찬회의 꽃이었다.

그녀보다 두 살 더 많은 황태자가 그녀를 보고 한눈에 반했다며 수줍은 청혼을 해 만찬회에 모인 귀족들이 그 귀여움에 손뼉 치고 재밌어하던 그날의 기억.

아마도 불행이란 그 비참함을 더하기 위해 가장 행복하고 뿌듯했던 순간 뒤에서 기다리고 있었던 것인지도 모른다.

그날 밤, 마차를 타고 돌아가던 후작 일가에게 강도가 달려들었다. 적선을 바라는 거지인 척하고 접근해 마차가 멈추어 서자 느닷없이 들이닥친 강도의 무리.

현장에서 후작 부인 애너벨은 딸을 살리려고 온몸으로 감싸 안고 칼에 찔려 그 자리에서 즉사했으며, 같이 치명상을 입은 다비드 엘 아르티드 후작은 패혈증으로 한 달 정도 생사를 오가다가 간신히 살아남았지만 이후 거동이 불편해지고 후유증으로 인한 투병 생활을 하게 되었다.
비교적 가벼운 부상만을 입었던 벨라는 그날의 충격으로 실어증에 걸렸다.

정신이 들고 보니 열세 살. 아버지는 세상을 떠나고 없었다. 장례식도 기억나지 않았다. 벨라는 광활한 저택과 막대한 유산을 상속받은 유일한 후계자가 되어 있었다.
하지만 아버지 다비드가 유언장에 후견인으로 내세웠다는 루카스 버틀러라는 남자가 집사가 되어 아르티드 가문의 모든 것을 대행하고 있었다.
유서 깊은 귀족 가문의 집사라고 하기엔 벨라와 불과 여덟 살 차이밖에 나지 않던 그는 유언장에 그녀가 '성년이 되어야 재산권을 행사할 수 있고 그 전까지는 루카스에게 전권을 위임하겠다'고 쓰여 있다면서 벨라가 한 푼도 쓰지 못하게 횡포를 휘둘렀다.
그뿐만 아니라 고용인들은 하인 주제에 어찌나 목이 뻣뻣하고 나이 어린 주인에게 이래라저래라 명령하는지 벨라는 남몰래 숨어서 많은 눈물을 흘려야 했다.
교양 있는 아가씨가 되어 정혼자와 혼인을 해야 한다는 이유로 개인 교사 빅터 브롬웰은 공부를 강요했다.
유모인 낸시는 벨라를 자기 딸처럼 생각한다며 엄마처럼 잔소리해 댔고, 요리사인 샐리는 매일 할당량을 정해 놓고 음식을 강제로 먹였다.
그중 끝판왕 격으로 재수 없는 것은 완고한 집사 루카스였다.

고용인들은 그녀를 외출하지도 못하게 저택에 가두어 두고 그녀의 이모인 마리앤도 만나지 못하게 했고, 숙부인 찰스 역시 집에 발도 디디지 못하게 쫓아냈다.

결국, 혼자 쓴 눈물을 삼키며 외롭게 자라야 했던 그녀는 열여섯 살이 되던 해에 프로스트 백작가의 영식이자 잘생긴 벤자민을 신년 연회에서 만나 교제하게 되었다.

이제 좀 행복해지나 싶었지만, 그녀의 뻔뻔한 고용인들은 그 남자가 바람둥이라며 갖은 모함으로 둘의 사이를 떼어 놓으려고 애썼다.

열일곱 살에 행한 벤자민과의 사랑의 도피. 벤자민은 버르장머리 없고 사악한 고용인들의 손에서 그녀의 재산을 되찾아 준다며 위임장을 써 달라 했고, 그와의 행복한 미래를 꿈꾸던 그녀는 그에게 자신의 모든 권리를 위임했다.

그 결과, 벤자민은 그녀의 모든 재산을 가로챘다. 게다가 알고 보니 그와의 결혼식은 가짜 하객을 동원한 쇼였고, 혼인 신고도 하지 않아 법적으로 남남이었다. 그리고 그는 벨라를 미친 여자 취급하여 정신 병원에 입원하게 했다.

그녀가 입원해 있던 정신 병원에 나타나 손을 내밀었던 건 바로 루카스였다. 오랜만에 만난 루카스는 마치 그렇게 될 줄 알았다는 듯 경멸을 담은 눈빛을 보냈다. 벨라는 그 차디찬 눈을 노려보며 그의 도움이 필요 없다고 거절했다.

그리고 벤자민이 황녀와 화려하게 결혼했다는 소식을 전해 듣고 광분에 휩싸여 정신 병원을 탈출했다.

하지만 정신 병원을 나와도 갈 곳이 없었다. 이미 저택은 팔렸고 그녀가 가졌던 모든 재산은 벤자민이 마음대로 처분해 버려 아무것도 그녀에겐 남아 있지 않았다.

다시 루카스가 나타나 살 곳을 마련해 준다 했을 때 큰소리치며 그를 거절했다. 그리고 귀족에게 시집가려고 사교계를 들락날락하던 것도 잠시, 이내 모든 것을 포기하듯 밤의 유흥가를 떠돌아다니며 몸을 마음대로 굴렸다.

빚을 내서 옷과 구두를 사고 함부로 돈을 쓰다 사채업자 손에 이끌려 사창가에 얽혀들고 말았다.

루카스가 번번이 나타났지만, 벨라는 그가 표정을 일그러뜨리는 것이 통쾌해서 일부러 더 자신을 망쳤다.

더 이상 내려갈 밑바닥이 보이지 않았을 때, 그녀는 우연히 벤자민과 마주쳤고 치미는 분노를 이기지 못해 우발적으로 그를 죽였다. 그리고 경찰에게 끌려가 감옥에 갇혀 사형 선고를 받았다.

이상한 일이었다.

무고한 사람을 잡아들여 죄송하다는 말과 함께 무죄 방면되었다. 그리고 감옥을 나온 그녀에게 전달된 편지 한 통.

루카스의 글씨였다. 그간 모은 재산을 벨라에게 상속한다는 유언장.

그제야 벨라는 루카스의 행방을 찾았다. 그리고 그가 자신이 진짜 살인범이라고 허위 자백을 하고 그녀 대신 사형 당했다는 사실을 알게 되었다.

그리고 뒤이어 알게 된 충격적인 진실.

하나둘씩 사라져 가던, 혹은 죽어 버린 옛 고용인들이 실은 자기 의지로 떠난 것이 아니고 그녀와 연관된 일로 책임을 대신 지고 인생을 망치거나 땅속에 묻혔다는 것을.

그들은 어린 딸만 남겨 놓고 일찍 떠난 주인을 진심으로 안타까워하며 어린 주인을 보호하기 위해 온 힘을 다했다.

벨라는 그들이 자신 대신 세상의 풍파를 막아 주고 있었다는 사실을 뒤늦게야 알게 되었다. 그랬기에 숙부와 이모에게 재산을 강탈당하지 않고 무사히 자랄 수 있었던 것이었다.

그들은 다만 좋은 약혼자를 구하여 벨라에게 안정적인 보금자리를 마련해 주고 싶어 했을 뿐이었다.

왜 그들에게 반감을 품고 그렇게 꼬인 눈으로 바라보았던가.

세상에 홀로 남겨진 불쌍한 인생이라 생각했던 자신의 삶이 사실은 가족도 아니면서 가족보다 더한 사랑으로 보호받아 온 사실을 서른 살, 너무 늦은 나이에 깨달아 버렸다.

이제 와 재산이 새로이 생긴들, 그것으로 어찌 남은 삶을 호의호식하며 살 수 있겠는가.

벨라는 부끄러움에 눈물을 흘렸다.

따뜻한 온기가 느껴지는 것만 같은 착각이 들었다.

그리운 그리젤리 저택이 보이는 듯했다. 그녀를 사랑해 주었던 사람들의 모습이 하나하나 차례로 떠올랐다.

벨라는 파랗게 얼어붙은 입술을 바르르 떨며 깊은숨을 내쉬었다. 입가로 하얀 수증기가 연기처럼 일렁였다. 지독하게 추웠다. 몸보다도 마음이. 가슴 정중앙이.

"당신들이 있는 곳이 진짜 내 집이었어……."

벨라는 희미하게 미소 지었다. 그리고 다리 난간에서 몸을 날렸다. 풍덩 하며 온몸이 찢기는 듯한 충격과 냉기가 단박에 그녀를 마비시켰다. 그녀의 입가에서 공기 방울이 꽃송이처럼 하늘을 향해 솟구쳤다.

그들에게 가는 과정은 지독하게 고통스러웠다. 목구멍을 찢어 버리는 것 같은 차가운 물이 코와 입으로 밀려들어 와 맵고도 아프게 최후의 경련을 일으켰다.

너무나도 조용했다. 그런데 마음은 편안했다. 무언가 기억나지 않는 꿈이 스쳐 간 것도 같았다. 그 꿈이 무엇인지도 모르겠다. 한참의 시간이 흐른 것만을 느낄 수 있었다.

'이것이 영면인가……?'

벨라는 조용히 숨을 내뱉었다.

'숨을 내뱉어?'

숨이 쉬어진다. 신기한 일이었다. 게다가 눈앞이 너무나도 밝아서 자극적이었다. 눈을 떴지만 눈앞이 흐렸다. 흐린 눈의 초점을 맞추려고 애썼다.

"어머, 아가씨 깨어나셨네. 제 목소리 들리세요?"

어쩐지 익숙한 목소리였다. 벨라는 저도 모르게 귀를 쫑긋했다.

너무 그리워서 환청이 들리나 보다. 너무나도 그립고 다시금 그 품에 안겨 들고 싶은 유모 낸시의 목소리였다.

벨라는 깜짝 놀라 눈을 크게 떴다. 그리고 그 눈에 비친, 점점 희미함에서 또렷함으로 바뀌는 사람의 형체…….

"정신이 드십니까? 이사벨라 님."

그만 울컥하니 목구멍으로 뜨거운 것이 치미는 느낌이 일었다.

이 낮고도 단정한 목소리의 주인공은 자신을 대신해 목숨까지 바쳤던 집사, 루카스였다.

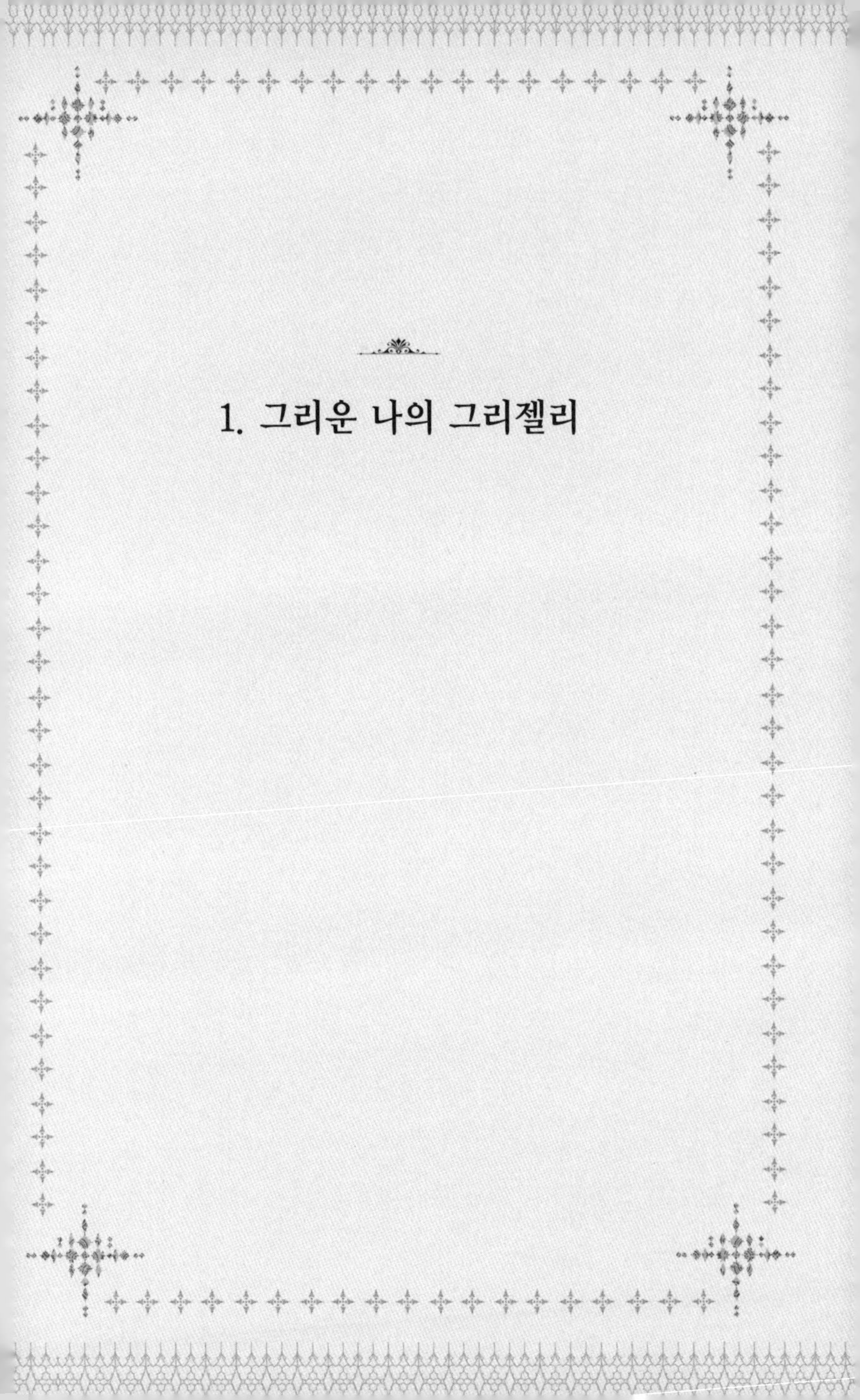

1. 그리운 나의 그리젤리

1. 그리운 나의 그리젤리

벨라는 멍하니 그를 바라보았다. 대체 이 상황이 어찌 된 것인지 알 수 없었다. 눈을 느리게 감았다가 떴다. 그럼에도 불구하고 그는 사라지지 않았다.

어리둥절해 있다가 "아!" 하는 탄식을 내뱉었다. 아마도 죽을 때가 되니 지나간 삶이 순식간에 머릿속을 스쳐 간 것처럼 환상을 보고 있다는 생각이 들었다.

꿈이어도 좋았다.

자신을 위해 목숨까지도 내건 그 남자가 바로 지금 눈앞에 있었다. 벨라는 폭발하는 감정을 억누르지 못하고 와락 뛰어들어 그의 허리를 감싸 안고 그의 품에 얼굴을 파묻었다.

"루카!"

그녀의 입에서 그의 이름이 튀어나온 후 나온 말은 모두 해석 불가한 통곡 소리였다. 그에게 고마웠다는 말을 하고 싶은데 목구멍이 말을 듣지 않고 그저 서러운 울음소리만을 쏟아 낼 뿐이었다.

고마워요.
미안해요.
당신에게 상처를 줘서 후회해요.

그 말을 하고 싶은데 혀가 말을 듣지 않았다.
서럽게 끅끅거리면서 울고 있는데 어쩐지 침묵이 감돈다.
한참을 울다가 자신을 달래는 손길도 없고, 아무런 반응도 없자 점차 그녀의 눈물이 바닥을 보이기 시작했다. 그리고 벨라는 젖은 얼굴로 고개를 들어 루카스의 얼굴을 쳐다보았다.
단정한 검은 머리, 짙고 곧게 뻗은 눈썹, 감정이라곤 전혀 읽을 수 없는 다갈색의 눈동자. 길고 매끈한 코와 얇게 다문 입술. 언제 다시 보아도 약간은 짜증이 나 있는 것처럼 보이는 그의 무표정한 얼굴.
"다 우셨습니까?"
사무적으로 내뱉는 말. 그리고 살짝 그녀의 머리를 밀어낸 뒤 옷을 툭툭 털며 손수건으로 닦는 그의 쌀쌀맞은 동작.
찬바람이 쌔앵 하고 불 듯한 그 느낌에 불현듯 떠올랐다.

그랬다. 그는 늘 거리감을 두고 가까이 다가오지 않는 남자였다. 그랬기에 그가 자신을 대신해 허위 자백을 하고 사형을 대신 받을 줄 꿈에도 예상하지 못했다.

진짜 루카스가 맞았다. 그는 누군가와 닿는 것도 썩 좋아하지 않았고, 숨이 막히도록 꼬장꼬장하니 자신이 정한 룰에 입각해 항상 엄격히 대하던 사람이었다.

그래서 어렸을 때는 루카스를 몹시도 싫어했다.

그저…… 고등 교육을 받을 자격이 없는 평민이었던 그가 아버지의 눈에 들어 후원을 받아 유학까지 갔던 탓에 그 은혜 갚음을 하려고 자신을 챙겨 주는 척하는 거라 여기던 시절이 있었다.

그러나 인생의 마지막을 보고 온 지금으로서는 그가 얼마나 고맙고 한결같은 사람이었는지를 잘 안다. 그 당시에는 단 한 번도 그가 해 주는 것들을 감사하게 받아들인 적 없었다. 오히려 그가 하는 일에 늘 꼬투리를 잡아 해고해 버리려고 눈에 불을 켰었다.

얼마나 부끄러운 일이었는가.

“아이고…… 우리 아가씨가 많이 놀라셨나 보네……. 아가씨, 정신 차리고 저를 보세요. 제가 닦아 드릴게요.”

통통한 손가락이 하얀 레이스 손수건을 쥔 채 다가와 벨라의 뺨에 흐른 눈물 자국을 닦아 냈다. 벨라는 눈을 들어 그 손의 주인을 바라보았다.

유모 낸시였다.

포동포동하게 살찐, 동그란 얼굴의 중년 여성이었으나 생긴 것과 달리 동작이 재빨랐다. 언제나 벨라가 무언가를 말하기도 전에 알아서 원하는 바를 간파하고 한발 앞서서 대령하는 재치 있는 고용인이었다.

벨라에게 엄마 같은 품을 내어 주던 낸시. 엄마를 일찍 잃은 벨라에게 그녀의 따뜻한 품은 그 무엇보다도 위로가 되었다.

그랬던 낸시였지만 벨라가 사랑의 도피행을 하려 했을 때 루카스에게 일러바쳐 실패를 겪게 했고, 그 이후 배신감을 느낀 벨라는 그녀를 미워했다.

자꾸만 나쁜 남자는 안 된다 참견하고 그녀의 행동을 바로잡으려고 잔소리를 해 대기에 홧김에 해고해 버렸다.

그냥 한번 해 본 말이었는데 낸시의 눈엔 서운한 기색이 맴돌았다. 가슴이 먹먹하도록 충격받은 표정이어서 자신이 잘못했나 하는 생각도 들었지만, 누가 고용주이고 누가 고용인인지 확실히 해야 한다는 생각에 모른 척했었다.

그날, 말도 없이 낸시는 사라졌다.

아무도 그녀의 행방을 전해 주지 않아 더 이상의 소식도 알 수 없었다. 자신이 먼저 해고한다 말해 놓고 낸시에게 버림받았다는 기분이 들어 벨라는 그녀의 기억을 머릿속에서 지우려고 애썼다.

하지만 때때로 그리웠다. 낸시의 넉넉하던 품이. 다정스레 뺨을 비벼 주던 애정 표현이. 역시 우리 아가씨가 세상에서 가장 아름답다며 치켜세워 주던 그 호들갑스러운 목소리가…….

그 낸시가 지금 자신을 걱정스러운 눈빛으로 바라보고 있다.

벨라의 눈에서 다시 주체할 수 없는 눈물이 흘러나왔다.
"버틀러 씨, 아가씨가 너무 놀라셨나 봐요. 일단 제가 진정시켜 드린 후에 훈계하세요. 제가 들어오시라고 할 때까지 문밖에서 기다려 주시겠어요?"
유모 낸시의 말에 루카스는 정중하게 인사를 한 후 그대로 뒤돌아서 문밖으로 나갔다.
"우리 사랑스러운 종달새가 무엇에 놀랐을까요?"
품어 안아 주는 그녀의 따뜻하고 넉넉한 가슴. 그 따뜻한 온기와 희미하게 느껴지는 로즈메리 향. 그 느낌이 너무 좋아 그만 벨라는 엉엉 울고 말았다.
신이 마지막 순간에 가호를 베풀어 잠시 그리운 사람들을 만나게 해 주는 아량을 보여 줬다고 생각했다.
이제 편안히 눈을 감을 수 있을 것만 같았다.

그런데 이상하다.
죽기 전 사람들이 흔히 겪는다는 임사 체험 같은, 평소에 그리워했던 이가 저승에서 마중 나와서 데리고 가 준다던 그런 이야기 속 장면과는 달리 이 시간이 꽤 길었다.
신께서 마지막 선물을 주신 거라 여기기엔 너무나도 현실적이었고 낸시의 심장 뛰는 소리가 구체적이었다.
벨라는 눈물을 멈추고 낸시의 얼굴을 멍하니 바라보았다.
"아가씨, 하실 말씀이라도 있으세요? 뭐든 다 들어드릴게요. 혹시 빅스톤 오페라 극장 뒷골목에서 안 좋은 일이라도 겪으셨나요? 세상이 얼마나 험난한지 처음 겪었을 텐데. 그러게 함부로 몰래 나가시면 안 돼요. 네? 다음엔 절대로 혼자 나가지 않깁니다. 데비가 아가씨를 빨리 찾아내었으니 망정이지, 유괴라도 당했으면 어째요? 세상에는 온통 나쁜 사람들이 우글거려요. 아셨죠?"

다시 봐도 낸시는 말이 많았다.

그러나 그 자체로 현실감이 느껴져서 벨라는 한동안 말을 잊었다.

'마치 살아 있는 것 같은 이 감각은 무엇인 걸까?'

낸시의 옷에서 풍기는 로즈메리 향과 방금 먹은 스튜에서 튄 국물 냄새와 땀 냄새, 놀란 사람 진정시키는 엘릭실의 냄새와 이제 막 추워지기 시작하는 가을의 냄새까지.

두 뺨에 와 닿는, 열린 창으로부터 불어오는 가벼운 바람과 정원에서 들려오는 개 짖는 소리와 개더러 짖지 말라 만류하는 정원사의 목소리가 그녀를 멍하게 만들었다.

'이렇게 구체적이고 실존하는 느낌이라니. 임사 체험이란 거 이렇게 생생한 것이던가?'

"아이고. 아가씨! 정신 놓으시면 안 됩니다. 어어! 정말 충격 크게 받으셨나! 데비! 그러고 있지 말고 주치의 피터 브라운 씨를 모셔 와! 아무래도 아가씨께서 또 실어증이 도지신 건 아닌지 걱정이네! 아가씨, 저 보이세요? 제 손가락이 지금 몇 개인가요? 뭔가 대답이라도 해 보세요. 아가씨 그러시면 낸시는 무섭답니다. 정신 차리세요. 꿋꿋하게 버텨 주세요!"

낸시 특유의 속사포 같은 말. 어찌나 빠르게 호들갑을 떨며 말하는지 귀가 따갑다 못해 멍해지는 그 시끄러운 음성이 벨라의 고막을 때렸다.

"아가씨! 저 좀 보세요. 네?"

멍하니 낸시의 얼굴만 바라보던 벨라가 천천히 입을 열었다.

"나는…… 물에 빠져 죽어 가고 있었는데……."

"네엣? 어머나! 아가씨! 큰일 났네! 참말로! 정신 차리세요! 이 근처에 강가가 어디 있다고 그러세요! 이 근방에 물가라고 해 봐야 다 얕은 시냇물인데 접시 물에 코 박고는 죽어도 그 시냇물에는 코도 안 박혀요. 아가씨는 빅스톤 오페라 극장 근처를 배회하셨던 거라고요. 물가가 아니라! 브라운 씨는 왜 이리 안 오시는 거야? 아가씨 충격을 너무 크게 받으셨네! 어떡하지?"

다시 낸시가 호들갑을 떨며 벨라가 말할 틈도 주지 않고 속사포로 말을 쏟아 냈다.

빅스톤 오페라 극장이라……?

벨라는 멍하니 되뇌었다.

그곳은 벨라의 첫 가출 장소였다.

왜 가출했더라? 잘은 기억나지 않지만 아마도 가정 교사 빅터에게 크게 혼나고서였을 거다. 그가 싫어서 무턱대고 가출해 거리를 헤매다가 하녀인 데비 포시의 눈에 띄게 되었다.

루카스를 대동하고 나타나 집으로 끌고 가는 바람에 벨라의 첫 가출은 그렇게 흐지부지되고 말았다. 그게 언제더라?

기억을 더듬어 보니 아마도 열네 살 때쯤이었나.

그런데 수많은 순간 중에 왜 하필 그 순간일까?

벨라는 눈을 감았다가 떴다. 그사이 주치의가 왕진 가방을 들고 헐레벌떡 나타나 벨라에게 청진기부터 디밀었다.

정말로 이상하다. 임사 체험 시간의 흐름이 지나치게 구체적이었다.

브라운 씨가 진찰 후 아무 이상이 없다고 하자 낸시는 안도의 한숨을 내쉬며 귀에 딱지가 앉도록 다시는 혼자서 나가지 말라고 벨라에게 다짐을 받아 냈다. 열네 살짜리에게 이런 아기 취급이라니!

하지만 그 과보호하는 느낌이 싫진 않았다. 오히려 참말로 낸시가 맞다는 느낌에 코끝이 찡해졌다. 자라길 거부한 서른 살의 영혼을 가진 그녀에겐 크리스마스 선물과도 같은 애정 어린 순간이었다.

그렇게 여느 때와 다름없이 저녁 식사 후 목욕을 한 뒤 잠자리에 들었다.

거기서 끝날 줄 알았지만, 눈을 떠 보니 햇살이 밝게 비치는 이른 아침이었다. 그리고 데비가 가져다주는 세숫물로 세수를 하고 다시 아침밥을 먹었다.

빅스톤 오페라 극장가로 가출을 감행해야 했던 원흉인 가정 교사 빅터 브롬웰 씨도 만났다. 자신 때문에 가출해서 그런지 딱히 별말은 없었고 오늘은 정원에서 산책이나 하자며 마음껏 걷게 내버려 두었다.

오래된 그녀의 친구, 하나뿐인 벗이자 애완견 푸딩이 그 노란색 긴 털을 휘날리며 달려와 프리스비를 던지고 놀자며 옷자락을 물어 당겼을 때는 기뻐서 눈물을 흘릴 뻔했다.

얼마나 다정한 벗이었던가.

다가와 그녀의 뺨을 그 축축하고 뜨끈한 혀로 쉴 새 없이 핥아 주는 바람에 간지럽다고 비명을 지르다가 뒤로 자빠지고 말았다. 그래도 좋아서 푸딩을 안고 뺨을 비볐다.

나의 개. 나의 친구.

추운 겨울날 하얀 눈 위에 붉은 피를 토하며 쓰러져 죽어 있던 푸딩의 몸을 끌어안고 목 놓아 울었던 기억이 아직도 생생한데……. 이렇게 헉헉헉 기쁘다는 숨소리를 내며 틈만 나면 혀로 핥으려는 푸딩이 현실감 있게 다가온다는 그 자체만으로도 감격스러웠다.

점심에는 그녀가 너무나도 좋아하는, 붉은 체리로 장식된 쇼콜라 케이크가 후식으로 주어졌다.

꿈에도 그리웠던, 요리사 샐리 존스가 만든 맛있던 케이크. 죽기 전에 단 한 번만이라도 맛보고 싶었던 그 달짝지근한 케이크가 주어져서 기뻐서 울었다. 밀크 초콜릿과 그 사이사이 상큼하게 뿌려진 레몬 청의 어우러짐에 입을 쉴 수가 없었다.

'그땐 참 당연하게 여겼었지. 그리고 오랫동안 그리워했었지. 가슴속에 사무쳐서 밤새 이불을 쥐어뜯으며 그리워했었지.'

벨라는 눈앞에 펼쳐지는 풍경에 감동하여 그저 할 말을 잊었다. 행여 그녀가 다시 실어증 증세를 보이는 것은 아닌가 싶어서 고용인들이 다들 한 번씩 지나가며 말을 건네는 것도 새삼스럽고 신기했다.

어릴 때는 잘 몰랐던 소중한 사람들, 소중한 시간, 소중한 이 공간…….

이 저택에 다시 한번 발을 디딜 수 있다면 얼마나 좋을까 무수히 상상하며 흘렸던 그 수많은 눈물.

이제 죽어도 여한이 없다고 생각했다.

그런데…… 이 임사 체험 시간이 끝나지를 않는다?

언제쯤 완전하게 죽는가를 기다렸는데 숨이 끊어지지 않는다……?

일주일쯤 멍하니 지내다가 그제야 슬며시 떠오른 생각.

'혹시 내가 회귀한 걸까? 그렇다면 왜 하필 열네 살로 돌아왔는가? 대체 왜?'

얼떨떨해진 벨라는 자신이 살아온 삶을 되돌아보았다. 그토록 부르짖어도 은총 따위 베풀어 주지 않은 신이 모든 것을 포기하고 삶을 버리려 한 순간에 그녀에게 삶을 돌려줬다.

신에게 귀염받을 만한 짓을 한 적이 있는가도 생각해 봤다. 그런데 가슴에 손을 얹고 곰곰이 생각해 보아도 그런 착한 어린이 짓은 맹세코 해 본 적이 없었다.

어린 시절엔 늘 자신이 피해자였고, 온 세상의 불행을 다 떠안은 것만 같았다. 누군가가 자신을 동정하면 동정한다고 싫었고, 누군가 자신을 아무렇지 않은 듯 대해도 무시하는 것 같아서 싫었다.

뭐든 다 싫었던 투덜쟁이.

그것이 솔직하게 자신을 평가해 내린 결론이었다.

그런데 죽으려고 물에 뛰어든 자신이 왜 하필 이 시절로 회귀한 것인지 알 수 없었다.

그런 축복이란 신의 어여쁨을 받을 만한 좋은 사람들에게 돌아가는 것 아니었던가.

자신이 회귀한 것이 믿어지지 않아 멍하니 일주일을 허송세월했고, 그게 왜 하필 나인가를 곰곰이 생각해 보느라 이틀을 허비했다.

막상 회귀했다는 것을 인정하고 받아들이게 되자 이번엔 공포심이 밀려왔다.

왜 신은 그다지 착하게 살지도 않은 내게 삶을 돌이킬 기회를 주었는가. 혹시나 가장 행복한 순간에 그 삶을 빼앗아서 더욱더 깊은 절망을 주려고 그러는가 싶어 더럭 겁이 났다.

그러나 그녀의 충직한 벗 푸딩을 껴안고 눈을 맞추다가 문득 자신이 회귀한 것은 자기 자신을 위한 것이 아니라 과거에 그녀가 상처 준 소중한 사람들에게 은혜를 갚으라는 뜻일 거라는 생각에 다다랐다.

신께서 어느 가장 행복한 시간을 덜컥 빼앗아 간들 자신은 할 말이 없었다. 전남편이었던(으로 여겼던) 자를 살해했고, 자신으로 인해 루카스를 사형당하게 했으며 그 외의 많은 다정했던 사람들에게 어떠한 상처와 고통을 남겨 주었던가를 돌이켜 보았다.

그래서 결론을 내렸다.

나는 죄인이다.

내게 행복을 탐할 권리 따윈 없다. 조금이라도 신께서 다시 살게 해 주셨다면 그것은 나를 위한 시간이 아니고 그들에게 행복을 돌려주라고 주어진 시간일 거다.

도로 빼앗아 간다 해도 따질 권리 따윈 내게 없다…….

그토록 돌이키고 싶었던 삶.

자신을 위해 돌이키려 했을 때는 돌이켜지지도 않았다.

하지만 한 번쯤 그들에게 다정한 말, 따뜻한 포옹이나마 할 수 있을 시간을 준 신께 영광을.

그 모든 대가를 지금 이 순간에 고쳐 치르고 신께서 다시 불러들이는 날에는 지옥으로 보내셔도 여한이 없을 거다.

생각해 보니 우스웠다.

어쩌면 이 자체가 벌일지도 모른다. 많은 사람을 아프게 한 죄.

푸딩이 곁에서 쉴 새 없이 벨라의 얼굴을 핥아 대다가 정원사의 부름에 꼬리를 흔들며 달려갔다.

문득 벨라의 시선이 라이오넬 가드너 씨에게 닿았다.

지금은 열네 살의 겨울이었다. 속 알맹이는 서른 살짜리 낙오자였으나 지금 겉으로 보이는 것은 세상 때라곤 전혀 묻지 않은 귀족 영애의 여리고 해맑은 얼굴이다.

라이오넬 씨가 푸딩을 쓰다듬으며 연신 기침을 콜록거리는 모습이 눈에 띄었다.

'그러고 보니 라이오넬 씨가 일찍 세상을 떠났던 것 같은데…….'

기억을 더듬어 보니 아마도 열다섯 살이 되던 해였던 것 같다. 새해를 축하하며 사람들이 그의 방문을 열었을 때 그는 침대에 홀로 누워 가슴에 깍지 낀 두 손을 고이 올린 채 기도하는 모습으로 세상을 떠나 있었다.

사람들이 슬퍼하던 것도 생각난다. 특히나 유모 낸시. 뭐라고 했더라? 아들을 그렇게 보고 싶어라 하더니 얼굴도 못 보고 갔다고 그랬나.

그가 죽기 전날의 광경이 문득 머릿속을 스치고 지나갔다.

아마도 크리스마스트리 때문이었던가.

트리가 마음에 들지 않는다고 떼를 썼던 것 같다. 볼품없다고 세상에서 제일 큰 트리를 만들어 달라고 조르고 졸라 그가 예쁜 나무를 구해 오느라 멀리까지 썰매를 끌고 나갔다 돌아왔던가?

그때부터 라이오넬 가드너 씨는 시름시름 앓기 시작했다. 온몸이 불덩이 같으면서도 신경 쓰지 말아라, 괜찮다 하며 피터 브라운 씨가 지어 준 약도 먹는 둥 마는 둥 하더니만 그렇게 허무하게 세상을 떠났었다.

퍼뜩 정신이 들었다. 벨라는 허둥지둥 몸을 일으켜 자신의 방으로 달려가서 메모할 것을 찾았다. 마침 일기장이 있었다. 가정 교사 빅터가 그렇게 매일매일 적으라고 해도 절대로 쓰지 않던 그것!

[열다섯 살이 되는 해의 1월 1일, 라이오넬 가드너 사망.]

그리고 맨 아래쪽에 따로 다시 적었다.

[서른 살, 2월. 전남편 벤자민 엘 프로스트 살해. 11월. 루카스 버틀러 사형.]

가슴이 먹먹했다.

잠시 기억을 더듬으며 턱 주변을 긁적이다가 중간에 새로 적어 넣었다.

[열일곱 살, 6월, 낸시 포먼 해고.]

그리고 보니 푸딩이 죽은 때도 적어 넣는 것이 좋을 것 같았다.

[열여섯 살, 1월 하순 무렵. 폭설이 내린 다음 날 아침, 푸딩 죽다.]

쥐약 먹은 쥐를 먹은 것일지 모른다고 들었다.

더 적어 넣고 싶은데 정확한 시기가 기억이 나질 않았다. 새삼스레 자신이 얼마나 다른 사람들에게 관심이 없었던가를 떠올리며 집게손가락 끝으로 초조하게 책상을 톡톡 두들겼다.

'나중에 떠오르는 대로 더 적어 넣자.'

그리고 일기는 아무도 모르는 곳에 숨겨야겠다는 생각이 들었다.

미래에 벌어질 일을 안다고 말해 봤자 열네 살이 되도록 떼쓰는 어린 아기처럼 살아온 그녀의 말을 누가 귀담아들어 줄 것인가.

또한, 섣부르게 자신의 회귀 사실을 밝혀 봤자 좋을 게 없었다. 벨라는 그들에게 뜻밖의 선물을 내밀듯 자신의 변화를 보여 주기로 결심했다.

그리고 주변을 돌아보다가 화장대 뒷벽 사이, 손가락도 간신히 들어가는 빈 곳에 낑낑거리며 일기장을 숨겼다.

이럴 줄 알았으면 주변에 관심을 기울였어야 했다.

그리젤리 저택에서 사는 동안 참 많은 역사적 사건이 있었다. 정작 소녀 시절에는 그 사실을 알지 못하였으나 세상에 내팽개쳐진 후에 뒤늦게야 알았다.

그녀가 성년이 되기 전 해에 이웃 나라 플란네르와 전쟁이 벌어져 뭔지는 모르지만 중요한 광산을 빼앗기는 바람에 경기 침체기가 들이닥쳐 몰락한 귀족이 꽤 많았다.

생각해 보면 다른 나라에서 산 것도 아닌데 그리젤리 저택은 그 경제난을 잘 비껴간 것 같았다.

문제는 경제적 타격이 아니라 저택의 몇몇 하인들도 전쟁터에 차출되어 나갔다가 전사했다는 것이었다.

그게 누구였는지 바로 기억이 나지 않는다.

'후…… 그러고 보니 그 전쟁에서 황태자도 사망했던가?'

훗날에 사람들이 말했다. 칼리아스 황태자가 살아 있었으면 국력이 이렇게 쇠퇴하지 않았을 터라고. 그 전쟁이 남긴 여파는 컸다. 대제국이었던 페로하트는 쇠락했고 경제는 무너졌다. 더군다나 최악은…….

순간 "아!" 하는 외마디 비명이 터져 나왔다.

생각해 보니 그리젤리 저택에서 세 명의 사망자가 나왔다. 그중 한 명이 루카스 버틀러의 동생 이안이었다.

후작가의 계승자가 미성년인 벨라뿐이었기에 이안이 후작가의 명예를 걸고 대신 나가 전사했던 것이었다.

벨라는 고개를 갸웃했다.

이상했다. 숙부님이 계시지 않던가. 비록 아르티드 가문의 직계가 아니라 방계라고는 하나 그가 후작가를 대신해 출병할 수도 있었다. 그런데 왜 이안이 맡아야 했는가.

이전의 삶에서 단 한 번도 의아하게 여기지 않은 사실이 이상해 벨라는 다시 꺼내 든 일기장에 이안의 이름을 적고 동그라미만 두 번 세 번 휘둘러 놓은 후 멍하니 그 이름을 바라보았다.

정확히는 언제쯤이었던 걸까.

세상일에 참으로 무관심했던 자신을 곱씹으며 벨라는 잠시 생각에 잠겼다. 이내 다시 일기장을 덮고 정해 둔 비밀 장소에 밀어 넣었다.

벨라는 두 손바닥으로 턱을 괴고 가정 교사 빅터를 빤히 바라보았다.

신기했다.

빅터가 눈앞에 살아 움직이고 있다는 것이 이렇게 신기할 수가.

과거엔 그의 면상만 봐도 '어디서 훈계질이고 나를 바로잡으려고 해!'라는 반발심을 품고 눈부터 치켜뜨기 바빴다.

늘 그는 무언가를 가르치려 들었다.

그런데 지금은 안다. 그가 가르치려던 것들이 그녀가 앞으로 살아가는 데 필요한 것들이라는 것을.

그는 지금 철자법을 가르치고 있었다. 귀족 영애지만 벨라는 아는 것이 거의 없어서 동화책 읽는 것조차 힘겨워했다.

빅터는 자신을 빤히 바라보는 벨라가 부담스러워서 은연중에 자꾸 시선을 피했다.

자신에게 배우기 싫다고 가출까지 단행했던 당돌한 그녀가 오늘은 웬일인지 눈을 반짝거리며 두 손으로 턱을 괴고 싱글싱글 웃으며 바라보고 있다니!

대체 무슨 꿍꿍이속인지 알 수가 없었다.

아무리 일곱 살 때 그 큰 사고를 겪고 실어증에 정신을 놓았다지만 열네 살씩이나 된 지금, 다른 귀족 집안 자제들이 여덟 살이면 다 배웠을 기초적인 것조차 읽고 쓰지 못하던 그녀였다.

벌써 지루하다며 두어 번은 벌떡 일어나 뛰쳐나갔을 시간인데 너무나도 순순하게 수업을 듣고 있었다.

"어험, 어험……."

빅터는 자신을 꿰뚫는 그 집요한 시선을 견디다 못한 나머지 헛기침을 내뱉었다.
"제 말을 듣고 계신 겁니까?"
꿈꾸듯 몽롱한 얼굴로 자신을 뚫어져라 바라보는 것이 장난인 듯싶어 그가 단호히 말했다.
"네."
"철자를 머릿속에 확실하게 집어넣으셨습니까?"
"네."
"장난치시면 안 됩니다."
"네."
빅터는 울컥하니 화가 치밀었다.
"건성으로 대답하지 마시고요. 확실하십니까?"
그 말에 벨라는 웃으며 고개를 끄덕였다.
"확실하다니까요."
빅터는 이젠 하다 하다 이런 식으로 반항하나 싶어 짜증이 샘솟았다.
"그럼 받아쓰기 시험 봅니다."
"네. 해요."
벨라는 싱글싱글 웃었다.
그 웃음이 짜증이 나서 빅터는 늘 벨라가 입에 거품을 물고 싫어했던 받아쓰기 시험을 보게 하기로 했다.
"내가 그린 기린 그림은 노란 기린 그림이다."
"중앙청 창살 쇠창살."
"봄 꿀밤 단 꿀밤. 가을 꿀밤 안 단 꿀밤."
"이 콩깍지는 깐 콩깍지이냐 안 깐 콩깍지이냐?"

"멍멍이네 꿀꿀이는 멍멍 해도 꿀꿀 하고, 꿀꿀이네 멍멍이는 꿀꿀 해도 멍멍 하네."

벨라는 웃으며 작고 하얀 손을 들어 깃털 펜에 잉크를 찍은 후 사각사각 노트 위에 받아쓰기를 시작했다.

사실 한두 개만 제대로 써도 대단할 정도로 벨라는 온몸으로 배움을 거부하던 소녀였다.

세상에 어느 귀족 영애가 글을 못 읽고 못 쓰느냐고 아무리 설득해도 소용없었다.

어라?

벨라가 자신 있게 노트를 내밀자 의심 가득했던 빅터의 눈이 가늘어졌다. 이 정도면 나무랄 데 없는 받아쓰기 실력이었다.

게다가 이게 웬일. 발가락으로 쓴 듯 삐뚤빼뚤하던 글자가 한결 단정했다.

놀란 빅터가 눈이 휘둥그레져서 벨라를 바라보았다.

"아가씨, 혹시 저 모르게 글쓰기 연습 하셨습니까?"

"네."

벨라는 눈을 있는 힘껏 휘며 환하게 미소 지었다.

빅터는 어리둥절한 표정으로 받아쓰기 노트와 벨라의 얼굴을 번갈아 쳐다보았다. 그러다가 헛기침을 다시 하고는 입을 열었다.

"아가씨. 그럼 이젠 책 읽기로 넘어가도 되겠습니까?"

"네."

너무나 순순한 대답에 빅터는 그저 멍하니 벨라를 바라볼 뿐이었다.

그러더니 빅터가 환하게 웃음을 지었다.

생전 처음으로 빅터의 웃는 얼굴을 보았다. 삼십 대 중후반의 사내. 가정 교사보다 차라리 근위병을 할 것처럼 덩치가 크고 체격이 다부진 그. 붉은 머리카락을 짧게 잘라 포마드로 단정하게 빗어 넘긴 올백 머리.

그런 그가 사실은 한때 국문학과 교수였고 소설가이자 시인, 유명한 저널리스트란 것은 벨라가 죽기 몇 년 전에 알게 된 사실이었다.

그는 벨라와 철자법 씨름 따위나 하며 촌구석에서 썩을 존재가 아니었다.

술집 손님이 거들먹거리며 지적인 척, 많이 아는 척하며 펼쳐 흔들던 신문 기사에서 본, 화상으로 반쯤 일그러진 그의 얼굴이 떠올라 코끝이 시렸다.

벨라가 화재로 저택에 갇혔을 때, 빅터는 망설임 없이 불붙은 문을 부수고 뛰어들었다. 그녀를 구해 내느라 화상을 입고 얼굴의 반이 일그러지게 된 것이다.

자신을 보며 환히 웃는 빅터를 바라보며 벨라도 따라 웃었지만 눈가는 발갛게 물들어 있었다.

벤자민과 도피했던 과거가 떠올랐다.

성년이니 후견인 따위는 필요 없다고 그와 둘만의 결혼식을 올렸다. 그가 집사로부터 재산을 찾아 주겠다며 위임장을 써 달라고 했을 때도 아무런 의심 없이 써 주었다.

벨라는 그 위임장에 쓰여 있는 내용을 제대로 읽고 이해하지 못했다. 그런 법률 용어 같은 것은 잘 알지 못했다.

그래도 사랑하는 벤자민이니까, 그가 알아서 다 해 주리라 생각했다.

그 결과 재산을 송두리째 그에게 빼앗겼고, 되찾으려고 알아보니 벤자민과는 혼인 신고도 되어 있지 않아서 혼인 법률에 따른 보호도 받지 못했다.

법률이 뭔지 몰라도 사는 데 지장이 없다고 생각했었다. 그런데 막상 닥쳐 보니 아무리 억울하다고 호소하여도 법률 상담소에서는 '그 서류에 사인한 것은 본인이기 때문에 책임을 질 수밖에 없다'고 말할 뿐이었다.

그렇게 크게 데였으면 그다음은 같은 일을 반복하지 말았어야 했는데 마찬가지였다. 사채를 빌린 후 몰락할 때에도 자신이 서명한 서류에 담긴 내용이 무엇인지 몰라 최후엔 고급 창부로 전락하지 않았던가.

저도 모르게 벨라의 코끝이 발개졌다. 더는 웃을 수가 없었다. 과거가 너무나 아파서 눈물을 감추기가 버거웠다. 그 눈물을 가까스로 삼키며 벨라는 입을 열었다.

"동화책…… 말고 고, 공부가 하고 싶어요."

빅터의 눈이 최대치로 휘둥그레졌다. 오늘 벨라의 입에서 나오는 말들이 마치 외계어라도 된다는 듯 그는 입을 벌리고 벨라를 바라보았다.

"또, 또래들이 한다는 공부……."

벨라는 훌쩍이지 않으려 애쓰며 일부러 더욱 입을 양옆으로 길게 늘이며 미소를 지었다.

"그 공부 따라잡으려면 매우 힘든가요? 또래들만큼 배우고 싶은데……."

멍하니 벨라의 입만 바라보던 빅터의 눈빛이 심상치 않았다. 벨라는 그 묘한 표정에 그의 뜻을 읽을 수가 없어 순간 마른침을 삼켰다.

"와하하하하핫!"

빅터가 큰 소리로 웃으며 벨라의 머리를 마구 손으로 흐트러뜨렸다.

"농담이라 할지라도 정말 듣기 좋은 말이로군요! 벨라 아가씨께서 그렇게 말씀하시니 가정 교사로서 보람을 느낍니다. 정말로 공부하고 싶으신 건가요? 제가 잘못 들은 건가 의심하지 않아도 되겠습니까?"

그가 기분 좋다는 듯이 연신 웃어 댔다. 그러다가 벨라의 머리가 헝클어진 것을 보고는 아차! 하며 손을 내렸다.

"죄송합니다. 제가 그만 너무 기뻐서 실례를……."

"아니에요."

그가 그리도 행복하게 웃으니 벨라는 마음이 찡했다. 공부하고 싶다는 말만으로도 이렇게 기뻐하는 사람을 왜 그리 내쫓고 싶어 안달했는지…….

다시 주책없는 눈물이 흐르려 해서 벨라는 잠시 천장을 바라보았다.

"……많이 어려운가요?"

벨라의 조그마한 목소리에 빅터가 미소 띤 눈으로 쳐다보았다.

"무엇을 말씀이신가요? 문학? 산수? 음악? 미술? 걱정하지 마십시오. 제가 기초 교양 과목들에는 어느 정도 조예가 있어서……."

빅터의 말에 벨라는 고개를 저었다.

"문학 말고 법, 법률……. 많이 어려워요?"

빅터의 눈동자가 사정없이 흔들렸다.

"법이요?"

벨라는 고개를 끄덕거렸다.

"법이라……. 가문의 주 계약 변호사에게 물어보시면 됩니다. 굳이 배우실 필요가……."

벨라는 빅터의 말에 고개를 한사코 내저었다.

"아니에요. 법률. 꼭 배우고 싶어요."

빅터는 당황한 표정을 지었다. 바로 얼마 전에 받아쓰기가 하기 싫다고 가출했던 벨라가 동화책 읽기도 아닌 법률을 배우겠다고 하니 놀랄 만도 했다.

하지만 벨라는 굳은 의지를 얼굴에 띠우며 말했다.

"생활 법률이라도."

"그것이 배우고 싶은 이유라도 있으십니까?"

빅터는 호기심 가득한 눈으로 물었다.

벨라는 열네 살이라는 나이답지 않게 지친 듯한 표정으로 담담히 말했다.

"세상을 바라보는 눈을 키우고 싶어요."

그 대답에 빅터가 흥분했다.

"오오! 벨라 아가씨! 갑자기 어른스러워지신 것 같습니다!

혹시 무슨 근심거리라도 있으십니까? 그래서 법률을 알고 싶은 겁니까?”

그의 말에 벨라는 희미한 미소를 띠며 말했다.

“그냥, 세상을 똑바로 보고 싶어요. 제가 사는 세상이 궁금해져서. 그걸 가장 잘 알려 주는 것이 법률일 것 같고.”

와하하하 하고 그가 다시 기쁘게 웃더니, 손뼉을 한 번 치고는 눈빛을 반짝였다.

“열의는 충분히 느꼈습니다만 처음부터 법률을 배우면 금방 지치실지도 모르니 제가 법률과 관련이 있는 읽기 쉬운 동화책을 먼저 알아보겠습니다. 쉬운 책으로 시작해서 점점 높은 쪽으로 갑시다. 그때는 법률 고문 헨리 와이즈먼 씨께 생활 법률 개인 교습을 받으실 기회를 마련해 드리겠습니다.”

뭐가 그리 기쁜지 연신 빅터는 싱글벙글하며 몇 달째 끝까지 읽지 못했던 ‘골디락스와 곰 세 마리’ 동화책을 마저 읽게끔 했다.

벨라는 그것을 술술 읽어 내려갔다.

글자를 너무나 아프게 익혔던 과거. 이렇게 조금만 공부에 관심을 보여도 빅터가 기뻐하는 것을, 왜 그땐 그리 반항했는지 모르겠다.

“별일이야. 아가씨께서 내게 좋은 아침이라고 먼저 인사

해 주시더라니까?"

"그건 별거 아니야. 어릴 때부터 그 나이 되도록 끌어안고 건드리지도 못하게 하던 그 꼬질꼬질한 곰 인형하고 아기 담요 말이야. 빨아 달라고 먼저 내주시던걸? 정말 식겁했다니까? 한번 세탁하려면 뺏다시피 해서 빨아야 했는데 순순히 주시다니. 다시 빼앗아 갈까 봐 걱정했어."

하녀들이 모여서 수군거렸다.

그리젤리 저택의 고용인들은 저마다 벨라의 일로 이야기를 꽃피웠다.

일곱 살 사고 이후 한동안 실어증에 걸려 말도 하지 않고, 알아듣지도 못했던 그녀가 아버지의 장례식 이후 말을 다시 하기 시작했을 때 남들보다 늦어진 말하기, 읽기, 쓰기, 예의범절을 가르치느라 매일 전쟁터 같은 나날을 보내던 중이었다.

그런데 공부하기 싫다며 가출했다가 돌아오더니, 그녀의 행동이 180도 달라져서 보고도 믿기지 않았다. 다들 모였다 하면 벨라의 달라진 행동으로 수군거렸다.

일단, 매일 공부를 한다. 그 자체로 기함을 토할 일이었다.

매일같이 빅터와 벨라가 싸우는 것으로 하루를 시작해 하루를 마무리하던 그리젤리 저택이었는데 요즘은 빅터가 수업이란 걸 하고 있었다.

물론 생전 안 하던 공부를 이제 와 하려니 버겁긴 한지 종종 쉬었다가 하자면서 한숨을 쉬기는 했지만, 별일 없으면 그날 정해진 공부량을 지키는 편이었다.

게다가 거식증까지 있어서 먹는 족족 토하던 벨라가 끼니마다 조금 더 먹고 싶어라 하며 숟가락을 아쉬운 듯 쭉쭉 빠는 행동은 다들 눈을 의심하게 했다. 뭐든 잘 먹었다. 마치 오랫동안 굶었던 것처럼. 그리고 맛있다, 맛있다, 뭘 먹어도 입이 마르고 닳도록 감탄사를 내뱉었다.

개를 예뻐하기는 했어도 좀처럼 만지지 않던 그녀가 매일 푸딩을 끌어안고 다녔고, 언제 침대에 걸터앉아 벽만 바라보았나 싶게 정원에서 활발히 뛰어놀았다.

심지어 집 안으로 들여서 키워도 되느냐고 낸시를 졸랐다. 안 된다고 낸시가 말하기도 전에 이미 푸딩은 벨라의 방 침대가 제 것인 양 떡하니 자리 잡은 후였다.

푸딩은 똑똑한 개였다. 양치기 한스가 키우는 목양견에게서 태어나 새끼 때부터 데려와서 키운 거였다. "발!" 하고 외치면 발을 내밀고, "앉아", "일어서"는 기본이고, "빵야!" 하면 죽는시늉까지. 늘 같이 놀자고 공을 들고 와 귀찮게 했다.

예전엔 놀자는 게 너무나 귀찮았다. 성의 없이 공 두어 번 던져 주고 가끔 귀엽네 하는 시선을 보내 주는 것 외엔 가까이하지 않았다.

하지만 지금은 녀석이 혓바닥을 내밀고 헉헉거리는 숨소리마저 듣기 좋았다.

녀석의 복슬복슬한 털을 만지고 있노라면 마음속이 몽글몽글해지고, 녀석의 뒷머리를 긁어 주면 시원하다는 듯이 귀를 뒤로 젖히고 입을 벌려 웃는 것이 사랑스러웠다.

노랗고 보드랍고 긴 솜털, 양말을 신은 듯 하얀 털이 난

네 개의 다리. 새까맣고 큰 눈에 분홍 코.

벨라는 매일매일 푸딩을 끌어안고 뺨을 비볐다. 이 따뜻하고 보드라운 촉감을 잊고 싶지 않았다. 너무 행복해서 눈물을 흘리고 있노라면 푸딩이 가만두질 않고 눈물을 날름날름 혀로 핥아 주었다.

벨라의 갑작스러운 변화에 저택 사람들은 긍정적인 평가를 하면서도 그것이 일회성의 변화일지도 모른다는 생각을 하는지 선뜻 다가와 주지는 않았다.

하지만 푸딩만큼은 언제나 진심으로 다가와 포옹해 주고 위로가 되어 주었다.

'널 만질 수 있는 것만으로도 축복이야.'

마음속으로 중얼거리는 벨라를 빤히 바라보던 푸딩이 고개를 갸웃하더니 앞발로 무릎을 툭툭 건드리는 시늉을 했다. 나가 놀자는 뜻이었다. 못 이기는 척 푸딩과 함께 정원으로 나가 프리스비를 던지고 받으며 놀았다.

한참을 땀범벅이 되어 초록의 정원 위를 뛰어다니고 있는데 경비병들이 서 있는 정문 쪽이 시끌시끌했다.

푸딩이 컹컹 짖어 대기 시작했다.

벨라의 시선이 저도 모르게 정문 쪽으로 향했다. 그곳에는 벨라의 이모인 마리앤 디올러스가 서 있었다.

벨라에겐 엄마를 닮은 이모가 무척이나 그리웠던 시절이 있었다. 그러나 그것도 그녀에게서 쭉쭉 빨아먹을 돈이 있던 때였다.

벨라는 좋지 못한 예감에 미간을 찡그렸다.

마리앤 디올러스는 동생인 애너벨에 비해 미모가 조금 못 미친다는 평은 있었어도 그 자체로 미인이었다.

도발적인 붉은 머리와 고양이같이 치뜬 눈매, 오뚝한 코에 도톰한 입술. 풍만한 가슴에 개미 같은 허리를 지닌 그녀는 몰락한 남작 집안의 딸로 태어나 그저 그런 군인의 아내가 되었다.

그 남편이 일찍 죽어 그다음에는 그녀가 사는 영지의 백작과 눈이 맞아 불장난을 즐기다가 백작 부인에게 붙들려 머리카락을 삭발당하고 수녀회로 보내지는 굴욕도 겪었다.

하지만 워낙 화술이 뛰어나고 밤의 사교계에서 적극적으로 남자와 여자를 연결해 주는 역할을 하다 보니 자칭 결혼 중매업자, 내지는 뚜쟁이로 불리는 삶을 사는 바였다.

돈 많은 평민과 혼인해 성은 평민의 것인 디올러스를 썼으나 그녀에게는 한미하나마 귀족 집안 출신이라는 자긍심이 있었다.

벨라의 미간이 찡그려졌다.

과거의 자신은 이모 마리앤을 목이 빠져라 기다렸다. 그녀가 들려주는 사교계의 이야기를 들으며 아름답고 커다란 드레스를 입은 공주님이 왕자님과 손잡고 춤추며 즐거워하는 모습을 상상하곤 했다.

숙녀라면 이런 것은 기본이라며 화장도 시켜 주고 키 높이 구두도 신겨 주던 그녀.

이모랑 함께 가면 매일매일을 즐겁게 해 줄 거라고 귓가에 속삭이면서, 너에게는 평생을 쓰고도 다 못 쓸 엄청난 재산이 있는데 그 재산을 움켜쥐고 자기 사리사욕을 채우고 있는 것은 집사 루카스라고 말했다.

'내가 너의 재산을 네게 돌려줄게. 너의 재산으로 우리 매일 즐거운 파티를 열자꾸나.' 하며 속삭였었다.

후견인을 루카스가 아닌 자신으로 바꿔 달라고 부추기곤 하여 루카스에게 몇 번이나 내 재산을 돌려 달라 내지는 후견인을 이모로 바꾸게 해 달라 애원을 했었다.

그때마다 루카스는 일말의 여지도 없이 그녀의 의견을 묵살하곤 했다.

성년이 되어 벤자민에게 결혼 사기를 당해 재산을 홀랑 털리고 나서 마리앤을 찾아갔다.

처음에는 조카의 일은 자신이 해결해 줘야 한다면서 자신만 믿으라 했다. 하지만 곧 계약서에 서명을 잘못하여 재산을 한 푼도 되찾지 못하게 되었다는 사실을 깨닫자 단숨에 태도가 냉담해졌다.

'먹고살기가 힘들어서 내 코가 석 자인데 너를 어찌 건사하겠니? 이젠 성인이니 앞가림은 스스로 해야지? 정 그렇게 궁상을 떨고 싶다면 시집이나 일찍 가든가. 마침 혼처도 하나 들어왔는데 소개해 주련? 작은 정육점을 운영하는 평민이지만 어느 정도 돈은 있단다. 얼마 전에 상처했다는구나. 그 집에서 입에 풀칠은 할 수 있을 거다. 뭐…… 첫째 딸이 너보다 한 살 더 많긴 하지만 시집갔으니까 상관없잖니.'

손톱 손질을 하며 심드렁하게 말하던 마리앤의 모습을 떠올리면 아직도 치가 떨렸다.

“내 조카를 만나겠다는데 왜 막는 거야? 내가 누군 줄 알아? 이 저택의 주인인 이사벨라의 하나뿐인 이모라고 이모! 조카에게 선물 하나도 못해? 꼭 이래야겠어?”

마리앤은 오르골 상자를 들고 서 있다가 정원에 있는 이사벨라를 발견하자마자 반갑다는 듯이 호들갑을 떨며 손에 든 선물을 흔들었다.

“이사벨라! 선물이야! 네 것이란다!”

지금은 안다. 그 선물이 조카에 대한 순수한 사랑의 마음에서 준비한 것이 아니라 잘 꼬드겨서 그녀의 재산을 좀 어떻게 해 보려는 수작이라는 것을.

벨라는 멍하니 서서 이모가 손 흔드는 것을 바라보았다.

이모의 손에 들린 오르골 상자는 한때 벨라의 가장 소중한 보물. 예쁜 소녀가 장식된 도자기 재질의 오르골 상자는 그 자체로 정교한 세공이 되어 있어 한눈에 보아도 값비싼 물건이었다.

게다가 상자를 열면 나오는 그 아름다운 음악이라니!

이야기할 친구도 없이, 그 안에 가장 소중히 여기던 작은 물건들을 집어넣고 상자에 새겨진 소녀를 벗 삼아 긴긴밤을 지새우며 들여다보던 것이었다.

지금이라도 달려가서 그 오르골 상자를 받을까 말까 하는 충동이 들었으나 어쩐지 망설여져서 주먹만 꼭 쥐고 있었다.

‘저 가증스러운 인간. 나를 자신의 현금 주머니쯤으로 여

겨 사리사욕을 채우려고 한 주제에.'

이제 와 생각해 보면 기가 막힌다. 열네 살이 아닌가. 선물을 흔드는 모양새가 마치 열 살짜리 꼬마를 대하는 것 같다.

아무리 실어증에 걸린 시간이 길었다고는 하나 누가 봐도 이건 대놓고 무시하는 거나 마찬가지였다. 그저 자신이 불쌍한 고아라고 생각해서 눈 막고 귀 막은 결과가 이것이었다.

벨라는 미간을 미미하게 찡그리며 그녀를 바라보았고 마리앤은 자신이 낯설어서 그러는 것으로 생각하고서 더 크게 손을 흔들었다.

"무슨 일이십니까?"

소동이 인 것을 알았는지 루카스가 걸어 나왔다. 정중하게 인사를 건넸으나 그것이 환영의 뜻이라기보다 그저 틀에 박힌 인사치레라는 것을 마리앤도 뻔히 알았다.

"내 조카 내가 만나러 왔다는데 이유가 필요해? 들여보내 줘 당장!"

루카스는 한번 뒤를 돌아서 벨라의 표정을 살펴보더니 다시 고개를 돌려 마리앤에게 무표정한 얼굴로 말했다.

"후견인은 접니다. 아가씨께 악영향을 미치지 말고 이만 돌아가 주시기 바랍니다."

그의 말에 마리앤은 삿대질하며 얼굴을 붉혔다.

"나는 하나뿐인 이모라고 이모! 왜 내 조카를 못 만나게 하는 건데? 일개 집사 따위가 감히 이래라저래라 하다니 분수를 알아! 아르티드 후작가의 유일한 후계자라고! 천한 집사 놈이 뭘 안다고 혈육을 갈라놓는 거야?"

루카스는 표정 변화 없이 듣고 있다가 담담하게 말했다.

"천해서 죄송합니다만, 돌아가신 다비드 엘 아르티드 후작님께서는 제게 아가씨가 열여덟 살 성년이 되어 아르티드 집안의 계승자 자격을 얻을 때까지 저에게 후견을 맡아 달라고 하셨습니다. 일체의 교육과 재산 및 건강 관리는 모두 제게 위임한다는 유언장을 살아 계실 때 변호사의 입각하에 공증하셨습니다."

그러자 마리앤은 지지 않고 소리를 질렀다.

"그러니까 문제인 거야! 평민이 어찌 감히 대귀족 영애의 후견인을 해! 설령 시킨다 해도 제 주제를 알고 뒤로 물러서야지! 어디서 그 흉악한 탐심을 서슴없이 드러내는 거냐? 응? 네 주제를 좀 알라고! 나는 남작 부인이야! 남작 부인!"

루카스는 여전히 무표정한 얼굴로 그녀의 말에 침착하게 대답했다.

"엄밀히 말씀드리자면 전 남작 부인이시겠죠. 백작가와의 추문 탓에 콩테 남작가에서 당신께 주어진 남작 부인 호칭을 거두었으며 현재는 평민의 성을 쓰는 것으로 알고 있습니다만, 틀렸습니까?"

그 말에 마리앤의 얼굴이 창백해졌다.

"그리고, 이런 일을 대비해서 아르티드 후작님께서는 제게 준남작 자격을 하사하여 주셨습니다. 이 또한 세 명의 증인과 함께 변호사 앞에서 공증되었습니다. 관련 서류 보시겠습니까?"

입술을 깨물며 바르르 떨고 있던 마리앤은 멀리 서 있는 벨라를 힐끔 쳐다보더니 지지 않겠다는 듯 소리쳤다.

"어디서 무식한 것이 준남작 작위 따위로 자랑질이야? 그래서 내 조카를 제대로 가르치지 않은 건 어쩔 테야? 여태 글도 못 읽고 못 쓰잖아! 세상과 단절시켜 아무것도 모르게 해서 결국엔 내 조카의 재산을 다 꿀꺽할 셈이지! 안 그래? 무식한 것들은 돈에 대한 탐심만 많아서 진정한 귀족 정신 따위 알 게 뭐야?"

저런 소리를 서슴없이 해 댔기에 과거의 벨라는 이모가 하는 말을 곧이곧대로 듣고 집사가 자신의 재산을 꿀꺽하기 위해 세상과 단절시키고 있다는 것을 의심하게 되었다.

그러나 지금은 안다. 저 이모라는 여자의 입에서 쏟아져 나오는 말들이 얼토당토않은 말들이란 사실을.

겉껍데기는 유아 퇴행적인 열네 살이나 그녀의 정신적 나이는 이미 닳고 닳아 세상 풍파에 찌든 서른 살이었다.

뭐라고 한마디 해 주려는데 루카스가 먼저 입을 열었다.

"죄송합니다만, 저는 국립 모나스 판테온 대학에 최연소 입학과 최연소 졸업, 최연소 박사 과정 수료 기록을 보유하고 있습니다. 졸업 증명서와 석박사 수료증을 보여 드릴까요? 그리고 현재 이사벨라 아가씨의 교육을 담당하고 계신 분은 전 모나스 판테온 대학의 국문학과 교수 빅터 브롬웰 씨입니다. 그분께서 보유하고 계신 학위는 국문학, 역사학, 미학입니다만. 그 역시 증빙 서류를 첨부하여 보여 드릴까요?"

헙 하고 마리앤의 입이 다물어졌다.

"댁으로 해당 사본을 내용 증명을 거쳐 보내 드릴까요?"

루카스의 말에 마리앤은 얼굴을 붉히며 버럭 소리 질렀다.

"말이 그렇다는 거지! 에잇! 재수 없어! 내 조카를 만나러 왔을 뿐인데 이렇게 문전박대하다니! 이게 이 집안의 예의범절과 가풍인 거야? 내가 더러워서 피하지. 이사벨라! 언젠가 꼭 이 감옥 같은 곳에서 이모가 구해 줄게! 알았지?"

마리앤은 이를 북북 갈며 오르골 상자를 바닥에 휙 내팽개쳤다.

도자기로 만들어진 아름다운 오르골 상자는 바닥에 널브러짐과 동시에 쨍그랑하는 맑은 파열음을 냈다.

돌아가는 마리앤의 뒷모습을 보며 벨라는 머뭇머뭇 출입문 쪽으로 다가가서 두 쪽으로 쪼개진 오르골을 바라보았다.

그 모습을 바라보던 루카스가 조용히 입을 열었다.

"벨라 아가씨, 오르골 장인을 수소문하여 같은 것으로 구매해 드리겠습니다. 저분의 말씀은 사실이 아니니 오해하지 마십시오. 나중에 성년이 되시면 그때 이모님의 방문을 차단했던 이유를 말씀드리겠습니다."

마리앤이 퍼부은 폭언이 신경 쓰였나 보다. 벨라는 시선을 루카스의 얼굴로 돌렸다.

"신경 쓰지 마세요. 저는 당신을 믿어요. 제 아버지께서 제 후견인으로 정해 주신 데는 깊은 뜻이 있었을 거예요."

벨라는 활짝 웃었다.

뭔가 예상했던 반응이 아닌지 루카스는 고개를 갸웃했다. 무표정하던 그의 얼굴에 뭔가 미묘한 표정이 스쳐 가자 그 자체로 벨라는 즐거워서 깔깔거렸다.

'그땐 몰랐지만, 지금은 당신이 어떤 사람인지 잘 아니까요. 나를 위해 목숨까지 대신 내걸 정도로 충직한 사람이었으니까요.'

벨라는 목구멍까지 솟아오르는 그 말을 뜨겁게 삼켰다.

'차라리 당신 같은 사람이 내 첫사랑이었다면 좋았을 텐데.'

그의 키가 너무 커서 벨라는 고개를 뒤로 한껏 젖혔다. 그는 언제나 한결같이 든든한 그녀의 울타리였고, 후견인이었으며, 아빠 대신이었던 사람이다. 게다가 오늘은 그에 대해 몇 가지 더 알았다.

그가 준남작 작위를 가지고 있었고, 최연소 입학, 졸업에 박사 과정을 마친 수재였고, 집사로 썩을 만한 사람이 아니었다는 것을 말이다.

여러모로 그는 자신에게 과분한 사람이었다. 신분 낮은 집사가 아니라.

'당신을 사랑했다면 좋았을 텐데.'

벨라는 그를 바라보다가 눈이 부신 햇살 아래 밝게 비친 그의 눈동자를 처음으로 보았다.

그의 연한 갈색빛 눈동자의 다른 한쪽은 색이 옅다 못해 푸르게 보였다.

벨라가 자신의 눈을 뚫어지게 바라보자 그가 어색하다는 듯 시선을 피하며 말했다.

"아. 제 눈은 어릴 적에 다쳐서 한쪽 눈의 시력이 거의 없습니다. 그 이후로 한쪽 눈이 점점 탈색되더군요. 의사의 말로는 아마 시일이 지날수록 점점 더 탈색되어 푸른색으로 변질될 거라고 합니다. 신경 쓰이시지 않도록 외눈 안경을 코에 걸치도록 하겠습니다."

벨라는 한사코 고개를 저었다.

"아니에요! 아니에요! 멋있어서 쳐다봤어요! 안경은 쓰지 마요!"

제가 한 말에 스스로 놀라 벨라는 입을 틀어막고 후다닥 저택으로 도망쳐 들어갔다.

생각해 보니 과거의 루카스는 항상 금색 끈이 늘어진 외눈 안경을 쓰고 있었다. 집사의 상징이라 고리타분하게 코에 걸치는 줄 알았다.

벨라는 그 안경이 노티 나서 싫어했다. 그러나 그것은 시력을 잃은 눈을 감추기 위해서였음을 인제야 깨달았다.

"퓨우우……."

벨라는 땅이 꺼지도록 한숨을 내쉬었다.

빅터를 기쁘게 하려고 공부를 열심히 하는 척 마음을 먹은 것까지는 좋았다.

문제는 빅터가 상당히 열혈에 기분파라는 점이었다. 늘 그와 싸우기 바빴던 과거와는 달리, 그의 열정을 깨달은 순간 벨라는 숙제에 치여 살았다.

"좋습니다. 이런 식으로 차근차근 진도를 나가면 또래보다 뒤떨어진 공부를 찾을 수 있을 겁니다. 이렇게 열심히 따라와 주시다니 저, 빅터 브롬웰 여한이 없습니다!" 하며 달달 볶아 댔다.

제가 스스로 공부하겠다고 자처했으니 이제 와 싫은 내색도 할 수 없을뿐더러 그녀가 숙제를 끝마칠 때마다 그의 기분이 구름 위로 동동 뜨는 것이 빤히 보였기에 차마 그를 실망하게 할 수가 없었다.

'그렇다고 해서 19단짜리 구구단을 외우라고 시키는 것은 너무하잖아!'

벨라는 미간을 옴팡지게 구긴 후 눈앞에 있는 노릇노릇하게 구워진 닭 요리를 노려보았다.

'읽고 쓰는 것은 과거에 굴욕을 감내해 가며 배웠다지만 구구단은……!!'

벨라는 셈을 잘하지 못했다. 더하기, 빼기도 숫자를 잘 떠올리지 못해 종이에 빗금을 그리고 가운데를 쫙 긋는 식으로 열 개씩 짝을 지어서 세어야만 했다.

그 과정을 뛰어넘어서 머릿속에서 암산해야 한다고 빅터가 누누이 말했지만 서른 해를 무식하게 살아왔는데 회귀했다고 해서 갑자기 셈을 잘할 수 있을 리가 전혀 없었다.

'간신히 7단을 외웠더니 이젠 8단을 외우란다. 정말 19단까지 외우라는 것은 아니겠지? 그렇겠지?'

벨라는 양손에 쥔 나이프와 포크로 식탁을 '쾅' 하고 내리친 후 고사리 같은 손으로 난폭하게 닭 요리를 썰어 입에 푹 찍어 넣었다.

생각 같아서는 통째로 들고 씹어 먹고 싶으나 지금 자신은 우아한 귀족 영애이므로 귀족답게 닭 다리도 살 한 점씩 썰어서 입에 넣어야 했다.

"하아!"

벨라의 눈이 금세 환희에 가득 차올랐다.

정말 맛있다. 겉은 바삭하고 속은 촉촉…… 적당히 담백하고 적당히 후추 간이 되어 있고 양념 소스는 대체 무엇인지 입에 착착 감긴다. 같이 먹으라고 곁들여 놓은 감자 요리도 걸작이다. 감자인데 감자가 아니다. 감자에 뿌려진 옥수수 드레싱도 환상적이다. 같이 곁들여진 마늘빵은 따끈하고 구수하고 말랑하다.

한 입, 한 입 먹기가 아쉽다. 세상에서 이렇게 맛있는 것이 한 입씩 사라지고 있다는 그 슬픔이란. 눈으로는 눈물을 흘리며 입은 쉴 새 없이 먹고 콧구멍은 음식 고유의 향 한 가닥까지 놓칠세라 흡흡 빨아들이고 있었다.

'행복해, 행복해…….'

벨라는 두 뺨에 손을 살포시 얹고 몰라몰라 하듯 고개를 흔들었다.

회귀해서 가장 좋은 것은 식사 시간이었다.

'이렇게 맛있는 것을 매일 먹을 수 있었는데 그 사실을 그때는 왜 몰랐을까?'

"웡!" 하는 짖는 소리가 벨라의 발치에서 들렸다. 벨라가 의자 아래를 힐끔 바라보니 푸딩이 '너만 먹냐? 나도 먹을 줄 안다!'라고 말하듯 애절하게 벨라를 올려다보고 있었다.

혹시라도 작은 부스러기라도 흘릴까 봐 바닥을 킁킁거렸다. 다시 벨라를 바라보며 쩝쩝대고는 눈을 마주쳤다. 애달픈 표정을 지은 녀석의 꼬리는 바짝 내려진 채 쉴 새 없이 흔들리고 있었다.

벨라는 보는 사람 없나 눈치를 보다가 닭고기 한 점을 푸딩에게 내밀었다. 단숨에 흡입한 녀석은 벨라의 손가락에 묻은 작은 조각 하나라도 빠짐없이 먹겠다는 듯 축축한 혀로 벨라의 손바닥을 핥고 또 핥았다.

벨라는 킥킥거리며 웃고는 다시 또 손바닥에 고기를 얹어 살며시 내려놓았다.

"벨라 아가씨! 그 아까운 걸 개 먹이면 어떡합니까!"

수석 메이드인 브렌다 노튼이 그런 벨라의 모습을 보고 혀를 끌끌 차며 다가왔다. 그녀는 검은 뿔테 안경을 집게손가락으로 살짝 추켜세웠다.

"평민도 먹을 기회가 별로 없는 귀한 음식입니다. 아가씨만을 위해 요리했으니 아가씨께서 드셔야죠. 게다가 주시려거든 간이 되지 않은 생닭을 주셔야 합니다. 이렇게 양파 소스로 간을 한 짠 음식은 푸딩에게도 좋지 않습니다. 개들에겐 양파가 독이랍니다."

독이라는 말에 벨라는 움찔했다. 말을 알아듣지 못한 푸딩은 고개를 갸웃하며 귀를 쫑긋거렸다.

과거에 푸딩이 피를 토하고 죽었던 기억이 나서 잘게 자른 닭고기를 주려다가 얼른 도로 자신의 입에 집어넣었다. 브렌다는 식사에 방해가 된다며 푸딩을 밖으로 쫓아냈다.

혼자 먹으려니 이 맛있는 것도 맛이 반감되는 것 같았다. 푸딩이 신나서 달라고 조를 때는 자신도 흥이 났는데 이 넓은 식당의 길고 화려한 테이블에 혼자 앉아 먹으려니 물 삼키는 소리조차 크게 들렸다.

하얀 도자기에 화려한 포도 덩굴 문양이 양각된 핸드 벨을 조심히 들고 딸랑딸랑 흔들었다.

그 소리에 브렌다가 즉각 달려왔다.

"아가씨, 부르셨습니까?"

벨라는 포크를 테이블에 내려놓았다. 그리고 냅킨으로 입가를 조심스레 닦으며 말했다.

"브렌다, 이 요리 재료비가 비쌀까? 매일 먹으려면 무리일까?"

벨라의 말에 브렌다는 대답했다.

"매일매일 평생 드셔도 그 정도로는 아르티드 가문에 먼지 한 톨의 부담도 되지 않습니다. 매일 이 요리를 준비하라고 전할까요?"

그녀의 말에 벨라는 방긋 웃으며 말했다.

"우리 저택에서 일하는 사람 모두 다 이 요리를 맛보게 해주고 싶은데 그래도 되지?"

"네?"

브렌다가 벨라의 말이 이해가 되지 않는지 뚱하니 쳐다보았다.

"나는 부모님이 돌아가셔서 안 계시니까 우리 저택 사람들이 내 가족이나 마찬가지인데 이 맛있는 것을 다 같이 먹고 싶어. 응? 일 년에 딱 한 번만 이 요리를 맛봐도 좋으니까 다 같이 먹자. 응?"

"실례합니다만 쉬는 시간이 몇 분 남았습니까?"

공부방의 문을 똑똑 두들기는 소리와 함께 루카스의 목소리가 들려왔다.

"어서 오게, 루카스. 마침 쉬는 시간이었네. 우리 학구열에 불타오르는 아가씨께서 질문이 있으시다기에 설명해 드리고 있었는데. 왜? 무슨 일인가?"

빅터의 말에 루카스가 정중히 문을 열고 들어왔다.

"벨라 아가씨, 저택의 고용인들과 함께 식사하시겠다고 말씀하셨다 들었습니다만."

"네! 맞아요. 루카."

루카스는 잠시 멈칫했다. 그가 왜 멈칫하는지 아는 벨라는 한껏 눈웃음을 지었다.

"제 후견인이기도 하고 실질적 저의 보호자시니까 함부로 하대할 수는 없으니 존댓말을 쓰는 거예요. 그래도 되죠?"

루카는 활짝 웃는 벨라를 표정 변화 없이 빤히 쳐다보다가 쓰윽 무시라도 하듯 그녀의 말을 자르고 입을 열었다.

"무엇이든 아가씨의 자유입니다만, 저는 그저 고용인, 다른 아랫사람들도 아가씨를 얕잡아 보는 빌미를 줄지 모릅니다. 따라서 그런 행동은 삼가시길…….”

그 말이 끝나기도 전에 빅터는 박장대소를 했다.

“이봐, 루카스. 너무 어려운 용어와 개념으로 말하는 것 아니야? 성인도 고민할 만한 내용을 여과 없이 말하면 어쩌라고? 쉽게 풀어서 말해. 응?”

루카스는 빅터를 한번 힐끔 쳐다보며 말을 이어 갔다.

“……바랍니다. 고용인들의 식사로 넘어가서 말씀드리자면, 그 의견은 거두어 주십시오.”

여전히 벨라의 수준을 고려하지 않은 정중한 루카스의 언사에 빅터는 웃겨 죽겠다는 듯 팔짱을 끼고 고개를 젖혔다.

빅터가 비웃거나 말거나 루카스는 눈썹 하나 까딱하지 않고 여전히 높낮이 없는 단조로운 음조로 말했다.

“귀족 영애와 고용인들이 한자리에서 먹고 마시는 것은 법도에 어긋납니다.”

“왜요? 같이 먹으면 안 돼요?”

벨라는 눈을 동그랗게 떴다.

“안 됩니다.”

단호하게 그가 말했다.

“그것도 마음대로 못 해요?”

벨라는 크게 뜬 눈을 찡그렸다.

“존댓말은 거두어 주십시오.”

그의 말에 벨라는 고개를 저었다.

‘와! 과거나 현재나 한결같구나 이 남자. 빡빡하고 꼰대같이 굴기는…….’

긴장한 벨라는 마른 입술에 침을 축였다.

'저러다가 계속 내가 대들면 아르티드 8대조 후작 부인이 썼다는 예의 규범집을 들먹이면서 그 책에 쓰여 있다고 일말의 여지도 주지 않고 뜻을 관철하겠지. 그래서 내가 과거에 당신을 매우 칠색 팔색했던 거잖아.'

벨라는 그의 시선이 부담스러워 어색한 미소를 지었다.

'내 머리가 나쁜데도 당신 덕에 그 책은 본 적도 없는데 자다가도 읊을 수 있어. 어쩜 이렇게 한결같아?'

과거의 끔찍했던 기억에 소름이 돋아 올라오자 팔뚝을 벅벅 문지르면서도 벨라는 눈이 잔뜩 휘어지도록 미소 지었다.

'……이 남자는 웃으면서 대답하는 거엔 그나마 세게 나가질 못하지. 한두 번 겪어 보나? 말 끝날 때까지 눈가에 쥐가 나도록 미소 지어야겠다.'

벨라는 그리 생각하며 말했다.

"싫어요. 존댓말도 식사도 제 맘대로 할 거예요. 대신 약속할게요. 우리끼리만 지낼 때는 우리끼리 식사하고 집에 손님이 오거나 외부에 나가서는 예의 규범집에서 한 치의 차이도 없이 행동할게요. 못 믿겠으면 지금 그 책을 암송해 볼까요?"

벨라의 말에 루카스가 멈칫했다.

"아가씨. 그 책을 아십니까?"

그의 말에 벨라는 자신 있다는 듯 입술을 뾰로통하게 내밀며 대꾸했다.

"제 조상 중에 제8대조 아르티드 후작 부인께서 쓰신 예의 규범집을 가문의 계승자로서 어떻게 모를 수 있겠어요?"

루카스가 한동안 그 무심한 시선을 벨라에게 고정하더니 천천히 말을 다시 이어 갔다.

"동화책도 근래에 읽기 시작하셨다기에 얕게 생각했었나 봅니다. 저의 결례를 용서하여 주십시오."

루카스는 정중하게 벨라에게 묵례를 꾸벅하고 올렸다.

"그런데 제가 아르티드 가문의 가보가 있는 창고 열쇠를 드린 적이 없는데 언제 읽어 보셨습니까?"

아차차…….

벨라는 자신의 입을 틀어막고 싶었다.

'과거의 삶에서도 본 적조차 없는 책이 넓은 저택 어느 구석에 있는지 알게 뭐람.'

그러니 그가 의구심을 갖는 것도 무리는 아니었다. 진실을 말하면 그가 어떤 표정을 지을지 순간 궁금했다. 늘 무표정한 얼굴인데 황당하다는 표현을 지을 것인지, 경악하는 표정을 지을 것인지 도무지 상상되지 않았다.

하지만 한 가지 확실한 건, 그는 물증이 있어야 믿을 것이었다. 과거의 삶에서 그랬다. '과거에서 왔습니다.'라고 말하고 싶은 마음은 굴뚝같으나 그의 성격상 그러면 분명히 주치의 피터 브라운 씨부터 부를 것이었다. 그리고 다 나을 때까지 계속 약이라도 먹이겠지 싶었다.

수습하기 위해 벨라는 시치미를 떼며 말했다.

"어릴 때 어머니께서 읽어 주셔서……."

그 말이 나오자마자 루카스는 다시 정중하게 묵례를 올렸다.
"죄송합니다. 제가 괜한 말을 꺼낸 듯합니다. 신경 쓰지 마십시오."
참 이상하다.
벨라는 그런 루카스의 얼굴을 바라보았다. 언제나 같은 표정의 그인데 자꾸만 볼 때마다 새롭고 가슴이 두근거리는 것 같았다.
아마도 그가 어떤 사람인지 과거에 겪어 보았기에 느끼는 믿음과 신뢰인지도 모른다.
그라면 그 무엇을 해도 벨라에게 해가 될 일 따윈 하지 않을 것이라는 확신을 보았기 때문인지도 모른다.
가슴이 터질 것만 같았다.
'당신은 늘 그렇게 무표정한 얼굴로 무슨 생각을 했던 걸까요? 당신이 하라는 것은 그 무엇이든 반대로 하는 청개구리 같은 나를…… 왜 당신의 목숨까지 바쳐서 살리고 싶어 했던 걸까요?'
벨라는 그를 뒤로하고 그리젤리 저택을 돌아보았다.
과거의 어린 벨라가 그토록 싫어했던 그곳. 그러나 나중에는 죽을 만큼 그리워했던 곳.
어린 시절 그 저택을 싫어했던 이유는 단 하나였다.

첫 사교계 데뷔를 했을 때 그란첼 백작가의 영애 알리사가 그녀에게 어디 사느냐 물어본 적이 있었다. 그리젤리 저택이라고 대답했다가 벨라는 주변의 영식, 영애들에게 비웃음을 당하고 말았다.

"뭐? 그리즐리 베어(회색 곰) 사촌이냐? 네가 골디락스쯤 되는가 보지?"

"아서라. 골디락스면 금발이라도 되지. 저런 칙칙한 오크색 머리카락 좀 봐라."

촌스럽게 입고 나왔다고 놀림당한 것도 모자라 그리즐리 베어 사촌 소리 듣고, 집에서 수프가 뜨겁네, 차갑네 타령하는 세상 물정 모르는 촌년 소리를 들었다.

물론 낸시가 골라 주는 다른 점잖은 옷 다 마다하고, "유모가 뭘 모르시네. 요즘 유행은 말이죠……."라고 하는 의상실 마담이 권한 나방 날개 같은 원단으로 만들어진 것을 골라잡은 것은 벨라 본인이었다.

그렇지만 불똥은 낸시와 루카스에게 튀었다.

왜 적극적으로 말려 주지 않았느냐며 분풀이를 했더랬다.

지금 떠올려도 그 순간은 정말 눈물이 나도록 치가 떨렸다.

구석진 변두리의 그리즐리 베어 소굴 같은 저택에 사는 고아 촌년.

그날 알리사 같은 금발이 아닌, 진한 밤갈색빛 머리카락은 그녀의 콤플렉스로 남아 버렸다.

여왕벌처럼 좌우로 또래들을 거느린 채 거만한 자세로 벨라를 놀려 대던 알리사 엘 그란첼.

성격도 별로고 교만하기가 하늘을 찌르던 그 금발 벽안의 아가씨는 훗날 운도 좋아서 카이런 제2 황자와 혼인했다.

그리고 칼리아스 황태자의 사후에 저절로 황태자비로 승격되어 떵떵거리고 살았다.

신문에는 온통 그녀를 예찬하는 기사들뿐이었고, 그녀가 사교계에서 얼마나 못되게 처신했는지 아는 벨라로서는 제발 가다가 개똥이라도 밟아라, 그렇게 빌고 빌었지만 신은 온통 그녀의 편만 들어주었다.

그녀의 지위가 높아질수록 벨라는 자신과 비교되어 얼마나 더 울었던가.

물론 그녀에게는 벨라 같은 존재는 기억도 나지 않을 법한 스쳐 가는 솜털 정도였겠지만.

그러나 지금은 사교계는 어찌 되어도 상관없었다.

'사교계 데뷔 따위, 하지 않아도 괜찮으니까.'

제 신이 변덕을 부려 앗아 갈지도 모르는 삶인데 그런 것에 신경을 소모하기엔 지금 눈앞의 빅터에게 학문을 배우는 것만으로도 시간이 부족했다.

벌써 12월이었다. 저택에 크리스마스 장식이 하나둘 달리기 시작하고 있었다.

"배고파요, 선생님!"

벨라는 싱긋 웃었다.

요즈음 깨달은 사실인데 하얀 이를 살짝 드러내며 보조개가 뺨에 패도록 웃으면 루카스만 잔소리를 멈추는 것이 아니라 빅터도 잔소리를 멈췄다.

인정하기는 싫지만 험하게 살아온 과거 덕에 알았다. 대드는 것보다 빙그레 웃는 것이 더 상대를 설득하기 쉽다는 것을 말이다.

빅터는 인상을 썼다.

자기가 졸라서 교양 국어 초급 과정을 시작해 놓고 앞의 몇 페이지 나갔다고 벌써 눈동자가 흐리멍덩해진단 말인가.

"안 됩니다!"

빅터는 단호하게 말했다. 그 말에 벨라의 풀어진 눈빛이 제자리로 돌아왔다.

"아무 말도 안 했는데 뭐가 안 되나요. 선생님?"

벨라의 보라색 눈이 동그래졌다.

빅터의 미간이 찡그려졌다.

"무조건 안 됩니다."

"네?"

"오늘은 꼭 진도 나갈 겁니다. 자꾸만 진도가 밀리고 있습니다."

"네……."

풀이 잔뜩 죽은 얼굴로 벨라가 대답했다.

"65페이지 두 번째 줄을 낭독해 주십시오."

빅터는 탁자를 그 굵은 손가락으로 톡톡 두들겼다.

벨라는 꾸물꾸물 국어 초급 책을 펼쳤다. 그리고 65페이지에 이르기까지 한참을 페이지를 한 장 한 장 넘기다가 그 페이지에 이르러 맥이 하나도 없는 비실비실한 목소리로 낭독하기 시작했다.

빅터는 굵은 눈썹을 꿈틀하더니 손뼉을 짝 하고 크게 쳤다.

"벨라 아가씨, 어깨를 펴십시오. 아가씨는 아르티드 가문의 표상. 아가씨께서 어깨를 구부정하게 하시면 아르티드 가문도 어깨가 휩니다. 어깨는 당당하게 펴고 허리에 힘주시고, 목소리에 정확성을 부여하십시오."

벨라는 어깨는 폈으나 처량한 표정으로 책을 낭독했다.

"날아라 새들아 푸른 하늘을 달려라 냇물아 푸른 벌판을 오월은 푸르구나 우리들은 자란다."

하품 나온다 정말.

겉은 나이가 어리지만 회귀 전 나이로 계산하자면 빅터와 크게 차이 나지 않는다는 생각에, 한 번에 중급으로 넘어가자 졸랐으나 철자와 문법이 엉망이라며 처음부터 정석대로 가르치는 빅터였다.

아무리 회귀를 해서 굳게 다짐했어도 기합이 빡 든 것은 단지 보름 남짓. 그 이후로는 풀어질 대로 풀어진 데다 자신의 목적은 공부해서 무언가 성공을 해 보겠다는 것이 아니라 그저 빅터를 기쁘게 해 주고 싶다, 그뿐인지라 딱히 공부에 열의가 생기질 않았다.

차라리 싱긋 웃을 때 빅터가 자신을 쳐다봐 주는 편이 더 기분 좋았다.

요란한 뱃고동 소리가 벨라의 배 속에서 울렸다.

"선생님! 마음의 양식도 중요하지만, 키가 크려면 균형 잡힌 식단도 중요하다면서요!"

책 읽을 때와는 다른 벨라의 카랑카랑한 목소리에 빅터는 피시식 웃음을 터뜨렸다.

"허……. 말이나 못하시면……."

"밥 먹고 더 열심히 할게요!"

"66페이지까지는 하고 식사하십시오."

벨라는 슬픈 척 우울한 척 표정을 일그러뜨리며 책을 펼쳐 들었다.

그 모습을 보며 빅터는 고개를 가로저었다. 거기까지가 빅터가 봐주는 지점이었다. 적당히 타협하는 척하며 어느 정도 진도를 뺀 후에 져 준다는 몸짓을 취하는 그였다. 그래도 당장 배울 분량이 줄어든다는 결론에 감지덕지할 판이었다.

'뭐…… 점심 먹고 나서 졸린다고 그때 가서 조르면 되겠지.'

벨라는 혼자 고개를 끄덕였다.

하는 수 없이 66페이지까지 강제로 암송한 후에야 점심을 먹으러 공부방을 나설 수 있었다.

넓은 테이블 위로 잘 구워진 통돼지 구이가 자리 잡았다. 그리고 각자 덜어 먹을 수 있는 채소와 빵과 으깬 감자 따위가 놓였다.

고용인들이 어색해하며 자기 자리에 가서 조심스럽게 앉았고 벨라는 가장 상석에 앉아서 흐뭇하게 고용인들을 바라보았다.

회귀한 후로 은혜를 갚겠다 생각했었다. 그리고 자신이

먹는 음식과 똑같은 것을 먹임으로써 그들에게 조금이나마 자신의 고마운 마음을 전할 수 있는 것 같아서 벨라는 마음이 흡족하고 뿌듯했다.

식당 입구가 잠시 소란스러운 듯하더니 루카스의 뒤를 따라 한 사내가 따라 들어오며 어리둥절한 표정을 짓고 있었다.

이안 버틀러.

회귀 후 처음 만나는 순간이었다.

루카스의 동생 이안. 생김새는 조금 닮았다고 할 수 있으나 그는 진한 회색 머리카락에 파란 눈을 지니고 있어 어찌 보면 루카스와 생판 남인 것처럼 보일 수도 있었다. 루카스의 키도 작은 편은 아니었으나 이안은 무척이나 키가 컸다.

과거의 삶에서 사사건건 시비 걸던 걸걸한 성격의 이안.

그는 약간 거친 성격이라 마치 싸움닭과도 같았고 말이 거의 없는 루카스에 비해 그는 뭐든 그 자리에서 직설적으로 말했다.

빅터와의 차이점이라면 빅터는 자존심과 긍지가 높았고, 이안은 그저 동네 불량배 같은 느낌이 들었다.

빅터라면 밝은 데서 권투와 같은 규칙에 따라 주먹을 썼을 것 같은 느낌인데, 이안은 뒷골목에서 손에 잡히는 대로 아무거나 쥐고 때론 반칙이라도 써서 반드시 이기고야 말 것 같은 그런 느낌을 풍겼다.

그래서 과거에 벨라는 그런 이안을 무척 꺼려 했었다.

루카스가 집안일 및 아르티드 후작 가문의 사업 내부적인 일에 관여했다면, 이안은 루카스 대신 현장을 방문하고 직접 세금을 거둬들이거나 사업 건을 성사시키러 답사를 가는 등, 루카스의 손과 발이 되어 주고 있었다.

과거에 벨라는 루카스와 사이가 매우 나빴으므로 이안과의 사이도 좋았을 리가 없었다.

솔직히 말하자면 아직도 조금은 무서웠다.

느닷없이 소리를 버럭 지르거나 진흙이 잔뜩 묻은 부츠를 신고 벨라가 앉아 있는 책상에 발을 떡하니 올려놓으며 잡아먹을 듯이 노려보던 그의 기억이 아직도 선명했다.

못마땅한 것이 있어도 침묵하는 루카스나, 반드시 고쳐 잡고야 말겠다고 잔소리를 퍼붓던 빅터와는 달리 이안은 기분 나쁘면 당장에 기분 나쁘다는 표현을 여과 없이 내뱉었고 때로는 육두문자도 서슴없이 날리곤 했기 때문이었다.

벨라에게 함부로 막말하는 인간은 이안이 어찌 보면 유일했다. 하지만 지금은 안다. 그가 거칠게 말하기는 했어도 틀린 말은 없었다는 것을.

그 당시엔 상처받아서 그에 대한 기억이 좋지 못했지만, 그가 한 말치고 그녀가 한 귀로 흘려도 될 만한 것은 없었다.

그런 이안이 점심 만찬에 루카스를 따라 성큼성큼 들어오고 있었다. 아마도 소작료를 수금하고 오는 길이었던가 보다. 장부와 전표를 한 아름 가지고 와서는 얼결에 식당으로 등 떠밀려 온 듯 어리둥절해하다가 이내 짜증 난다는 듯 미간을 찡그리고 형이 정해 주는 자리에 털썩 앉았다.

"뭐야, 이 통돼지 구이는? 오늘이 무슨 기념일인가?"

이안이 걸걸한 목소리로 말했다. 옆자리에 있던 하인 하나가 이안에게 귓속말을 건넸다.

"벨라 님께서 요즘은 특별한 일이 없는 한 저녁은 함께 먹자고 하셨는데 오늘은 이안 님 때문에 정찬을 점심으로 당겨서 준비한 겁니다."

이안의 눈썹이 꿈틀했다.

"올해는 가물어서 소작료를 제대로 못 낸 농민이 부지기수라 오늘까지도 이렇게 발품을 팔며 간신히 소작료를 수금해 왔는데, 매일 정찬이라니. 이게 무슨 바보 같은 발상이야?"

"이안!"

루카스가 인상을 구기며 이안에게 입 다물라는 듯한 시선을 보냈다.

"네가 생각하는 것처럼 사치스러운 식사는 아니다. 나름대로 고용인들에게 감사의 표시를 하고 싶다고 하셨을 뿐이다. 우리의 주인은 벨라 아가씨란 것을 명심하고 함부로 불경스러운 말을 입에 담지 말아라."

"아. 네에…… 알겠습니다. 명심하겠습니다."

이안은 입을 비죽거렸다.

벨라는 과거와 마찬가지로 이안이 썩 편하게 느껴지지 않았다. 회귀 후 첫 만남인데도 그와 자신 사이에는 먼 강이 하나 흐르는 듯 좀처럼 좁혀지지 않았다. 도통 어떻게 친해져야 할지 몰라 어찌할 바를 몰랐다.

그저 어색하게 "식기 전에 어서들 드세요. 특별히 오늘은 다른 날보다 더 신경 써 달라고 했어요."라고 말하는 게 고작이었다.

고용인들에게 존댓말을 해야 할지, 낸시나 브렌다를 대하듯 반말을 편히 해야 할지도 갈피를 잡지 못하고 벨라는 그들의 눈치를 보았다.

고용인들은 주인이 왜 이런 정찬을 준비하는지 모르는 표정이었다. 그들 나름대로 서로의 눈치를 보면서 먹느라 음식이 잘 넘어가지 않아 체할 지경이었다.

자신의 눈앞에 놓인 잘 구워진 돼지 앞다리 바비큐를 열심히 나이프와 포크로 썰어 입에 연신 가져가면서도 벨라 역시 마음이 편하지 않았다. 특별히 평소보다도 더 비싼 재료로 만찬을 마련했는데도 왜 사람들이 기뻐하기는커녕 불편해하는지 이해가 가지 않았다.

식사를 함께한 지 며칠 지나지 않았는데 점점 더 식사 분위기가 가라앉았다. 작은 달그락 소리조차 내지 않으려고 하는 사용인들의 조심스러운 행동에 벨라는 은근히 서운한 마음이 들었다.

과거의 삶 같았으면 고용인들이 뭘 먹든지 말든지 자신이 알 바가 아니었다. 그런데 진짜 피붙이들처럼 여겨서 한자리서 식사하자는 데도 왜 이런 침묵이 도는 걸까 싶어 갈수록 의아해지던 참이었다.

"에이. 나까지 체하겠네. 형. 난 그만 먹고 일어날 테니 다신 부르지 마. 그러잖아도 바빠서 샌드위치로 점심 때우기나 하면 다행인 나날인데 무슨 일수 찍듯이 매일 와서 얼굴을 비치라니 나는 사양하겠어."

이안은 얼마 먹지도 않고 벌떡 일어나서 나가 버렸다.

이상했다.

좋은 음식은 누구나 좋아하는 것 아니었던가.

어째 자신만 함께하는 식사 시간이 기다려지고 다른 이들은 아닌 것만 같아서 문득 당혹감이 밀려왔다. 하지만 이내 마음을 가다듬고 입을 열었다.

"여러분, 이제 크리스마스가 머지않았는데, 크리스마스 때 다 같이 즐기는 우리끼리만의 작은 파티를 하고 싶어요. 저택 안도 알록달록하고 예쁘게……."

벨라는 그 말을 하다 말고 슬며시 테이블 먼 쪽에 앉아서 묵묵히 식사하며 잔기침을 하는 정원사 라이오넬을 힐끔 바라보았다.

"아. 저택 바깥은 꾸밀 필요 없어요. 안에서만 반짝반짝하게 예쁜 구슬이랑 인형이랑 양말 같은 거로……. 크리스마스 파티다운 파티 한번 해 보고 싶었어요. 그날 다들 먹고 싶은 거 하나씩 말해서 음식도 잔뜩 만들어서 먹고 피아노도 치고 캐럴도 부르고 하는 그런 크리스마스 파티 했으면 좋겠는데……."

어쩐지 벨라가 말을 이어 갈수록 분위기가 가라앉는 듯한 느낌이 들었다.

벨라는 문득 라이오넬 가드너 씨가 트리를 구하다 감기 걸려 새해 첫날 자다 조용히 죽은 채 발견된 사실을 떠올렸다.

"그런데 트리는 필요 없어요. 그냥 벽만 반짝이면 되니까 가드너 씨는 신경 쓰지 마세요. 그리고 날이 추우니까 당분간은 아무 일도 하지 마시고 푹 쉬셔야 해요. 이건 부탁이 아니라 명령이에요."

벨라는 열심히 작은 두 손을 꼭 쥔 채 혼자 주절주절 이런 저런 크리스마스 파티 계획을 말했다.

말하면서도 어색했다. '이전에도 현재에도 그래 본 적이 없어서 아마도 뻘쭘한 것이겠지.'라는 생각을 했다.

'이 모든 어색함은 시간이 지날수록 나아질 거야.'

벨라는 스스로 그런 위로를 건넸다. 먼 미래까지는 바라지도 않았다. 다만 이번 새해에 라이오넬 씨가 외롭게 세상을 떠나는 것만큼은 막고 싶었다.

어색한 식사가 끝나고 라이오넬 가드너 씨가 느릿느릿 일어나 나가려는데 벨라가 그의 앞을 가로질렀다.

"가드너 씨, 크리스마스 때 트리는 정말 없어도 되어요. 그러니까 괜히 트리 신경 쓰지 마세요. 트리 해 오시면 화낼 거예요!"

자신의 앞을 가로막고 서 있는 열네 살 벨라의 모습이 귀여웠는지 라이오넬은 한껏 주름진 눈으로 환한 웃음을 지었다.

"어이쿠, 우리 아가씨께서 엄히 명하시는데 기꺼이 따라야지요."

기침을 쿨럭거리는 것이 어쩐지 걱정스러워진 벨라는 그의 뒤를 따라 걸어가 정원사인 그가 일하는 작업실까지 쫄래쫄래 따라왔다.

"아가씨, 제게 무슨 하실 말씀이라도?"

작업실에 들어가며 라이오넬이 돌아보았다.

돌이켜 보면 그는 벨라의 기억에 별로 남아 있지 않았다. 그가 어떤 사람인지도 희미한데도 한결같이 푸근하고 좋은 느낌으로 남아 있는 것을 보면 기억은 못 해도 즐거웠던 추억이 무의식중에 남아 있는 것은 아닐까 싶었다.

"아…… 아니에요. 아무것도. 피터 브라운 씨가 지어 주신 기침약 꼭 드세요! 매일 드셨는지 안 드셨는지 확인해 볼 거예요."

"허허허, 이 노인이 약 안 먹을까 봐 걱정되어 오셨다니 죄송하기도 하고 영광이기도 하군요. 꼭 챙겨 먹도록 하겠습니다."

벨라는 그 말을 듣고서야 안도의 숨을 내쉬며 뒤돌아 저택의 본채를 향해 걸어갔다. 그러다 돌아보니 열린 창문으로 멍하니 그림 하나를 바라보고 있는 그의 구부정한 모습이 보였다. 어쩐지 그 모습이 쓸쓸하다 못해 처량해 보였다.

"유모, 가드너 씨는 어떤 사람이야?"

일과를 마치고 목욕 후 머리를 빗겨 주는 낸시의 손길에 몸을 내맡기고 화장대 거울만 바라보던 벨라가 물었다.

"불쌍하신 분이죠……."

머리를 빗질하던 낸시의 손이 약간 느려졌다.

"왜?"

벨라가 눈을 크게 뜨고 물었다. 낸시의 표정이 이걸 말해야 하나 말아야 하나 잠시 고민하는 것처럼 보였다.

"알고 싶어, 유모. 가드너 씨가 가족도 없이 혼자 우리 저택 정원 일만 열심히 하면서 살아가는 이유가 뭔지."

벨라의 말에 낸시는 잠시 입술을 깨물다가 입을 열었다.

"가드너 씨가 혼자는 아니랍니다. 톰이라는 아들이 하나 있었죠. 그림을 무척이나 잘 그렸는데……."

"그런데 왜 가드너 씨를 만나러 오지 않아?"

벨라가 묻자 낸시는 한숨을 길게 내쉰 후 말했다.

"톰은 가드너 씨를 원망하면서 가출했거든요. 연을 끊은 거나 마찬가지죠."

"왜?"

벨라의 이어지는 질문에 낸시는 뜸을 들이더니 이내 입을 열었다.

"그의 부인이 아가씨의 부친이신 다비드 님의 유모셨거든요."

"유모였던 것이 뭐 어때서?"

벨라의 말에 낸시는 쓴웃음을 지으며 말했다.

"톰에게는 동생이 있었답니다. 다비드 님과 같은 해에 태어난……. 그런데 그 아이는 일찍 죽었지요. 톰은 그것을 제 아비와 어미가 매정해서 그리 만들었다고 생각하고 원망했어요. 그러고는 제 어미가 죽은 해에 가출해서 지금까지 소식 한 통 없답니다. 가드너 씨로서는 톰이 보고 싶을 만도 하죠."

"톰의 동생이 죽은 거랑 가출이랑 무슨 상관인데?"

벨라의 말에 낸시는 눈가가 붉어지며 입술을 떼었다.

"보통 주인님과 같은 해에 태어난 유모의 자식은 그 해를 못 넘기고 죽는답니다."

"왜?"

벨라의 눈이 커졌다. 낸시는 슬픈 미소를 지으며 말했다.

"주인님에게 젖을 물리고 나면 정작 제 자식에게 물릴 젖이 없거든요. 소젖이라도 떠먹이며 키울 수 있다면 좋겠지만 그 아이는 소젖은 한사코 입에 대질 않았어요. 그래서 결국엔 굶어 죽었지요."

벨라의 입이 놀라서 벌어졌다.

"정말? 정말 그랬어?"

"네. 죽은 동생을 끌어안고 톰이 많이 울었더랍니다. 충분히 젖이 잘 나오는데 제 동생에게 먹이지 않고 다비드 님께 젖을 물린 어미도 독하고 유모로 제 어미를 추천한 아비도 사악하다고 생각해서 원망하고 사사건건 반항하며 자라다가 그리 가출한 뒤로 한 번도 소식이 닿질 않았죠. 가드너 씨가 그 일을 내색하지는 않지만 아마도 톰이 몹시도 그리우실 거예요."

벨라는 듣고 있다가 크게 뜬 눈을 깜빡였다.

"그…… 그럼 낸시는? 낸시는 내 유모니까…… 낸시에게도 아기가 있었어?"

벨라의 말에 낸시의 눈이 결국 붉게 충혈되고야 말았다.

"제 딸은 다행히 돌 때까지는 젖을 먹을 수 있었지요. 다만…… 그래도 오래 살지는 못했어요. 그것도 그 애가 타고 난 운명이었을 것이고, 제겐 아가씨가 있어서 외롭지는 않답니다."

벨라의 눈이 더욱더 커졌다.

어쩐지 뉘앙스가 벨라를 돌보다가 정작 제 딸은 돌보지 못해 일찍 죽었다는 말로 들렸다.

그런 벨라의 표정을 본 낸시는 얼른 눈물을 훔치더니 애써 웃으며 별거 아니라는 듯 명랑하게 말했다.

"아가씨께서 나날이 자라는 모습이 제겐 얼마나 뿌듯한지 모른답니다. 아가씨가 자라는 모습이 그 아이가 살아서 움직이는 것처럼 제 마음이 기쁘고 감격스럽고 그렇답니다. 제게 아가씨는 세상에 단 하나뿐인 아름다운 장미랍니다."

그날 밤 벨라는 쉽게 잠을 이루지 못했다.

자신의 아버지를 대신해 죽었을 어느 아기와, 자신을 대신해 죽었을 낸시의 딸이 눈앞에 어른거리는 것만 같았다.

과거에, 1차 사랑의 도피행이 낸시의 일러바침으로 인해 무산된 후 낸시에게 퍼부었던 막말들이 벨라의 가슴에 도로 와서 박히는 것만 같았다.

넌 해고라고 고래고래 소리 지를 때 낸시의 눈에 스쳐 가던 영혼 없는 텅 빈 그림자.

제 딸을 제대로 돌보지도 못하고 대신 벨라를 정성껏 키울 때 낸시의 마음이 어떠했을 것이며 그렇게 딸을 희생해 가며 길러 낸 그녀가 막말을 퍼부을 때는 어떤 기분이었을

지 상상만 해도 끔찍한 기분이 들었다.

저도 모르는 눈물이 한 방울 똑 하니 벨라의 베갯잇에 굴러떨어졌다.

'과거의 나. 참으로 한심하고 이기적이고 염치도 없었구나…….'

유모란 그런 존재였다.

자신이 과거에 던졌던 그 무수한 말들이 원치 않는데도 둥실둥실 떠올라 자신의 가슴에 깊게 박혀 쓰라렸다.

창밖은 쏟아질 듯 별이 무수한데 아무리 별을 세어 보아도 흐르는 눈물은 멈추지 않았다.

새까만 어둠. 그사이 총총히 박힌 별의 일렁거림이 가슴 시리게 느껴졌다.

이미 베갯잇은 축축하게 눈물범벅이 된지라 잠자기는 다 그른 것 같았다.

벨라는 벌떡 일어나 커다란 모직 숄을 어깨에 두르고서 저택 안이나 걸을 요량으로 방을 빠져나왔다.

자꾸만 눈물이 났다.

'왜 나는 그렇게 민폐 인생을 살았을까. 왜 그때 낸시를 아프게 했을까. 지금 생각해 보면 부모를 일찍 잃었을 뿐 모든 것을 다 가진 나였는데…….'

저도 모르게 어두운 저택 안을 정처 없이 걷고 있었다. 밤하늘만큼이나 까만 어둠이 내려앉은 집 안이 두려웠으나 다 낮에 봐 둔 풍경들이라며 벨라는 애써 괜찮은 척 가슴을 달랬다.

그때, 어둠 속에서 인기척이 들렸다.

어둠에 동화되어 희미한 달빛으로 보이는 그 키 큰 실루엣은 안 봐도 알 것 같았다. 루카스였다.

공연히 반가워서 벨라는 그쪽으로 걸어갔다.

불도 켜지 않은 어둠 속에서 루카스는 혼자 포도주를 한 잔 마시며 창밖을 바라보고 있었다. 그 암흑 속에서도 루카스는 용케도 인기척을 알아차리고 뒤를 바라보며 거실에 놓인 촛불에 불을 켰다.

어둡던 거실이 불빛만큼 밝아졌다.

"아. 이건 제 급여로 산 겁니다. 오해 없으시길."

뭐라 하지도 않았는데 루카스는 먼저 해명부터 정중하게 했다.

"아가씨께선 이 늦은 밤에 웬일이십니까?"

벨라는 루카스를 올려다보았다. 지금은 키가 작아서 한참을 올려다보아야만 했다.

머리를 단정히 빗어 올린 그의 얼굴을 보니 이상하게 마음 한편이 푸근해졌다. 안도감이랄까.

예전에는 그의 이런 무표정한 얼굴을 보면 자신의 어떤 단점을 지적할까, 자신을 얼마나 한심하게 생각할까 하는 생각에 어깨부터 움츠러들고 방어적인 자세부터 나왔다.

그러나 자신을 지켜 주는 든든한 성채이자 울타리였다는 것을 아는 지금은 그를 바라보는 것만으로도 안전지대에 들어온 기분이 들었다.

멍하니 자신을 바라보는 벨라를 힐끔 쳐다본 루카스는 주인인 벨라가 고개를 한껏 뒤로 젖히고 있는 상황이 예의 바르지 못하다 생각했는지 그의 무릎 한쪽을 카펫에 꿇으며 벨라의 눈높이로 시선을 낮췄다.

"편히 말씀하십시오. 아가씨."

그의 정중한 자세에 벨라는 저도 모르게 미소를 지었다가 얼른 지우며 말했다.

"아니, 아니야. 잠이 안 와서 아니, 목이 말라서, 그러니까……."

벨라는 루카스의 눈을 바라보았다.

나를 위해 목숨도 걸어 줄 사람.

왠지 또다시 코끝이 찡해지는 것만 같았다. 하지만 감상에 젖지는 않으리라 고개를 저었다.

"하실 말씀이 있는 듯하군요. 제게 하시기 힘든 이야기입니까? 낸시를 지금이라도 불러올까요?"

차분하고도 안도감을 불러일으키는 그의 단정한 목소리. 그의 목소리가 귀에 감기는 것이 기분 좋았다. 이렇게 듣기 좋은 목소리를 가진 줄 왜 예전엔 몰랐을까. 목소리만으로도 그녀의 불안감을 싹 가시게 하는 듯했다.

"루카스, 가드너 씨의 아들이 어디 사는 줄 알아? 아니, 음…… 어디 사는지 알아볼 방법 없을까?"

벨라의 말에 루카스가 영문을 모르겠다는 표정을 지었다.

"벨라 아가씨, 갑자기 가드너 씨의 아들은 왜 궁금해지신 겁니까?"

벨라는 머뭇거리다가 솔직하게 말해도 좋을까 하는 생각을 했다.

"가드너 씨가 늙어서 언제 돌아가실지도 모르는데 가드너 씨 아들도 크리스마스 때 함께 만찬을 즐겼으면 해서."

루카스는 잠시 대답이 없었다. 무언가를 생각하듯 눈을 지그시 감았다가 뜨며 고개를 숙이는 그의 옆모습이 매끈하니 유려했다.

루카스는 눈을 들어 벨라를 바라보며 말했다.

"아가씨, 때로는 당사자의 일은 당사자가 알아서 하는 것이 나을 때도 있습니다. 그러니 그런 것은 신경 쓰지 마십시오."

루카스의 말에 벨라는 고개를 한사코 저었다.

"아니야, 아니야! 가드너 씨는 꼭 톰을 보고 싶을 거야! 그러니까 루카스, 가드너 씨의 아들을 찾아 줘!"

루카스는 고개를 갸웃했다.

"찾는 것은 문제가 아니나, 크리스마스 만찬 때까지는 시일이 너무 촉박합니다. 그리고 설령 찾아낸들 톰이 제 발로 이곳을 올 것 같지도 않습니다."

"아냐! 강제로라도 끌고 와 줘. 응? 루카스!"

벨라는 저도 모르게 루카스에게 바짝 다가가 그의 옷자락을 붙들고 매달렸다.

"강제로라도 말씀입니까?"

루카스가 나직하게 중얼거렸다.

"꼭 강제로 데려와야 할 만한 일이라도……?"

그의 말에 벨라는 뭐라 핑계를 댈지 잠시 망설이다가 이내 입을 열었다.

"혹시라도 가드너 씨가 늙어서 감기 같은 이유로 죽을 수도 있으니까……. 노인들은 자다가도 죽는다고 들었어. 그러니까 하루빨리 만나게 해 주고 싶어. 톰이 나중에 후회할지 모르잖아."

벨라는 당장이라도 가드너 씨가 죽기라도 할까 봐 조바심이 났다.

"자기 아버지가 돌아가셨는데 임종도 지키지 못했다고 슬퍼하면 안 되니까 살아 계실 때 만나게 해 주자고. 응? 루카스, 안 돼?"

루카스는 벨라의 절박한 눈동자를 빤히 바라보다가 천천히 입을 열었다.

"알아는 보겠습니다."

"꺅! 고마워 루카스!"

벨라는 덥석 루카스의 목을 끌어안았다. 기분 같아서는 루카스에게 뽀뽀 세례라도 퍼부어 주고 싶었다. 그의 목덜미에서 그를 닮은 바다 향의 샤워코롱 냄새가 났다. 그 냄새가 너무 좋아서 저도 모르게 그의 목덜미에 코를 박고 말았다.

일순간 루카스가 벨라의 어깨를 뒤로 휙 잡아 젖혔다.

화들짝 놀란 벨라에게 루카스가 오히려 당황해하며 말했다.

"아. 놀라게 해 드려서 죄송합니다, 아가씨. 하지만 아무리 기뻐셔도 집사에게 포옹은 하지 마십시오. 아가씨 평판을 떨어뜨리는 행동이니 이제는 사소한 것이라도 아이처럼 기뻐하며 포옹하시면 안 됩니다. 저와는 거리를 항상 유지해 주십시오."

마치 오물이라도 묻은 것처럼 자신을 확 떨어뜨려 놓는 루카스의 행동에 저도 모르게 서운해서 눈물이 핑 돌았다.

하지만 곧 '그의 성격을 뻔히 아는데도 목을 끌어안은 것이 잘못이지 뭐.' 하는 생각이 들었다.

그가 안아 줬으면 좋겠다. 아빠 대신, 엄마 대신…….

하지만 그는 누군가와 손을 잡는 것도 싫어하고 누군가와 닿는 것도 질색하는 인간인 것을 누구보다도 잘 알기에 벨라는 조용히 눈물을 삼켰다.

"루카스, 미안해. 나는 엄마 아빠가 없어서, 기쁠 때 누가 안아 줬으면 좋겠고 슬플 때도 누가 안아 줬으면 좋겠는데 날 안아 줄 사람이 없어."

지금 겉모습은 열네 살, 속은 서른 살. 하지만 그녀의 가슴엔 일곱 살 어린 소녀가 황량한 벌판에 서서 맞바람에 휘청이는 기분이 들곤 했었다.

유아 퇴행적이라 해도 할 말 없었다. 자라는 것이 두려워 눈 막고 귀 막고 살아왔다.

언제나 혼자.

하지만 혼자가 아니란 것을 인정하기까지 얼마나 먼 길을 돌아서 왔던가.

"난 혼자야."

벨라는 그 말을 하며 어쩐지 목구멍이 뜨거워지는 느낌이 들었다.

"하지만 혼자라도 외롭지 않아. 루카스도 있고 낸시도 있고, 이 저택 사람들이 내 가족이고 내 생명의 은인이고, 비록 부모님이 돌아가셔서 혼자이지만 사실 혼자가 아니야. 나를 지켜 주는 사람들 모두가 나와 함께 행복해졌으면 좋겠어.”

“아가씨…….”

루카스가 그런 벨라의 얼굴을 뚫어져라 바라보았다.

“하지만 가끔은 그래도 누군가를 끌어안았으면 좋겠어. 내가 혼자가 아닌 건 아는데 그래도 혼자인 건 맞아. 그래서 그 불안한 마음이 가실 때까지 누군가를 끌어안고 심장 소리라도 들으면 안심이 될 거 같아.”

벨라는 애처로운 듯한 미소를 지으며 루카스를 쳐다보았다.

“딱 한 번만 안아 주면 안 될까?”

유독 그녀의 미소에 약한 그였다.

그러니 적극적으로 무기로 삼을 수밖에.

과거의 삶에서 늘 몇 발자국 뒤에 선 채 다가오지 않던 그를 이렇게라도 어리광을 부리며 안아 보고 싶었다.

“딱 ‘한 번’만입니다. 아가씨.”

그의 입에서 원하던 그 말이 나왔다. 숨이 멎을 듯 기뻐서 벨라는 휘어지는 눈웃음을 지으며 두 팔을 벌려 그의 가슴에 덥석 안겼다. 너무 힘차게 달려가 목에 매달린 나머지 그가 뒤로 휘청했지만 그대로 그 넓고 단단한 가슴을 벨라에게 내어 주었다.

물론 그의 몸은 차렷 자세로 경직되어 있었지만 그래도 그의 허락을 받고 그를 안아 본다는 것이 어디인가.

벨라는 기쁜 마음으로 고개를 묻고 그의 품에 얼굴을 비빈 후 그의 가슴에 귀를 바짝 가져다 댔다.

‘쿵. 쿵. 쿵.’ 하고 그의 심장 소리가 들린다.

누군가와 손만 스치는 것도 싫어하는 그가 이렇게 품을 허락해 준 것은 대단한 영광이었다. 벨라의 심장이 덩달아 빠르게 뛰었다.

나를 위해 목숨까지 내어 줄 사람. 내가 참으로 믿어도 되는 사람. 지난 삶에서 등대 같았던 사람. 내게 지혜로운 눈이 있어 당신을 미리 알아보았더라면. 당신 같은 사람을 사랑했어야 해.

벨라의 눈가에 다시 뜨거운 것이 촉촉하게 솟아올랐다.

"우십니까, 아가씨?"

그가 질색하며 자신을 밀어낼까 봐 화들짝 놀라 벨라는 얼른 눈물을 떨구며 그가 자신을 떼지 못하도록 더욱더 필사적으로 매달렸다.

"아니야, 아니야. 콧물이 나오려고 해서 훌쩍거렸어."

생각해 보니 콧물 핑계는 괜히 댄 듯했다. 지저분한 것을 싫어하는 그가 얼른 벨라를 품에서 떼어 냈다. 그에게서 떨어지기 싫어서 벨라는 저도 모르게 그의 조끼 자락을 움켜쥔 채 필사적으로 매달렸다.

"싫어엇!"

"아닙니다. 아가씨."

정색하며 일어서는 루카스 때문에 서운해서 벨라의 눈매가 스르르 일렁거렸다.

조금이라도 그대로 있어 주면 안 되나?

조금이라도 다정해 줬으면 과거에 당신을 참 많이 따랐을 텐데.

벨라의 그 원망스러운 마음을 아는지 모르는지 루카스는 그런 벨라를 빤히 쳐다보더니 갑자기 번쩍 안아 올렸다.

엇!

벨라의 눈이 휘둥그레졌다.

공주님을 안아 올리듯 한 손으로는 등을 받치고 한 손으로는 벨라의 무릎을 받치며 가볍게 들어 올린 그는 벨라에게 속삭였다.

"혹시 악몽이라도 꾸셨습니까? 그래서 그러시는 것이라면 제가 잠드실 때까지 머리맡에 서 있겠습니다. 걱정하지 마시고 주무십시오."

벨라는 이게 꿈인가 생시인가 가슴이 쿵쾅거렸다. 꿈은 아니었다. 조심스레 그의 목에 팔을 감았다. 그의 두 팔에 들어 올려져 자신의 방으로 한 걸음씩 옮겨지며 벨라는 꿈결을 걷는 듯 기뻤다.

"아가씨, 아가씨께 크리스마스에 대한 별로 좋지 못한 기억이 있는 것은 잘 압니다. 그런 점까지 세심하게 살피지 못한 점 사과드립니다. 그리고 고용인들을 가족처럼 느끼고 관심을 가져 주셔서 감사합니다. 하지만……."

하지만이란 단어는 늘 좋지 않은 대답을 이끌었다.

"엄연히 말해서 주인은 아가씨. 가족처럼 아껴 주심은 감사드리나 그들의 일거수일투족에 마음 아파하지는 마시기 바랍니다. 그리고 저는 다비드 님 대신 곁에 늘 함께 있겠다고 맹세했습니다. 비록 그 빈자리를 다 채워 드리지는 못하나 제 목숨을 걸고서라도 아가씨의 안전은 언제나 지켜드리겠습니다."

루카스가 나직하게 속삭였다.

그저 불안해하는 열네 살짜리 여자아이를 달래기 위해 하는 말이라도 좋았다.

그의 말은 적어도 빈말이 아님을 과거의 경험으로 알고 있었다.

'고마워요. 고마워요. 고마워요…….'

루카스는 벨라의 방에 다다르자 방문을 열고 침대에 그녀를 뉘었다. 그리고 다정히 베개를 바로잡아 주고 이불을 턱밑까지 끌어 올려 덮어 주며 벨라의 침대 옆 의자에 걸터앉았다.

"제가 지키고 있으면 악몽도 벨라 님을 괴롭히지 못할 겁니다. 안심하고 주무십시오. 도중에 어디 가지 않습니다."

벨라는 눈물을 글썽이며 고개를 끄덕이고는 눈을 감았다.

그가 크리스마스 날 부모님이 돌아가신 탓에 가드너 씨를 신경 쓰고 그의 아들을 불러들이고 싶어 하는 거로 생각해도 상관없었다. 악몽을 꿔서 잠 못 들고 돌아다니는 거로 생각해도 좋았다.

이렇게 그가 곁에 있다는 것만으로도 다디단 단꿈을 안심하고 꿀 수 있을 것만 같았다.

그리젤리 저택은 광활한 숲에 둘러싸여 있어서 눈에 잘

띄는 곳이 아니었다. 아르티드가의 장원 포리나 영지에서 본성인 포르위네 성은 상당히 멀리 떨어진 곳에 있었고, 본디 그리젤리 저택은 대대로 아르티드 후작가에서 겨울을 나는 작은 별장 같은 곳이었다.

예전부터 본성을 놔두고 왜 유배지 같은 그리젤리 저택에서 사는가에 대한 의문을 늘 가지고 있었다. 벨라 자신의 재산권 행사를 막기 위해 이런 외진 곳에 가둬 놨다는 오해가 그녀의 유년기를 얼룩지게 했다.

그녀가 상속받을 장원이 얼마나 넓고 영지민의 인구수는 얼마나 많은지, 1년의 소출이 얼마고 투자한 사업은 무엇이고 부동산 규모와 현물 자산의 목록, 후원 사업의 규모 등등.. 그 막대한 재산을 고용인들에게 빼앗길까 봐 불안해했다.

하지만 온통 불확실하던 과거와 지금은 다를 수밖에 없었다.

크리스마스를 앞두고 저택 안은 온통 크리스마스 파티 준비로 분주했다.

"아가씨께서 크리스마스 파티를 화려하게 보내고 싶다는 말을 했다더라구요."

낸시의 말에 브렌다가 깜짝 놀라며 대답했다.

"아가씨께서요? 크리스마스는 후작 부인의 기일이잖아요. 정말이세요? 정말로 크리스마스를 화려하게 보내고 싶다고 말씀하신 것 맞아요?"

낸시는 쉿 하고 소리 죽이며 대꾸했더랬다.

"아가씨 마음이 얼마나 적적하시겠어. 그간 부모님의 기일인 것만 생각했지 아가씨 마음을 헤아려 드리지 못한 것은 아닌지 몰라. 그러니까 화려하되 정중한 분위기의 크리스마스 파티를 열어 드리자고."

전전대 후작 때부터 아르티드가에서 일해 온 브렌다는 똑 떨어지는 갈색 단발머리에 검은 뿔테 안경을 낀 주근깨투성이의 깡마르고 키 큰 여성이었다.

본디 40대이지만 나이보다 어려 보인다는 말을 무척이나 좋아했고 실제로도 서른 살 초반으로 보이는 동안이었다. 딱히 미인이 아니어서 그런지 나이가 들어 가는 것에 민감했고 피부 관리에 매우 공을 들여서 밤에 갑작스레 부르면 팩을 하다 나왔는지 얼굴이 번들거리곤 했다.

꼬장꼬장한 편이라 여자 루카스라 불리기도 했는데 본인은 그 별명을 매우매우매우(!) 불쾌해했다.

사실 벨라는 브렌다와도 썩 좋았던 기억이 없었다. 언제나 루카스와 마찬가지로 그녀를 지적하고 가르치려 해서 싫어했다.

그러나 루카스가 알고 보니 너무나 좋은 사람이었던 것처럼, 브렌다 역시 그녀에겐 세상 풍파로부터 보호해 주는 울타리 중 하나였을 것이었다.

그래서 브렌다와도 친하게 지내리라 맘먹고 있었으나 그녀와 말을 섞기는 힘들었다.

언제나 그녀는 바람처럼 쌩하니 바쁘게 걸어 다녔기에 마주치면 가벼운 인사만 하고 스쳐 가기 일쑤였다.

그런 브렌다가 분주히 돌아다니며 저택에 존재하는 줄도 몰랐던 크리스마스용 식기들을 꺼내어 다른 하녀들에게 닦으라 지시하고 있었다.

빨간색, 초록색이 들어간 크리스마스용 테이블보와 커튼과 여러 물품을 점검하며 적재적소에 배치했다.

벨라는 눈물이 그렁그렁 고여 그 테이블보를 그리운 듯 조심스레 손으로 쓸어 보았다.

옥스포드지로 만들어진 튼튼하고 깔끔한 테이블보는 그 가장자리에 코바늘로 레이스를 만들어 치렁치렁하게 늘어뜨린 구조였다.

할머니 취향이라며 짜증을 내고 테이블보를 잡아당겨 그 위에 있던 식기들이 바닥에 와장창 깨지게 하고도 이젠 새 그릇을 살 수 있겠다며 좋다고 신경질적으로 웃어 댔던 과거가 떠올라 마음이 찌르르해 왔다.

그리운 엄마, 아빠가 함께 식사했을 그릇들.

창고에는 후작가의 역사와 함께한 수많은 그릇이 켜켜이 쌓여 있었다.

케케묵었다고 싫어했던 과거와 달리 그 그릇들에 오갔을 부모님의 작은 온기가 전해지는 듯 느껴져서 벨라는 그릇을 소중하게 손으로 감싸 쥐었다.

기억에서 희미해져 버린 엄마 얼굴이 문득 떠오르는 것도 같았다.

금발에 보랏빛 눈을 한 그립고도 다정한 엄마 얼굴이…….

창고에서 크리스마스 전용 가구들을 꺼내 와 원래 그 자리에 있었던 것처럼 세팅하는 일꾼들 모습을 바라보다가 루카스의 목소리가 들리는 것 같아서 저절로 귀가 쫑긋해졌다.

저 멀리 입구 쪽에 루카스가 서서 머리가 하얀 노인과 이야기하는 것이 보였다.

"아……."

그 노인은 제이크 트리벳으로, 루카스가 집사를 맡기 전 대의 집사였다. 공식적으로는 은퇴했지만, 성주 대리를 겸하고 있는 루카스가 피치 못할 사정으로 저택을 비워야 할 때는 그가 집사 역할을 대신 수행했다.

근처에 있는 자택에서 자식들과 손주들을 벗 삼아 나름 평안한 노후 생활을 즐기고 있었는데 루카스가 요청하면 언제든 제 일처럼 나서서 흔쾌히 집사의 공백이 없도록 이행하는 자였다.

루카스가 그와 이야기하고 있다는 것은 곧 자리를 몇 날 며칠이고 비운다는 뜻도 되었다.

벨라는 눈이 휘둥그레졌다.

당연히 크리스마스는 루카스와 함께 보내는 것일 줄 알았다. 그런데 그가 자리를 비운다니! 가슴이 철렁 내려앉았다. 어쩐지 회귀한 이후로는 루카스가 눈에 띄지 않으면 보호막이 사라지기라도 한 것처럼 불안해지는 그녀였다.

벨라는 얼른 손에 쥐고 있던 그릇을 테이블에 내려놓고 서둘러 루카스의 곁으로 다가갔다.

"……해서 신년제까지는 수도에서 치르고 돌아올 듯합니다. 그사이에 혹시라도 일이 생기면……."

그 말에 벨라는 루카스의 뒤에서 저도 모르게 그의 이름을 큰 소리로 부르고 말았다.

"루카!"

벨라의 목소리에 루카스는 뒤를 돌아보았다.

"아가씨, 부르셨습니까?"

정중하게 자신에게 고개 숙여 인사하는 루카스에게 인사를 받는 둥 마는 둥 하며 벨라는 다급하게 본론을 꺼냈다.

"루카, 어디 가? 크리스마스 파티는 어떡하고?"

벨라의 말에 루카스는 대체 그녀가 뭘 걱정하나 싶은 뚱한 표정으로 말했다.

"예정대로 진행될 것입니다. 필요한 사항은 브렌다 노튼 메이드장에게 말씀하시면……."

"아니! 크리스마스 파티 말이야, 진행이 문제가 아니라 참석이 문제잖아!"

벨라는 저도 모르게 언성을 높이고 말았다. 자신의 행동에 스스로 놀라서 루카스의 눈치를 한번 쓰윽 살피고는 언성을 낮추며 뒷말을 이어 나갔다.

"다 같이 크리스마스 파티 하자는 말 잊었어? 루카스가 가 버리면 아무 의미가 없잖아."

루카스는 벨라의 말이 이해가 되지 않는 듯 눈만 두어 번 감았다가 뜨고는 이내 담담한 어조로 입을 열었다.

"저는 성주 대리로서 황제 폐하께 드릴 선물을 가지고 신년 인사를 드리러 직접 수도로 가야 합니다. 마음은 감사하오나 아르티드가의 명예와도 상관이 있으니 이 건은 제가 직접…….”

“싫어!”

벨라가 내지른 소리에 하녀들이며 가구를 나르던 일꾼들이 멈칫하여 뒤돌아보았다.

벨라는 눈물을 글썽거리며 두 주먹을 꼬옥 쥐고 있었다.

잠시라도 떨어져 있기 싫다는 것을 깨달았다. 그가 없으면 불안하다.

언제 없어질지 모르는 이 삶처럼 그가 눈에 보이지 않으면 불안하다.

어느새 저도 모르게 그에게 애착심을 가지고 있었구나 하는 생각이 벨라의 머릿속을 스쳤다.

부모님이 돌아가신 이후 언제나 혼자였다는 생각으로 살아온 그녀에게 그가 마지막 순간까지 베풀었던 그 변함없는 충직함이 그녀를 이 자리에 되돌아오게 했다.

그가 눈에 안 보이면 어쩐지 눈을 감았다 다시 떴을 때 그 차가운 강물 속일 것만 같아서 입술이 바르르 떨려 왔다.

“싫어어! 루카스! 크리스마스 파티 때 같이 있어 줘!”

벨라는 그의 옷자락을 쥐어뜯으며 그에게 매달렸다. 그가 난감해하든 말든 상관이 없었다. 그의 품에 안겨 심장 소리를 듣고 싶었다. 그가 살아 있다는 증거. 쿵쿵거리며 뛰는 심장 소리. 그 소리를 듣고 싶어서 그의 옷자락을 움켜쥐며 잡아당겼다.

겁이 났다.

다시 혼자가 될 것이 두렵고 모든 것이 죽음의 순간에 느껴진 잠깐의 환각인 것만 같아서 무서웠다.

공황 상태에 빠진 벨라는 루카스의 옷이 구깃구깃해지는 줄도 모르고 두 손에 잔뜩 움켜쥔 채 그의 옷자락에 얼굴을 묻었다.

그가 결벽증이 있건 말건 상관없었다. 떼어 내려 하면 더 달라붙을 작정이었다.

"이런, 아가씨 상태가 심각하군요. 버틀러 씨, 아가씨께서 근래에 많이 좋아지셨다고 하지 않았습니까? 이토록 불안에 떠시는데 이게 좋아진 겁니까?"

제이크 트리벳이 벨라를 보며 혀를 끌끌 찼다.

루카스는 그답지 않게 긴장하며 한쪽 무릎을 꿇고 앉아 벨라와 시선을 맞췄다. 벨라는 그가 자세를 숙이자마자 그의 품에 파고들어 정신없이 그의 심장 근처에 귀를 가져다 댔다.

루카스는 자신에게 쏟아지는 시선에 난감해하며 헛기침을 했지만, 벨라를 억지로 떼어 내려고 하지는 않았다.

다만 그때와 마찬가지로 차렷하듯 가만히 있을 뿐이었다.

"아가씨께서 내내 실어증 상태에 계시다가 요즈음 갑자기 좋아지셨다 싶었더니 결국은 마음의 상처가 하나도 아물지 않았던 모양입니다. 버틀러 씨, 주치의를 모셔 와야 하지 않겠습니까?"

제이크의 말에 루카스는 대답했다.

"네. 브라운 씨를 불러 주십시오."

하녀 하나가 심부름을 전달받고 급히 뛰어나갔다.

브라운 씨를 기다리며 루카스는 벨라가 진정되기를 기다렸다. 그리고 자신의 옷자락을 옴팡지게 움켜쥐고 있는 벨라의 손을 떼어 놓으려고 했다. 하지만 그럴수록 벨라의 손에는 더욱더 힘이 들어갈 뿐이었다.

마치 물에 빠진 사람이 지푸라기라도 움켜쥐듯이…….

은근히 벨라의 손을 떼 보려 하다가 옷이 찢어질 지경인지라 루카스는 한숨을 푸욱 내쉬며 포기했다.

주치의 피터 브라운이 도착해 벨라를 진찰하는 순간까지도 루카스는 자리에서 뜨질 못하고 인질처럼 붙들려 있었다.

"흐음…… 실어증이 호전되었다고 생각해서 안심했던 것이 제 불찰입니다. 아가씨의 불안증은 전혀 나아지지 않았군요. 아무래도 그전엔 아기 때부터 사용하던 담요에 심한 애착을 보이시더니 그 대상이 이젠 루카스 씨 당신으로 바뀐 듯합니다. 아가씨에겐 당신이 그 담요 대신입니다."

피터의 말에 좀처럼 변하지 않던 루카스의 표정이 순간적으로 움찔거렸다.

그 말을 듣고 있던 벨라는 속으로 피식 웃고 말았다.

"버틀러 씨, 이것도 한때입니다. 어쨌거나 아가씨는 상처를 추스르고 회복되어 가는 중이시니 당분간은 곁을 떠나지 마십시오. 곁에 있는 것만으로도 안도감을 느끼는 모양입니다. 당신이 눈에 보이지 않아도 불안해하지 않을 때가 올 터이니 병증 회복을 위해 협조해 준다고 생각하십시오."

피터의 진단에 루카스는 말이 없다가 잠시 후 차분하니

말을 이어 갔다.

“저는 신년제에 참석해야 합니다.”

“대리인을 보낼 수는 없는 겁니까? 아가씨께서 다시 퇴행하여 담요를 손에서 놓지 못하시면 어쩌겠습니까?”

피터의 그 말이 결정타였다.

벨라는 크리스마스트리 아래 쌓인 선물들을 보며 흐뭇한 미소를 지었다. 벨라가 고르고 골라 선택한 선물들이었다. 개수는 그리젤리 저택에서 일하는 고용인 수와 같았다. 그 안에는 남녀 구별 없이 쓸 수 있는 고급스러운 적갈색의 사슴 가죽 장갑이 들어 있었다.

자신이 필요하다는 선물 목록을 사들여 달라고 졸랐을 때 루카스의 표정은 그야말로 뜬금없다는 듯한 표정이었다.

“벨라 아가씨, 아가씨께서 성인용 사슴 가죽 장갑은 왜 필요하신지요? 게다가 마담 플로라 의상실은 무슨 상점입니까? 처음 들어 봅니다.”

이대로 꼭 사야만 하느냐고 되묻는 루카스의 그 뜨악한 표정을 보며 벨라는 속으로 쿡쿡거리며 웃었다.

루카스는 표정이 없다고 생각했었다. 그런데 눈앞에서 이렇게 그를 바라보고 있자니 미묘하게 눈빛과 눈썹으로 감정을 드러낸다는 사실을 깨달았다. 그리고 그 감정을 읽는 것에 벨라는 재미가 들렸다.

지금 그의 미세하게 흔들리는 눈썹 끝은 벨라의 돌발 행동에 당황했음을 나타내는 것이었다.

무언가를 사 달라고 목록을 내밀었을 때 벨라의 기억 속 루카스는 언제나 이유를 따져 물었다. 자신이 그 이유를 이해할 수 없으면 계속 꼬치꼬치 캐물어서 정확한 용도를 확인한 후에야 그의 승인이 떨어졌다.

과거의 자신은 그게 너무나 자존심이 상했었다. '왜?'라니. 주인이 사 오라 시키면 사 올 것이지 왜 창피하게 그 세세한 이유까지 정확하게 밝혀야만 사 주는가. 왜 이유를 밝히지 않으면 구매를 단칼에 거절해 버리는가.

주객이 전도되어서 집사에게 허락을 받고 물건을 구입하는 것이 못내 싫었다.

그러나 지금은…….

서른 살의 영혼을 가진 자신은 지금 루카스의 이 질문이 늘 원칙에 충실하게 살아온 저 남자의 일관된 버릇 중 하나인 것을 안다.

자신이 이해하기 전엔 한 치도 움직이지 않는 원칙주의자에겐 주인에게 필요한지 아닌지를 가르치려 드는 것이 아니라 자신의 다음 행동을 정하기 위한 확인 절차였다.

그에게 무언가를 부탁할 때는 이유와 목적이 뚜렷하면 된다. 그뿐이었다. 그의 행동에는 그 어떤 사심도, 곡해하려는 의도도 없었다는 것을 지금에야 깨달았다.

벨라는 자신의 대답을 기다리는 루카스에게 웃으며 대답했다.

"마담 플로라는 시청 광장 뒷골목 쪽에 새로 연 의상실이에요."

지금은 이제 막 개업해서 이름이 알려지지 않았지만, 곧 유명해질 브랜드숍이었다.

회귀 전 길거리를 헤맬 때, 그리운 고향 출신의 유명 가게라며 동경하듯 바라보던 의상실이었다. 진열장의 사슴 가죽 장갑을 가게가 유명해지기 전 고용인들에게 미리 선물로 주고 싶었다. 아직은 노네임드 의상실이니 값도 저렴하게 부를 수 있을 것이었다.

"새로 연 가게를 아가씨께서 어떻게……?"

"아……."

벨라는 잠시 입술을 멈추었다가 침을 바르며 말했다.

"저번에 가출했다가 그 가게를 봤는데 예뻤어요. 루카. 크리스마스 선물로 우리 저택 사람들에게 주면 좋을 것 같아서 가게 이름을 외웠어요."

벨라는 일부러 하얀 이를 드러내며 생긋 미소를 지었다. 별거 아닌데 미소만 지으면 그에게 하는 말에 무언가 설득력을 더해 주는 효과가 나는 듯했다.

루카는 고개를 잠시 갸우뚱하더니 품에서 작은 수첩을 꺼내 만년필로 메모를 적어 넣었다.

"꺄!"

벨라는 기뻐하며 루카스를 덥석 끌어안았다. 그러자 루카스는 질색하며 뒤로 물러섰다. 쩝 하고 쓰디쓴 입맛을 다시며 놓쳐 버린 빈손을 쥐었다 편 벨라는 그를 애처로운 척 올려다보았다.

루카스는 무표정한 얼굴로 옷매무시를 바로 한 후 무미건조한 목소리로 말했다.

"존대하시든 하대하시든 하나만 쓰시길 바랍니다. 아가씨께서 편하신 대로 따르겠습니다만 정리가 필요한 듯 보입니다."

아무렴 어때.

벨라는 될 수 있는 대로 루카스에게 존대하고 싶었다. 솔직한 마음이었다. 그는 존경받을 만한 자격이 충분한 어른이었다.

그런데 그런 마음과는 달리 그에게 어리광을 부릴 때면 저도 모르게 옛 버릇이 튀어나왔다. 여태껏 자라 오는 동안 쭉 반말만 해 왔는데 그게 어디 쉽게 바뀌랴.

서른 살이 되어 가는 동안 아직도 자신은 어린 소녀에서 자라지 못한 것 같은 상실감을 느껴 왔다. 실컷 어리광부리던 철없는 시절로 돌아가고 싶다는 갈망 속에 눈물 흘렸던 밤도 얼마나 되었던가.

그래서 콧소리를 섞어 가며 루카스에게 떼를 쓸 때면 너무나도 행복했다. 눈물 나게 기뻤다. 이런 속마음을 그가 안다면 무슨 생각을 할지 모르겠다.

그렇게 크리스마스트리 아래 모아 둔 선물을 어서 빨리 나누어 주고 싶은 마음뿐이었다.

아담한 크기의 진한 초록색이 선명한 트리는 정원사가 심미안으로 고르고 고른 나무일 것이었다. 이 트리를 보자마자 작다고 울고불고 생떼를 부려서 그가 난감해하며 나가 큰 나무를 구해 왔던 과거의 기억이 겹쳐져 떠올랐다.

'나무가 작으면 뭐 어때? 아름다운데. 이토록 눈부시게 아름다운데.'

벨라는 가슴이 먹먹해 한참을 트리 위에 박힌 금빛 별에 시선을 주었다. 그러다가 하녀 데비가 다가오자 감정을 갈무리한 채 고개를 돌리며 미소를 지어 보였다.

부모님께서 일찍 돌아가신 이후론 크리스마스 날이 어떠했는지 잘 기억나지 않았다. 그렇기에 벨라의 첫 크리스마스 파티는 바로 오늘이라 할 수 있었다.

고용인들이 어색한 표정들로 하나둘씩 모여들기 시작했다. 벨라는 애써 밝게 웃으며 고용인들의 손을 하나하나 잡아 이끌어 파티장의 의자에 앉혔다.

개중에는 원체 한자리에서 얼굴 보기 힘든 경비병 단장 라울린 클라레이와 늘 주방에 있느라 얼굴 내보일 틈이 별로 없는 주방장 샐리 존스도 포함되어 있었다.

다들 지금 뭘 해야 할지 당최 모르겠다는 듯 떨떠름한 표정을 지으며 자리에 앉아서 서로를 살펴보고 있었다.

그들이 초긴장한 것은 각자 자신의 장기 자랑을 주인 앞에서 해야 한다는 난감한 상황 때문일 것이다.

그들을 괴롭히려고 장기 자랑을 시키는 것이 아니었다. 다만 파티의 분위기를 오붓하게 하기 위해 고심하고 고심한 끝에 요구한 사항이었다. 물론 열네 살 유아 퇴행 증세를 보이는 숙녀의 생떼로 포장을 하고 말이다.

냈시가 호들갑을 떨면서 "크리스마스가 부모님의 기일이신 아가씨께서 다른 의미의 좋은 추억으로 남기고 싶다고 하시니 다들 장기 자랑이라도 해서 기쁘게 해 드려야 해요! 할 게 없으면 노래라도 나와서 한 곡 불러요!"라고 했다.

절반 이상이 떨떠름하게 나와서 긴장 속에 돼지 멱따는 듯한 노래를 부르고 들어갔다.

그들의 표정은 복잡 미묘했지만 크리스마스가 부모 기일인 어린 상속자를 위해서라면 뭐든 해내겠다는 기색이 역력해 보였다. 그런 그들의 모습에 벨라는 마음이 절로 포근해졌다.

특히나 그들이 노래를 부르기 전에 자기 이름과 하는 일을 소개하는 것이 벨라에게는 큰 도움이 되었다.

과거의 삶에서는 얼굴과 이름이 제대로 맞아떨어지지 않는 사람들도 더러 있었다. 그런데 지금은 눈에 새기듯이 얼굴과 이름과 하는 일을 기억하려고 애쓰고 있었다. 그들은 모두 벨라의 삶의 은인이었다.

다들 유아 퇴행인 벨라 수준에 맞게 동요나 민요 따위를 불러 주었으나 하이라이트는 경비병 단장 라울린 클라레이였다.

원체 훤칠하니 남들보다 풍채가 좋았고 자연스레 웨이브진 벌꿀빛의 금발 머리가 어깨 길이 정도까지 넘어오는, 소위 말하는 괜찮게 생긴 허우대라 그냥 가만히 있어도 여자들의 시선을 확 잡아 끄는 이였다. 과거의 삶에서 벨라는 별로 말을 섞어 본 적이 없었다.

그가 청보라색 눈동자로 좌중을 둘러보자 하녀들이 수줍어하는 모습이 눈에 들어왔다.

벨라는 그 모습을 보고 피식 웃음을 지었다.

경비단장인 라울린은 평민 출신의 기사였다. 본성에 주둔하고 있는 기사단장 에이든 엘 카스웰이 백작가의 차남 출신인 것에 비하면 신분이 미천하여 이모인 마리앤에게 번번이 흠 잡히곤 했다.

아마도 그녀를 직접 막아서며 만나지 못하게 한 것이 라울린이어서 그랬는지 몰라도 과거에 그에 대해 마리앤이 호색한이라고 헐뜯는 말을 곧이곧대로 믿은 벨라는 그와 될 수 있는 대로 마주치는 것도, 인사도 피했다.

그러나 마리앤이 어떤 여자였는지를 아는 지금은 라울린도 괜찮은 사람일 거라 확신했다.

라울린은 경비병들을 대표해서 나온지라 무장을 모두 해제한 채로 피아노 곁에 있던 기타를 하나 집어 들고는 헛기침을 하더니 쑥스럽다는 듯 웃었다.

"저도 참석해야 하는 줄을 모르고 몇 시간 전에 불려 나온지라 준비해 둔 노래가 없어 죄송하지만, 유행 지난 노래라도 짧게 바칠까 합니다."

그 노래는 장미에 빗대어 좋아하는 소녀의 아름다움을 칭송하는 경쾌한 노래였다. 어색한 노래 퍼레이드 끝에 등장해 가장 호응도가 높아진 순간이기도 했다.

역시나 라울린을 좋아하는 몇몇 하녀들이 "어떡해!"를 외치며 발을 동동 구르며 좋아서 숨넘어갈 듯 웃었다.

이전의 삶에서 본 적 없는 풍경에 벨라는 피식 미소를 짓고는 사람들의 시선이 라울린에게 향해 있는 사이 조용히 피아노에 가서 앉았다.

후…….

과거에 피아노는 벨라에게 눈물겨운 악기였다. 엄마로부터 기본적인 것은 배웠으나 실어증에 걸린 후론 피아노만 보면 경기 일으키듯 싫어했다.

그러다 열다섯 살에 트리스탄이라는 음악 교사로부터 다시 배웠다. 하지만 즐거움도 잠시, 사채업자 손에 이끌려 고급 술집에 팔려 가다시피 한 후 벨라는 지긋지긋하도록 술집의 피아노를 쳤다.

피아노를 칠 줄 아는 것이 감사한 게 아니라 저주스러웠다. 몸도 팔아야 하고 피아노도 쳐야 하고……. 그렇게 해서 번 돈은 모두 사채업자가 가로채 갔다.

그랬던 피아노 앞에 자발적으로 앉다니!

벨라는 심호흡한 후 라울린의 기타에 맞추어 반주로 화음을 맞췄다.

노래 부르면서 기타를 치던 라울린이 어리둥절한 표정으로 피아노 소리가 나는 쪽을 바라보았다. 그리고 피아노를 치고 있는 벨라와 눈이 마주쳤다.

벨라는 기쁘다는 듯 미소를 지어 보였다.

순간 파티장에서 우당탕퉁탕 난리가 났다.

"오매! 벨라 아가씨께서 피아노 반주를! 그것도 유행가 반주를!"

냇시가 두 뺨에 손바닥을 얹고 비명 지르듯 소리쳤고 라울린은 난감 그 자체인 표정을 지은 채 기타 연주를 멈추었다. 벨라는 왜 다들 당황해서 어찌할 줄 몰라 하는지 이해하지 못했다.

바로 루카스가 다가와 벨라의 손을 끌었다.

"아가씨. 아랫사람들을 위해 연주하시는 것은 법도에 어긋납니다."

벨라는 뜻밖의 말에 눈을 동그랗게 뜨고 루카스를 바라보았다.

"크리스마스에 아랫사람, 윗사람이 어디 있어요! 우리는 다 같이 한 가족이나 마찬가지인데."

벨라의 말에 루카스는 단호히 말했다.

"아닙니다. 아가씨는 윗사람. 저희는 고용인. 선을 분명히 해 주십시오."

"그래요, 아가씨. 아가씨께서는 나이가 어리시더라도 우리의 윗사람입니다. 저희는 고용인이니 저희에게 과분한 것은 삼가십시오."

메이드장인 브렌다까지 다가와서 고개를 숙이며 정색을 하고 말했다.

갑자기 그들이 자신이 남임을 잊지 말라고 말하는 것 같아서 순간 벨라의 눈에 왈칵 눈물이 고였다.

'과거에 조금만 더 다정하게 대해 줬다면 그렇게 비뚤어지지는 않았을 텐데.'

벨라는 늘 고용인들에게 거리감을 느끼곤 했다. 과거에도 현재에도 그들과는 무언가 보이지 않는 벽이 존재했다. 그녀에게 가족처럼 친근하게 여길 수 있는 이는 낸시밖에 없었다. 너무 가족 같아서 낸시에게 함부로 대했던 것이 탈이었지만.

이번 생에서는 먼저 다가가리라 생각하고 시작한 첫 번째 시도에서 벌써 장벽에 다다른 기분이었다.

울음이 터져 나오려는 것을 이를 악물고 버티고 있었다. 여태 엉망으로 살다가 회귀해서 갑자기 다른 사람이 될 수는 없었다. 여전히 자신은 실패자였다.

"이런, 상대는 미성년자 주인님. 두 사람 다 주인님께서 듣기 쉬운 말로 설명을 해야 할 것이 아닌가."

빅터가 혀를 끌끌 차며 다가와서 피아노 의자에 함께 걸터앉으며 말했다.

"벨라 아가씨. 저 두 바보의 말을 쉽게 풀어 드리죠. 아가씨께서 성인이라면 다들 이 연주에 기뻤을 겁니다. 하지만 지금은 소문이 잘못 날 수 있습니다. 예를 들면, 고용인들이 어린 아가씨에게 강압적으로 피아노를 치라고 시켰다는 것? 그러니 아가씨, 감사하지만 이런 일은 고용인을 시켜 주십시오."

빅터의 말에 벨라는 눈을 크게 떴다.

"아니에요! 전 정말로 당신들이 좋아서, 가족 같아서 부모님께 피아노 쳐 드리듯이 연주하고 싶었을 뿐이에요!"

벨라의 말에 빅터는 웃으며 고개를 저었다.

"우리는 가족은 아닙니다. 그래서 다른 사람들이 이것을 트집거리로 잡을 수 있습니다. 저희는 성인이고 아가씨는 아직 가치관이 정립되지 않은 상태라 저희가 마음대로 아가씨를 조종했다는 소문이 돌 수 있습니다. 마음만 받겠습니다. 가족처럼 여겨 주셔서 영광입니다."

아……!

벨라는 할 말을 잊었다.

'고용인들이 부유한 상속자를 가두어 두고 제멋대로 조종한다는 말에 휘둘렸었지. 그것도 내가 제일 열심히 믿었어.'

고용인들은 그녀의 재산을 먹어치우려 드는 외부인들로부터 벨라를 보호하면서도, 이런 조촐한 집안 파티 하나까지 벨라에게 흠이 될까 늘 조심하고 있었던 것이었다.

다시금 저들이 고마워서 벨라의 마음이 찌르르하게 울려왔다.

벨라는 사람들을 찬찬히 쳐다보았다.

빅터는 우락부락한 손을 피아노 건반 위에 얹으며 씨익 웃었다.

"자. 반주는 제게 맡기십시오. 비록 초보자 수준이지만 쿵짝 정도는 맞춰 드릴 수 있을 겁니다. 무슨 노래를 연주해 드릴까요?"

"캐…… 캐럴."

벨라가 더듬거리며 한마디 내뱉자 빅터는 흔쾌히 고개를 끄덕였다. 곧 익숙한 선율이 건반에서 흘러나왔다.

"아가씨께 캐럴 선물이라도 보탭시다."

고용인 중 하나가 말하자 다들 피아노 주변으로 다가왔다.

그녀의 부모님이 돌아가신 이후 저택에는 캐럴이 울려 퍼진 적이 없었다. 낸시는 웃으면서 벨라 곁에서 캐럴을 따라 불렀고, 라울린도 빅터의 옆에 서서 기타로 반주를 맞춰 주었다.

자꾸 눈물이 났다.

이번 삶은 굳세게 살기로 마음먹었기에 울지 않으려 했는데 기어코 이들은 자신을 울릴 작정인가 보다.

슬퍼도 눈물이 나지만, 감격스러워 나는 눈물은 더 멈추기 힘들었다.

신이 지금 이 순간 자신의 목숨을 거두어 간다 해도 여한이 없을 것 같았다.

벨라의 눈에 함께 노래를 부르는 가드너 씨가 보여서 낸시가 주는 손수건으로 코를 팽 하니 풀고 캐럴을 따라 했다.

'그저 사슴 장갑 하나씩 선물해 주고 싶었는데…….'

어쩐지 더 큰 선물은 벨라 자신이 받은 것만 같았다.

벨라는 가까이서 캐럴을 부르고 있는 루카스를 바라보았다. 그도 노래란 걸 부를 줄 아는 모양이었다. 합창 사이에서 루카스의 낮은 목소리를 귀 기울여 들으며 벨라는 또 눈시울을 붉히고 말았다.

그날 밤, 낸시는 그녀가 잠들자 턱밑까지 이불을 덮어 준 뒤 등불을 끄고 조용히 밖으로 나갔다. 벨라는 일부러 자는 척하다 똑바로 돌아누웠다.

아직도 잠들었다가 눈을 뜨면 물속에 빠져 허우적거리며 가라앉고 있는 서른 살의 자기 몸으로 되돌아갈까 봐 두려웠다.

"루카스, 아가씨가 언제 다시 피아노를 배우셨을까요?"

복도에서 들려오는 낸시의 목소리에 벨라는 저도 모르게 귀가 쫑긋해졌다.

"아가씨께선 일곱 살 무렵의 일들을 생생하게 기억하시는 것일까요? 한동안 피아노만 봐도 발작하셨잖아요."

잠시 침묵이 감돌다가 루카스의 목소리가 들려왔다.

"돌아가신 후작 부인께서 읽어 주셨다는 규범집 내용도 마치 일부러 외우기라도 한 듯 잘 아시더군요. 그러니 함께 피아노 치던 기억이 남아 있을지도 모릅니다."

"그런 유행가 들려 드린 적도 없는데 일꾼들이 부르는 소리를 들으신 것일까요? 아무래도 우리 아가씨는 천재일지도 몰라요!"

낸시는 나이도 잊고 호들갑스러운 수다를 속사포처럼 쏟아 내고 있었다.

'천부적 재능은 무슨. 술집 음악 반주로 다져진 실력이지.'

벨라는 씁쓸한 미소를 지었다.

'아가씨, 잘하십니다.'

어린 시절에 음악 교사 트리스탄은 그녀가 서투르게 건반 하나만 꾹 눌러도 폭풍 칭찬을 해 줬다.

그러다가 술집 건달들이 '이것도 못 치냐?'고 주먹질하는 통에 공포 속에서 피아노를 쳐야 했던 시간들이 벨라의 머릿속을 스쳐 갔다.

"아가씨의 속이 그렇게 깊으실 줄……."

낸시의 훌쩍이는 소리가 들렸다.

"우리 고용인들더러 가족이라고 하셨어요. 가족. 세상에, 그렇게 여겨 주시다니 이렇게 감사할 수가……!"

벨라는 피식 웃었다.

루카가 어떤 표정으로 그녀의 수다를 견디고 있을지 문틈으로 엿보고 싶은 충동까지 일었다.

"아가씨께서 선물해 주신 사슴 가죽 장갑, 받아 보고 기겁하는 줄 알았답니다. 귀족들이나 쓸 법한 그런 고급 장갑을! 오픈 기념이라고 단가를 싸게 쳐 줬다고 영수증을 보여 주지 않았다면 믿을 수가 없을 뻔했어요."

낸시는 무슨 이야기를 하든 끝은 늘 같은 결과로 이어졌다.

"우리 아가씨는 어떻게 그런 고급 의상실을 알아보셨을까요? 아가씨는 눈썰미도 좋으시고 미적 감각도 타고나신 것 같아요. 어쩜 좋아!"

낸시의 호들갑에 조용히 듣던 벨라는 풋 하니 웃음이 터져 나오고 말았다.

"가엾으신 우리 아가씨. 아직도 크리스마스의 상처 속에서 계신 줄 알았는데 언제 이렇게 훌쩍 크셔서는 생각도 깊으시고 이렇게 마음 씀씀이도 고우시고……. 후작님, 후작 부인께서 보셨으면 얼마나 흐뭇하셨을까. 후작님…… 흑흑……."

보나 마나 낸시는 콧물이 주룩 흐르도록 울고 있을 것이었다.

"그러잖아도 음악 교사를 알아보고 있었습니다."

루카스의 말에 설핏 잠들려던 벨라는 화들짝 놀라 깼다.

"찰스 엘 아르티드 님께서는 제가 가정 교사로 빅터 브롬웰 씨를 들인 것에 불만이더니, 지난 가출 건을 문제 삼아 무단으로 교사를 파견하려고 하시는군요. 아무래도 트집 잡히기 전에 교사들을 초빙해야 할 것 같습니다."

"아니, 브롬웰 씨가 잘하고 계신데 가정 교사들이 왜 더 필요하다는 거죠?"

"아무래도 가정 교사들을 통해 저택을 감시하고 아가씨를 포섭할 의도겠지요. 아직 아가씨께선 미성년이고 목숨을 위협할 만큼의 유산이 있으니."

"에휴. 우리 버틀러 씨가 고생이 많으시네요."

"애초에 포르위네 성을 버리고 이곳으로 옮겨 온 이유가 찰스 엘 아르티드 님으로부터 아가씨를 지키기 위함이 아니었겠습니까? 오히려 저보다 포르위네 성에 남아 계신 에이든 엘 카스웰 기사단장님께서 심려가 더 크실 겁니다. 그분이 버텨 주고 계시기 때문에 우리도 아직 무사할 수 있는 것입니다."

루카스의 말에 벨라의 가슴이 철렁 내려앉았다.

그랬다. 본성을 버리고 별장 같은 그리젤리 저택에 감금되다시피 하여 자란 것은 감금이 아니라 사실상의 피난이었다.

'그것을 지금 깨닫다니!'

숙부인 찰스는 서자였다. 전전대 후작은 본부인에게서 다비드를 얻었고 하녀에게서 찰스를 얻었다. 그래서 그 신분 때문에 다비드가 죽은 후 후작가를 잇지 못하고 벨라에 계승권이 주어진 것이었다.

벨라는 과거의 찰스를 떠올렸다.

'흉포하고 천박한 고용인들 손에 놀아나고 있는 꼴을 더는 못 보겠다! 벨라! 나와 함께 가자! 너의 집은 포르위네 성이다. 그 웅장한 곳을 두고 이 시골구석에 갇혀 무슨 꼴이냐!'

찰스는 번번이 사병을 데리고 와 벨라를 데려가려고 난동을 부렸다.

그럴 때마다 고용인들이 막아서서 벨라는 포르위네로 가지 못했다. 그래서 루카스가 증오스러웠다.

'나를 그리젤리에 가둬 두고 재산을 가로채려는 괴물!'

벨라는 루카스에게 침을 뱉으며 반항했지만 루카스는 보내 주지 않았다.

"버틀러 씨를 후견인으로 세우신 건 돌아가신 후작님이 남기신 신의 한 수였어요. 아가씨마저 독살당했다면 어쩔 뻔했어요? 지금도 그 생각만 하면……."

낸시의 말이 들려왔다.

"그래도 후작님을 살리지는 못했습니다."

루카스의 덤덤한 목소리에 벨라의 가슴이 찌르르 울려 왔다.

"버틀러 씨, 그런 말 하지 말아요. 버틀러 씨는 할 수 있는 일은 다 했어요."

낸시의 말에 벨라는 눈을 감았다.

'그래서 내가 포르위네 성에서 자라지 못하고 이곳으로 온

것이었구나!'

루카스는 아마도 후견인이란 점을 앞세워 믿을 만한 고용인만 골라서 이곳에 틀어박힌 것이었을 테고.

벨라는 과거의 삶에서 미처 깨닫지 못했던 사실에 가슴이 쿵쾅거렸다.

'그랬구나. 그랬었구나.'

과거의 일들이 벨라의 머릿속에 휘몰아쳤다.

쿵쾅거리는 가슴을 진정시키기 위해 심호흡을 했다. 그리고 깍지 낀 손에 힘을 주었다.

'이젠 다를 거야. 삶의 흐름을 바꿔 놓을 수 있을 거야. 무엇보다도 내가 믿어야 할 사람들은 내 고용인이란 사실을 잘 알고 있으니까 예전과는 다를 거야.'

벨라는 그리 생각하며 억지로 잠을 청했다.

새하얀 눈이 소담하게 내려앉아 아름답게 반짝거리고 있었다. 아침에 설레는 마음으로 창밖을 바라보는데 브렌다가 세숫물을 가지고 들어오며 벨라에게 말했다.

"지난밤에 정원사 라이오넬 가드너 씨께서 세상을 떠나셨답니다. 아가씨."

벨라는 충격을 받아 멍하니 브렌다를 바라보았다.

"잠든 듯 조용히 숨을 거두셨어요."

그 말을 못 알아듣겠다는 듯 벨라는 미동조차 하지 않았다.
'가드너 씨에게 커다란 트리를 구해 오라며 혹사시키지도 않았는데!'

새해 1월 1일,
정원사 라이오넬 가드너는 본래의 기억대로 혼자 조용히 숨을 거두었다.

2. 노블레스 오블리주

2. 노블레스 오블리주

"죽을 한술도 뜨지 않으시다니! 우리 아가씨 얼굴 상한 것 좀 봐! 이걸 어째!"

낸시는 벨라의 두 뺨을 손으로 감싸 안았다.

라이오넬 가드너가 죽기 전날에 아픈지 확인까지 했었다. 몸 상태는 평소보다도 더 좋아 보였다. 그런 그가 과거처럼 조용히 세상을 떠났다.

'노력해도 안 되는 걸까? 운명은 정해져 있는 걸까? 지나온 내 삶의 테두리를 벗어날 수 없는 걸까?'

비몽사몽간에 축축한 느낌이 들었다. 고개를 돌려 보니 베개가 흠뻑 젖어 있었다.

문득 물에 빠져들었던 느낌이 생생하게 되살아났다.

밑도 끝도 없이 추락하는 것만 같은 공허함 속에서 의식이 흐려지는 느낌이 들었다.

"아가씨."

벨라의 차디찬 손을 크고 따뜻한 손이 힘 있게 잡았다.

루카스의 목소리에 벨라는 퍼뜩 정신 차렸다. 눈앞에 루카스가 있었다.

꿈인지 현실인지 몽롱한 채 자신의 몸을 둘러보았다. 아직 열네 살인 모습에 저도 모르게 안도감이 밀려왔다.

"아가씨께서 가드너 씨를 그렇게 마음에 담아 두고 계실 줄은 몰랐습니다."

루카스는 고개를 숙였다.

"실은 톰 가드너 씨의 행방을 찾았습니다. 제국의 수도 브릭의 슬럼가에 살더군요. 부고와 함께 가드너 씨의 유품과 유언장을 전해 주려 합니다만, 아가씨께서도 동행하시겠습니까?"

초점 없던 벨라의 눈에 생기가 감돌았다.

"정말이야, 루카?"

"마침, 아가씨의 고모할머니뻘 되시는 슈르츠 공작 부인께서 초대장을 보내셔서 겸사겸사 다녀올 수 있을 듯합니다만, 이렇게 편찮으셔서는 수도에 가실 수 없습니다. 어떻게 할까요?"

"아니야! 갈 수 있어! 내가 직접 가서 유언장을 전해 줄 거야!"

그녀가 침대 밖으로 발을 내딛다 휘청이자 루카스는 재빨리 부축하며 말했다.

"일단 식사부터 제대로 하셔야 합니다만?"

"다 먹을 거야! 뭐든 줘!"

벨라는 얼굴이 발갛게 상기된 채 루카의 옷자락을 움켜쥐었다.

라이오넬이 죽은 후 처음으로 벨라는 수프를 한 그릇 말끔하게 비워 냈다. 더 먹으려 했으나 낸시가 만류했다.

"아이고, 급히 드시면 오히려 몸 상합니다. 나중에 더 드시더라도 일단 식사를 마치세요. 그래도 잘 드시니 너무너무 행복합니다."

낸시의 호들갑 속에 벨라는 바깥에 서 있는 루카를 힐끔 쳐다보았다.

과거의 벨라는 루카의 책상 서랍을 무심결에 열었다가 노랗게 변색된 초대장을 발견했었다.

겉봉에 쓰인 자신의 이름 탓에 꺼내 보니 발신인은 슈르츠 공작 부인.

[고모할머니로서 다비드의 하나뿐인 딸이 얼마나 아름답게 자라났는지 안부를 살피고 싶구나. 한 번쯤 우리 성에 놀러 오지 않으련?]

이런 내용이 적힌 카드에 언제쯤 수도에 가 볼지 설렜다가 발신 날짜를 보고 흠칫 놀랐다.

이미 오래전에 지난 초대장의 발신 일자에 격분했었다.

'초대장을 숨겨 놨었다는 사실 다 알아! 왜 나를 고모할머

니께 데려가 주지 않는데! 루카스!'

온갖 소리를 퍼부어도 루카스는 초대장에 대해서 함구했다.

'이모 말이 맞았어! 날 그리젤리에 가둬 놓고 무슨 꿍꿍이를 벌이고 있는 거야! 내 재산이 그렇게도 탐났어? 어리다고 맘대로 날 세상과 격리 시켜 놓고 왜 아무도 만나지 못하게 하는데? 왜! 대체 왜!'

대답 없는 루카스의 등 뒤에서 미친 듯이 울부짖던 기억이 벨라의 머릿속을 스쳤다.

그때 느꼈던 배신감에 벨라는 루카가 하는 말은 콩이든 팥이든 믿으려 하지 않았다.

그런데 지금은 상황이 다르다.

'먼저 슈르츠 부인의 초대장 이야기를 꺼내고 함께 수도로 가자 하다니! 무슨 바람이 불어서지?'

벨라의 가슴이 두근거렸다.

한 번 내뱉은 말은 번복하지 않는 루카였다. 가자 했으니 틀림없이 같이 갈 것이었다.

'어쩌면, 이 삶이 변할 수 있을지도 모른다.'

1월 하순. 볕이 화창한 날에 벨라는 낸시의 등쌀에 옷을 몇 겹이나 덧입은 후에야 마차에 오를 수 있었다.

"루카스 씨, 아무리 그래도 이제 막 몸 회복하신 아가씨께서 이 추운 겨울에 긴 마차 여행을 어찌 견디시겠어요? 이 초대 거절하면 안 되었나요? 불안한데 저도 함께 가면 안 됩니까?"

낸시의 잔소리를 마차에서 내내 견딜 생각을 하니 순간 등이 섬찟했다. 좁은 마차에서는 피해 달아날 곳도 없었다.

"경호 인력 때문에 마차에는 아가씨와 저, 주치의만 탈 수 있는 공간이 남습니다. 죄송합니다만 아가씨의 신변 경호 문제라 양해해 주십시오."

루카스의 말에 벨라는 속으로 만세 삼창을 외쳤다.

확실히, 과거의 루카스라면 거절했을 만한 초대였다.

수도로 가는 길은 겨울이라 해도 황량했다. 군데군데 눈이 쌓여 있어 길은 험했고 마차 안은 따뜻했으나 답답했다. 이 와중에도 빅터는 공부하라며 책을 다섯 권이나 가방 안에 챙겨 주었다.

'이게 어딜 봐서 가볍게 외워 시험을 칠 만한 내용이야?'

책 한 권을 보는 둥 마는 둥 하다가 창밖을 보니, 호위병들의 표정이 심상찮았다.

"루카스, 수도에 가는데 왜 이렇게 많은 호위병하고 함께 가는 거예요?"

벨라의 질문에 루카스는 서류 뭉치를 정리하다 말고 고개를 들었다.

"올 가뭄에 낙오한 농민들이 도둑 떼가 되어 행인을 털곤 하는 지역입니다. 그래서 카스웰 단장님께서 걱정을 많이 하셨습니다."

"우리 아르티드 후작령에도 똑같이 가뭄이 들었는데? 이안이 소작료 걷기 힘들다고 투덜거리기는 했어도 소작료 안 낸 농민은 없었잖아…… 요."

벨라는 말꼬리를 흐리며 '요' 자를 덧붙였다.

'이번 생에서는 루카스에게 존경의 뜻을 담아 존댓말을 해주기로 했잖아. 자꾸 낮춤말을 뒤섞어 쓰다니 내가 봐도 어법이 이상해!'

벨라는 루카스의 눈치를 보았다.

루카스는 창밖을 한번 힐끔 보더니 말했다.

"땅 주인이 누구냐에 따라 다른 법입니다. 이 지역은 상속자가 없어 중앙 정부에서도 손대지 못하고 골칫거리가 된 곳입니다."

"본래 어느 가문의 땅인가요?"

벨라는 헛기침을 하며 물었다.

"원래대로라면 트리에뷔어 자작령입니다만, 현재 적장자가 없어 로벨리에 남작가와 프로스트 백작가가 국지전에 가깝게 대치하고 있는 곳이지요."

루카스의 말에 벨라는 가슴이 철렁했다.

'프로스트 백작가라니……!'

그녀의 과거의 삶에서 크나큰 오점. 벤자민 엘 프로스트.

벤자민이 씁쓸한 표정으로 웃으며 말했다.

'허울만 좋은 백작가 영식이지 난 후처 소생에, 형들이 있어서, 재산? 내 몫까지 차례가 돌아올 리도 없고, 능력도 재능도 다 부질없어. 나는 태어나면서부터 모든 기회를 박탈

당한 셈이야. 벨라, 너만이라도 내가 세상에 태어나서 의미가 있다고 말해 주겠어?'

벨라는 어금니를 깨물었다.

'사기꾼! 재산이 있어도 쓸 수 없는 나를 위해 분쟁을 해결해 주겠다더니! 위임장을 받아 내서 내 모든 재산을 털어먹고 도망간 천하의 몹쓸 놈! 그놈을 죽이고 나면 후련할 줄 알았는데!'

벨라는 흥분해 숨을 제대로 쉬지 못했다. 옆에서 책을 읽고 있던 주치의가 놀라서 마차를 멈추고 벨라를 진찰했다.

"무언가 충격적인 과거 기억이 되살아나서 느낀 공황 증세 같습니다만."

그의 진단에 루카스는 미간을 찡그렸다.

"역시나 무리였나 봅니다. 마차를 돌려서 그리젤리 저택으로 돌아가……."

"아니에요. 헉헉. 잠시 어지러웠을 뿐이에요. 별일 아니에요."

벨라는 루카의 옷자락을 꽉 움켜쥐었다.

벨라는 마차를 타고 가는 동안 창밖을 하염없이 바라보았다. 떠올리고 싶지 않은데 벤자민 엘 프로스트의 모습이 머릿속에 가득했다. 애써 고개를 저어 봐도 과거의 충격에서 벗어나기 힘들었다.

"신년 파티에서 처음 보았었나?"

벨라는 혼자 작게 중얼거렸다.

'킥킥. 그리젤리 촌년. 고용인들이 가둬 놓는다더니 그럴 만하네. 저런 촌년은 어떻게 꾸며도 내보이기가 창피했을 거야.'

'어머. 교양 있는 숙녀께서 어찌 그런 말씀을. 생각한 대로 솔직하게 말하는 것도 실례야. 우리는 예의가 바른 귀족들. 그런 건 안 보이는 자리에서 해도 충분해.'

보란 듯이 부채질을 하던 알리사 엘 그란첼에게 뭐라 대꾸도 하지 못했다. 그저 도망치듯 몸을 피한 발코니에는 그가 벽에 기대어 서 있었다.

그는 어딘가 위험한 느낌이 물씬 풍겼고 키가 크고 호리호리했다. 흰머리에 가까운 백금발의 머리카락은 가늘어서 보드라울 것만 같아 만져 보고픈 충동이 일었다.

그의 하늘색 눈은 벨라를 향해 있었다. 적당히 흐트러진 와이셔츠 깃, 삐딱하게 정장을 걸친 그는 시가를 입에 문 채 한 모금 빨아들이다가 벨라와 시선이 마주치자 연기를 훅 내뱉고는 싱긋 미소를 지었다.

어쩌면 그 순간에 이미 반했는지도 몰랐다.

그는 어디에도 속하지 않아 자유로워 보였다.

벨라에게 늘 짓궂은 장난을 치고 냉소적인 미소를 지어 보였지만 그 사이사이 은근하게 비치는 여린 속마음이 매력적으로 느껴졌다.

그라면 평생을 바쳐 사랑할 수 있을 줄로 알았다.

복잡한 가정사 사이로 언뜻 비치는 외로움이 어쩐지 짠해서 그를 더욱더 사랑하게 되었던 것인지도 모른다.

그게 의도적인 접근인 줄도 알아채지 못한 자신이 저주스러웠다. 그는 벨라를 이용해 그저 한몫 단단히 챙겼을 뿐이었다.

차마 고개를 들 수 없어 얼굴을 가린 손가락 사이로 삐져나오는 과거의 비참한 기억들.

벨라는 저도 모르게 고개를 흔들었다.

가슴속 생채기들은 살짝만 건드려도 문드러지는 것만 같았다.

'정말로 사랑했었는데…….'

사랑했던 이에게 배신당했던 그 아픔은 아직도 나을 생각을 하지 않는다. 심장이 욱신거렸다.

벨라는 고개를 들어 맞은편의 루카를 바라보았다.

루카와 벤자민은 대칭을 한 것처럼 서로 달랐다.

검다 못해 푸른빛이 도는 흑발. 그나마도 단정하게 빗어 넘겼다. 차갑고 무표정해 보이는 얼굴에 한쪽 눈은 갈색, 시력이 거의 없는 반대편 눈은 이제 누가 뭐라 해도 푸른빛으로 보였다.

과거에 두 눈의 색 차는 코안경에 가려져 눈치챌 수 없었으나, 노티 난다, 쓰지 말라 한 지금은 선명하게 눈에 띄었다.

벨라가 자꾸 구겨서 이젠 어느 정도 체념한 듯하지만, 여전히 칼같이 다려 놓은 그의 정장 바지와 와이셔츠를 바라보았다.

흔들리는 마차 안에서도 그는 정확하게 꼿꼿한 모습으로 앉아 있었다.

루카스는 무언가 자신의 무릎에 닿자 깜짝 놀랐다. 밤갈색의 길고 탐스러운 곱슬머리가 물결쳐 흘러내리고 영롱한 보라색 눈동자와 시선이 맞닿았다. 벨라는 그의 무릎에 머리를 괴고 눈웃음을 지었다.

"아가씨, 뭐 하십니까?"

루카스의 말에 벨라는 작고 고운 연분홍빛 입술로 하품하는 시늉을 해 보였다.

"후견인님, 졸려서 말이에요. 베개가 되어 주세요."

그는 온통 떫은 표정으로 벨라를 쳐다보다가 반응이 없자 어깨를 붙들어 벌떡 일으켜 세웠다.

"아가씨, 남녀 사이에는 유별함이 있습니다. 아무리 후견인이라도 외간 남자의 무릎을 베고 누우시면 안 됩니다. 후작 부인의 예의 규범집 제2장 13절에 보시면……."

벨라는 눈을 새초롬하니 뜨고 그가 하는 말과 똑같이 읊조리기 시작했다.

"아르티드가의 여인은 모름지기 그림자조차 더럽혀져서는 안 된다. 낯선 남자와……."

"아르티드가의 여인은 모름지기 그림자조차 더럽혀져서는 안 된다. 낯선 남자와 한자리에 있을 시에는 문을 열어 놓아 외부인이 항상 그 안을 지켜보게 하고 자신의 결백을 증명해 줄 사람이 없는 자리라면 함께하지 않는 것이 좋다. 맞죠?"

루카스는 입맛을 쩝 하고 다셨다.

벨라는 과거의 삶에서 규범집을 예로 들며 일장 연설을 늘어놓던 그를 떠올렸다. 지금은 오히려 입을 다물고 어찌할 바를 모르는 것을 보자 피식 웃음이 나왔다.

벨라는 눈을 가늘게 뜨고 개구진 미소를 지었다. 그녀의 하얀 이가 작은 입술 사이에서 살짝 빛나 보였다.

"당신은 내 후견인이에요. 성년이 될 때까지 나를 지켜 줄 사람. 맞죠?"

루카스는 벨라가 무슨 말을 하려나 긴장했다.

"낯선 남자와 한자리에 있을 시 항상 지켜보고 내 결백을 증명해 줄 이가 당신인데 나를 보며 위험한 생각을 하나요?"

또래 숙녀에게서 나올 법한 말이 아닌데 벨라는 그런 말을 잘도 내뱉었다. 예의범절에 어긋나는 말인가 잠시 고개를 갸우뚱하며 생각하던 루카는 떨떠름한 표정을 지었다.

"아닙니다. 아가씨. 절대로 그렇지 않습니다만……."

말을 이어 가려는데 벨라가 루카스의 허리를 끌어안았다.

"헙!"

그가 화들짝 놀라는 것이 가슴으로 전해져 왔다.

"그럼 상관없네요. 그렇죠?"

벨라는 그를 곰 인형처럼 더욱 힘주어 끌어안았다. 루카스의 눈동자가 한없이 떨렸다.

찔러도 피 한 방울 안 나올 것 같던 그를 당황하게 할 수 있다는 게 이렇게 기분 좋은 일인지 미처 몰랐다.

"그래도 아가씨, 저는……."

"브라운 씨가 지켜봐 주고 계시잖아. 나는 장거리 여행이 익숙하지 않아 두려운데 부모님 대신 루카가 나 좀 달래 주면 안 돼? 응? 내 후견인이잖아."

루카는 자신의 옆구리에 파묻힌 벨라의 이마를 밀어내려 했다. 벨라는 애처롭게 주치의 피터 브라운 씨를 바라보았다. 그는 이마의 진땀을 손수건으로 닦으며 루카스와 벨라의 눈을 번갈아 가며 바라보았다.

브라운 씨는 자신의 옆에 있는 무릎 담요를 손으로 가리켰다. 아무래도 가리키는 모양새가 '당신은 배냇 이불 대용품'이라고 말하는 것만 같았다.

한숨을 터뜨리며 루카는 벨라를 떼어 놓는 것을 포기했다.

"브릭에 도착할 때까지만입니다. 아가씨."

벨라는 한껏 휘어지는 눈웃음을 지었다.

행복했다.

그의 허리를 끌어안고 등에 귀를 가져다 댔다.

그가 살아 있다는 것을 증명해 주는 심장 소리에 입가에 미소가 걸리면서도 어쩐지 다시 눈가가 뜨거워진다.

벨라는 그의 등에 얼굴을 파묻으며 눈물을 들키지 않으려고 애썼다. 울어도 울어도 계속 눈물은 흐른다. 과거의 삶이 너무나도 아파서 눈물이 났다. 이 모든 것이 자신의 손에 쥐어져 있었는데 그땐 알아차리지 못했던 것이 슬펐다.

이토록 굳건한 그가 살아 있어 줘서 고마웠다.

주치의 피터 브라운은 그 모습을 보며 작은 수첩을 꺼내어 벨라의 상태를 기록으로 남겼다.

등이 축축하고 뜨끈할 텐데 루카는 그 자세 그대로 가만 있었다.

이내 벨라의 두 팔에서 힘이 빠지자 조심스레 좌석에 눕히고 쿠션으로 머리를 받쳐 주었다. 무릎 담요를 펼쳐 턱 밑까지 덮어 준 그는 브라운 씨의 곁에 옮겨 와 앉았다.

"애처롭군."

브라운 씨가 천천히 입술을 떼었다.

"실어증 상태에서 벗어난 지 얼마 되지 않았는데 또래만큼 따라잡으려고 애쓰시니 부담이 막중할 거라네."

그는 걱정스럽다는 투로 말을 계속해 이어 갔다.

"또래 열네 살과 똑같이 생각하면 안 되네. 그 상처가 어디 하루 이틀 내에 쉽사리 나을 상처인가. 그래도 아가씨께서 열심이셔서 뭐라 칭찬해 드려야 할지."

벨라를 묵묵히 바라보고 있는 루카스에게 그는 다시 말했다.

"자네의 상처도 클 텐데. 그래도 아가씨를 위해 참아 줘서 고맙게 생각한다네."

"어차피, 후작님 아니었으면 세상에 없었을 목숨, 저 역시 목숨값을 다하고 있을 뿐입니다. 그리젤리 저택 사람들치고 후작님께 폐 끼쳐 드리지 않은 이 어디 있겠습니까?"

루카스의 말에 피터는 조용히 고개를 끄덕였다.

"그렇지. 후작님이 좋은 일 참 많이 하셨지. 세상은 좋은 사람을 일찍 데려가곤 한다네."

어느덧 그들을 태운 마차는 황무지를 떠나 안전지대에 진입하고 있었다.

제국 페로하트의 수도인 브릭에 들어서자 새하얀 길이 격자무늬처럼 사방으로 나 있었다. 벨라는 슬럼가가 있는 방향을 하염없이 바라보았다.

루카는 톰 가드너가 있을 방향을 쳐다보는 것으로 생각할지 모르지만, 벨라는 자신이 지난 삶에서 머물렀던 더럽고 습한 판잣집을 떠올렸다. 다시는 그곳으로 돌아가고 싶지 않았다.

황궁으로 가는 중심가 방향으로 접어들더니 이내 거대한 저택에 도달했다. 덩굴장미가 담장을 물들인 고풍스러운 저택은 생각보다 조용하고 인적이 없었다.

"여기가 슈르츠 공작가인가요?"

벨라의 말에 루카가 대답했다.

"아닙니다. 수도에 있는 아르티드가의 저택입니다. 후작부인께서는 이곳을 벨라시아 저택이라고 부르셨습니다. 아가씨께서 태어나신 곳이기도 하고요."

벨라는 과거엔 한 번도 발 디뎌 보지 못한 저택의 풍경을 바라보았다.

안으로 들어서자 아버지 다비드 후작과 어머니 애너벨 후작 부인이 그려진 초상화가 제일 먼저 눈에 띄었다. 그림 속의 두 사람은 이제 막 결혼 피로연을 즐기려는 듯 두 손을 맞잡고 아름다운 모습으로 함께 서 있었다.

아버지로부터 물려받은 고동색의 숱 많고 탐스러운 머리카락, 어머니로부터 물려받은 속눈썹이 긴 보라색 눈. 벨라는 그 두 사람의 모습을 적절히 섞어 놓은 듯 반반씩 닮아 있었다.

"형님! 이제 오셨나?"

저 멀리서 어슬렁거리며 걸어오는 사람의 형태가 보였다. 모습이 보이기도 전에 귀에 익은 목소리의 주인공이 이안 버틀러라는 것을 알 수 있었다.

"어라? 친애하는 영애께서도 함께 오셨네? 안녕하십니까, 벨라 아가씨!"

정장 차림인데도 마치 작업복 같은 것을 대충 걸친 듯한 착각이 일게 하는 껄렁한 걸음걸이가 가까이 다가왔다.

"잘 지냈어? 이안이 여긴 웬일이지?"

벨라의 물음에 이안이 아닌 루카스가 먼저 대답을 해 왔다.

"신년제의 인사차 먼저 와 있었습니다. 제가 이번 새해에는 그리젤리에 남아 있었기 때문에 그 역할을 이안이 대신해 준 겁니다."

아……!

벨라는 고개를 끄덕였다.

"형, 신년제 관해서 할 말이 있는데. 이번 공물과 공납 목록에 대해서 상의할 것도 있고."

이안의 말에 루카는 벨라에게 정중히 묵례했다.

"아가씨의 방은 하녀 네페라가 안내해 드릴 겁니다. 상의

할 것이 끝나면 찾아가 뵙겠습니다."

밀짚색 쫑쫑 머리를 한 하녀가 벨라의 짐을 들고 앞서서 걸었다.

"아가씨, 이 방입니다."

짐을 풀어 정리해 주는 하녀를 뒤로하고 벨라의 시선이 맞은편 방에 머물렀다. 조심스레 다가서자 네페라가 얼른 대답했다.

"평소에는 잠겨져 있는 방이오나 아가씨께서 오셔서 특별히 열어 두었습니다."

벨라는 조심스레 안으로 들어갔다.

중앙의 벽난로에는 대리석으로 된 하얀 사자 문양이 돋을새김되어 있었고, 탁자 위에는 그녀의 아버지 다비드가 쓰던 만년필과 필기도구들이 이제 막 사용하다 내려놓은 것처럼 놓여 있었다.

침실 한편의 벽에는 다비드와 애너벨, 그리고 벨라의 아기 때 모습이 함께 그려진 초상화가 걸려 있었다.

눈시울이 뜨거워졌다.

어릴 때 큰 충격을 받은 나머지 부모님의 기억도 온전히 떠오르지 않고 조각나 부서져 버린 파편처럼 일부만 스쳐 갈 뿐이었다.

그런데 눈앞에 엄마가 있고 아빠가 있다.

중앙홀에 걸린 초상화는 먼 거리에 걸려 있어서 만질 수 없지만, 이 가족 그림은 가까이에 있어 손끝으로 더듬어 볼 수 있었다.

눈물이 뿌옇게 가려서 엄마, 아빠 모습이 안 보인다.

재빨리 손등으로 눈물을 걷어 냈지만 이내 흐려진다. 벨라는 그대로 무릎을 꿇고 부모 대신 벽을 끌어안고 눈을 감았다.

아무도 들어와 주지 않아서 다행이었다.

부모님이 환하니 자신에게 웃어 주시는 것만 같았다.

'엄마, 아빠……. 저 돌아왔어요.'

목이 잠긴 벨라는 두 분이 쓰던 침대를 손으로 가만히 쓸어 보고 생전 입던 옷가지가 가지런히 걸린 옷장을 열어 보았다. 그중 옷 하나를 꺼내어 코에 깊게 가져다 대며 숨을 들이켰다.

어쩐지 엄마 냄새가 나는 것만 같았다.

그때, 노크 소리가 들리고 루카스가 안으로 들어와 정중히 말을 건넸다.

"공납과 조세 문제로 잠시 외출해야 할 것 같습니다. 항상 아가씨의 방문 앞에는 호위병들이 서 있을 것이고 피터 브라운 박사님도 언제든 대기 중입니다."

루카의 말에 벨라는 눈을 크게 떴다.

"어딜 가려고? 나도 같이 가면 안 돼?"

"아가씨께서 가실 만한 곳은 아닙니다. 워낙 급히 해결해야 할 사안이라 외출을 허가해 주셨으면 합니다."

"왜? 이안을 보내면 안 돼?"

벨라의 말에 루카가 대답했다.

"귀족협의회에는 평민인 이안이 들어갈 수가 없습니다.

준남작 작위가 있는 제가 직접 들어가야 합니다."

"평민이라서 못 들어간다고? 평민이 갖기엔 준남작 작위가 많이 비싸?"

"가격이 천차만별이지만 평균적으로 8~10년 치 영지 매출은 줘야 구할 수 있습니다."

"그럼 아버지께서 루카한테 작위를 사 주셨을 때 우리 집안이 많이 휘청거렸겠네?"

벨라의 말에 루카는 고개를 저었다.

"아닙니다. 아르티드가의 재산은 그 정도로는 끄떡없습니다."

벨라는 회심의 미소를 지으며 말했다.

"그럼, 루카. 아르티드가의 후계자로서 부탁하겠어. 이안에게도 하나 사 줘."

"네?"

하녀 네페라와 문 양옆으로 지키고 서 있던 두 명의 기사 역시 의문사를 내뱉었다.

"뭐라고요?"

"정말 진담으로 하시는 말씀입니까?"

"응."

벨라는 천진한 어린아이처럼 눈을 크게 뜨고 깜빡였다.

귀여운 척할 때마다 루카의 눈에 동공 지진이 일어나는 것을 보며 그것이 썩 좋은 방법은 아니라는 것을 알았다. 하지만 그럴 때마다 루카가 동요하는 것이 재밌었다.

'벌렁 드러누워 떼를 써도 안 먹히고, 가출한다, 뛰어내린다, 자해하겠다 별 생난리를 쳐도 눈 하나 깜빡하지 않던 인간

이 귀여운 척 눈을 깜빡이고 있으면 무너지다니, 푸흡…….'

어쩌면 몹쓸 애교에 닭살 올라 멍하니 굳어 버린 루카의 표정을 즐기고 있었는지도 모른다.

루카는 한동안 경직되어 있다가 헛기침을 하며 표정을 지웠다.

"아가씨. 준남작 작위라는 것이 그렇게 말처럼 쉽게 거래될 수 있는 것도 아니며 이안에게 굳이 필요하지는 않습니다."

벨라는 차분한 목소리로 말했다.

"필요하잖아. 바로 지금. 귀족협의회 입구에도 못 들어가는데 이안에게 당연히 필요하지 안 그래?"

"제가 가면 해결됩니다."

"그러니까!"

벨라가 빽 하니 소리를 질렀다. 루카는 대체 왜 그러나 싶어 그녀의 얼굴을 빤히 쳐다보았다.

"준남작 작위가 필요해서 루카가 나를 놔두고 외출해야 하니까, 그까짓 거 사 줘도 되잖아. 이안도 가지고 있으면 여러모로 활동 범위가 넓어져서 좋은 것 아니야?"

"아가씨. 본래는 제가 하던 업무이며 이안은 지금 맡은 일들만으로도 포화 상태입니다. 준남작 작위를 가진들 시간이 없어서……."

"그럼 나랑 같이 다니자고! 루카! 나랑 손잡고 맡은 일 하러 다녀! 응? 나도 데리고 가!"

벨라는 진담 반 농담 반으로 빼액 소리 질렀다.

루카가 하는 말을 못 알아들어서 이런 생떼를 쓰는 것은 아니었다. 다만 무섭고 두려웠다.

눈 감았다가 뜨면 차가운 물 속일 것만 같아서 시시때때로 불안해질 때마다 루카의 심장 소리를 듣고 싶었다. 그의 심장 소리를 들을 때마다 공포 속에서도 안도감이 느껴졌다.

신이 언제든 주신 은총을 다시 거두어 가실지 모르니 안심이 되지 않았다.

'피터 브라운 씨의 진단이 어쩌면 맞을지도 몰라.'

불안할 때마다 꼭 쥐고 살았다는 배냇 이불처럼, 지나간 삶 내내 벨라가 찾아 헤맸던 것은 손에 움켜쥐고 안정을 되찾을 무언가, 마음의 위로가 되는 누군가였나 보다.

'제발 내 눈앞에서 사라지지 마. 루카스. 이게 꿈이나 죽음 직전의 환영이 아니라고 말해 줘.'

벨라의 입술이 파르르 떨리는 모습을 본 루카스는 다시 또 공황 증상이 온 것으로 생각해 브라운 박사를 모셔 오게 했다.

"아가씨의 공황 장애가 수시로 나타나서 큰일이로군요."

브라운 박사는 벨라의 눈과 입을 들여다보고 기초적인 진료 일지를 적었다.

"겉보기엔 아무렇지 않아 보여도 아가씨는 늘 심리 상태가 불안합니다. 실어증에 대해 확답할 수 없었던 과거처럼 이 공황 장애도 언제 상태가 호전될지 악화될지 장담할 수 없습니다. 아가씨께서 안전하다고 느낄 수 있을 때까지 주변 환경에 신경 써야 합니다."

브라운 박사는 진료용 왕진 가방을 들고 나가면서 작은 목소리로 루카스에게 속삭였다.

"싫든 좋든 아가씨 손에 꼭 붙들려 주시오. 그 방법이 현재로선 최선인 것 같소이다."

루카스가 다시금 깊은 한숨을 내뱉었다.

벨라는 피터 브라운 씨가 자신에 대해 무슨 진단을 내리든 상관없었다. 다만 루카스가 곁에 있게 도와주는 브라운 박사가 그저 고마울 뿐이었다.

'그래. 지금 이 삶이 현실이란 확신을 느끼게 해 줘. 눈을 감았다가 떴더니 차가운 강물 속이 아니라는 것을 믿을 수 있을 때쯤…… 그때는 성가시게 하지 않을게 응? 미안해, 루카스.'

벨라는 자신에게 작게 속삭였다.

처방해 준 약용 차를 마시고 단잠에서 깨어 보니 늦은 오후였다. 벨라는 부스스 일어나 주변을 살폈다. 인기척이 나는 소파 쪽을 보니 다리를 꼰 채 소파 등받이에 오른쪽 팔을 뒤로 넘겨 걸치고 앉아서 무언가를 읽고 있는 것은 이안이었다.

벨라가 화들짝 놀라 일어서려 하자 이안이 성큼성큼 다가와 그녀가 일어나는 것을 도왔다.

“이안, 루카스 어디 갔어?”

벨라의 말에 이안이 피식 웃으며 대답했다.

“글쎄요.”

‘이런, 나를 재워 놓고 도망치듯 외출했단 말이지? 돌아오기만 해 봐라.’

벨라는 미간을 찡그리고는 이안을 쳐다보았다.

“그런데 네가 왜 내 방에 있어?”

“형님이 누군가가 아가씨를 불편하게 할지 모르니 항상 곁에서 지켜보라던데요. 그런데 개미 새끼 하나 돌아다니지 않는 이 텅 빈 서택에서 누가 불편하게 하겠습니까? 형도 참…….”

이안의 너털웃음에 벨라는 이안을 슬쩍 흘겨보았다.

‘너. 바로 너. 네가 불편해.’

벨라는 일어나서 저택을 한 바퀴 더 둘러보았다. 너무 어릴 적에 있었던 곳이라 기억날 리는 없었지만, 조금이라도 엄마, 아빠의 흔적을 찾아보고 싶었다.

제대로 보존한 곳은 부모님의 침실뿐. 아버지가 사무적인 일을 보았을 집무실은 루카가 종종 사용하는지 업무 문서가 크기별로 깔 맞춰서 반듯하게 정리되어 있었다.

지문 하나 남지 않게 닦인 책상과 반듯하게 놓인 의자의 각도와 필기도구와 직인의 위치. 그리젤리의 성주 대리인

집무실에 있는 물건들과 종류만 약간 달랐을 뿐 익숙하게 배치되어 있었다.

벨라는 창가에 다가섰다. 엄마 혹은 아빠가 내다보았을지도 모르는 겨울 해가 뉘엿뉘엿 저물어 가고 있었다.

“할멈! 이리 줘 봐!”

버럭 하는 이안의 목소리가 들려왔다. 소리가 나는 방향을 바라보니, 허리가 꼬부라진 할머니 메이드와 커다란 자루를 어깨에 멘 이안이 투닥거리고 있었다.

“마리나 할멈. 할망구가 아직도 젊은 줄 알아? 이런 건 젊은 놈들 시켜! 그러다가 자빠지면 죽어. 알아?”

“예이, 아직도 팔팔한데 무슨 소리냐.”

“그건 할멈 생각이고. 진짜로 팔팔하면 날 따라잡아 봐.”

이안은 뒤도 돌아보지 않고 먼저 안으로 들어갔다.

‘친절을 베풀어도 무슨 시비를 거는 사람처럼 툴툴거리는 모양새라니.’

벨라는 그런 이안의 모습에 피식 미소를 지었다.

‘역시나 이안은 좋은 사람이 맞아. 그리젤리 저택에 있는 사람 누구나 내겐 과분한 사람들이었어.’

마냥 웃던 벨라는 순간 무엇이 자신을 불편하게 했는지 깨달았다.

불량스러워 보이는 모습 사이로 비치는 다정함.

벤자민에게서 느껴졌던 첫인상이 어딘지 모르게 지금의 이안을 떠올리게 했다.

불량스럽지만 늘 자신을 위했던 이안의 이미지를 벤자민

에게서도 바랐었다는 깨달음이 스쳐 갔다. 그래서 그의 사악함을 알고도 이안처럼 좋은 사람이 되어 주리라 생각했던 모양이었다.

세상엔 그리젤리의 고용인들보다 훨씬 더 좋은 사람들이 존재할 줄 알았다. 그래서 벤자민을 순진하게도 믿었다. 이모를 믿었고 숙부를 믿었다. 얼마나 큰 착각이었던가.

벨라는 깊은 한숨을 내뱉으며 뒤돌아섰다.

저녁도 먹지 않고 루카를 기다렸지만 끝내 루카의 얼굴을 보지 못한 채 잠자리에 들었다. 내내 뒤척거리다가 그래도 잠결에 마차 소리는 알아듣고 눈을 뜨자마자 잠옷 바람으로 아래층에 내려갔다.

"형. 여태 논쟁만 벌이다가 온 거야? 식사 준비 시킬까?"

루카스의 귀가를 기다리기는 이안도 마찬가지였던 모양이었다. 루카스는 이안의 손이 몸에 닿으려는 순간 홱 밀쳐냈다.

"아, 미안. 요즘 벨라 아가씨 때문에 형이 이젠 남의 손길에 익숙해졌나 하고 그만."

이안은 내민 손이 머쓱해서 거두어들였다.

"식사보다 먼저 씻고 싶다."

극도로 지쳐 보이는 루카스가 안으로 들어가려고 하자 이안이 불러 세웠다.

"형. 한 번 씻기 시작하면 몇 시간이고 씻으니 먼저 결론부터 말해. 궁금해 죽겠잖아. 무슨 이야기가 오간 거야?"

어쩐지 자신이 뛰어나가서 아는 척할 분위기가 아닌 것 같아서 벨라는 조용히 숨죽여 서 있었다.

"결론만 말하자면 조세는 인상되었고 공납은 평년 수준."

루카스의 말에 이안이 버럭 화를 내었다.

"형! 내가 누누이 말했잖아! 감세는커녕 인상이라니 말이 돼? 공납도 평년 수준을 유지할 상황이 아니라고! 가뭄 피해가 얼마나 컸는지 현장을 직접 뛰어다니지 않아서 모르는가 본데……."

"안다."

루카스의 말에 이안의 눈이 커졌다.

"오르티우스 요새를 축성하는 안건이 통과되었다. 아마 계속 감세를 주장하고 있었다면 반역으로 몰렸을 거다. 결론 났으니 이제 그만."

루카스는 피곤하다는 듯 손을 저으며 안으로 들어갔다.

이안은 멍하니 서 있다가 '악' 소리를 내질렀다. 그 소리에 화들짝 놀란 벨라는 계단을 뛰어 올라갔다.

'오르티우스 요새.'

어쩐지 많이 들어 본 것 같은데 왠지 불길하고 찜찜한 예감이 머릿속을 스쳤다.

'왜 그 단어가 이렇게 마음에 걸리는 걸까?'

벨라는 쉽게 잠들지 못했다.

'이렇게 회귀할 줄 알았다면 세상일에 관심을 가질 것을. 왜 그 단어가 머릿속에 꽂혔는지 모르지만 뭔가 중요한 것 같아.'

벨라는 내내 고민하다가 얼핏 잠이 들었다.

온통 뿌연 담배 연기에 기침이 나오고 눈이 따가웠다. 담배 연기에 정신이 몽롱해지는 이유는 그사이에 중독성 있는 다른 위험한 것을 태우는 사람이 있기 때문이었다.

'하아……, 이 익숙한 공간.'

눈이 매워서 눈물이 나는 것인지 이 삶이 비참해서 눈물이 나는 건지 알 수 없었다. 몇 번이고 눈을 비비며 피아노 건반에서 손을 떼었다.

한쪽 테이블에서는 누군가가 세상만사를 다 아는 척하며 독한 술과 농담을 주고받고 있었다.

"오르티우스 요새 따위에 매달리지만 않았어도."

"그러게. 다 그 요새 때문이야. 내가 망한 것도, 경제가 이 지경이 된 것도."

"정치하는 것들은 다 머저리라니까. 그 작전에 참여하면 죽을 걸 알았으니까 몸을 쏙 뺀 거겠지. 순진한 황태자만 앞세워서 골로 보내 버리고……."

"그때 너무 많은 인재가 죽었어. 그 젊은것들이 살아 있었으면 세상이 조금은 달랐을 텐데. 조의를 표하노라! 디노르센의 영령들이여!"

벨라는 흠칫 놀랐다.

'아! 디노르센 전투!'

꿈에서 확 깨어났다.

눈뜨자마자 허둥거리며 일어나 펜을 들어 바쁘게 적었다.

[이안은 디노르센 전투에서 죽었다.]

벨라는 기억을 쥐어짰다.

[디노르센 전투에서 황태자가 전사한 이후, 제2 황자가 황위를 이어받으며 정치, 경제가 망가진다. 영지를 잃고 파산한 귀족도 속출하며 줄이어 부도난다.]

벨라는 머리가 아플 때까지 과거의 기억을 더듬었다.

무일푼에 인생 막장에 놓여 서른 살이 될 때까지의 그녀의 기억이란 술 아니면 약물에 절어 흐리멍덩한 것이었다. 남의 일에 도통 관심이 없었으므로 뉴스에도 그다지 관심을 두지 않았다.

벨라는 펜 끝을 질끈 깨물었다.

그녀가 다리에서 뛰어내리기 전 마지막으로 본 신문지에는 '세계 각국이 한꺼번에 전화에 휘말리게 될 위기 상황'이라는 말이 적혀 있었다.

'회귀한 지금. 최소한 뉴스만이라도 관심을 가졌더라면!'

벨라는 종이가 찢어지는 줄도 모르고 힘주어 적었다.

[세계가 거대한 전쟁에 휘말린다. 곧 닥칠 미래에.]

손에 주어진 기적도 제대로 못 쓰는 주제에, 앞으로 벌어질 일들이 기가 막히다. 아는 것이 하나도 없어 스스로에게 울컥 화가 치밀었다.

그때, 바깥이 약간 소란스러웠다. 누군가 외출하는 듯했다.

"루카스!"

정문으로 나가려던 루카스는 우뚝 멈춰 섰다.

"루카스, 나한테 인사도 안 하고 어딜 가?"

벨라가 손 흔들며 큰 소리로 말하자 루카스는 떨떠름한 표정으로 돌아서서 변명하듯 말했다.

"벨라 아가씨, 꼭 해결해야 할 문제가 몇 가지 더 있어서 말입니다. 죄송하지만, 오늘도 저 혼자 잠시 외출했다가 돌아오겠습니다."

"응, 잘 갔다 와!"

벨라는 애써 밝게 웃으며 더욱더 손을 크게 흔들었다. 문을 열어 주던 피터 브라운 씨가 안심하라는 듯 손을 저으며 루카스에게 나가라는 신호를 보냈다.

"괜…… 찮겠습니까?"

루카스는 무언가 망설여지는 듯 브라운 씨의 얼굴을 바라보았다.

"어제 하루 사이에 배냇 이불 대안을 만드셔서, 이제 당신은 해방이오. 본래 저승의 뱃사공 카론도 그 일이 싫으면 다른 이에게 노를 들려 주고 도망친다 하였소. 별일 없을 겁니다. 다녀오십시오. 성주 대리 나으리."

루카스는 불안한 듯 뒤를 돌아보았다. 그리고 심통이 난

표정으로 팔짱 끼고 서 있는 이안과 눈이 마주쳤다. 이안의 셔츠 자락이 밖으로 삐져나와 있고, 그 자락은 벨라가 단단히 틀어쥐고 있었다.

"아이씨이! 왜 하필 나야? 미치고 환장하시겠네."

이안은 벨라가 듣거나 말거나 큰 소리로 구시렁댔다.

벨라는 루카스에게 손 흔들며 이안을 한 번 흘겨보았다.

'이러니 맨날 오해했지.'

그는 결코 말을 걸러 말하는 법이 없었고 예의치레도 할 줄 몰랐다. 그래서 과거에 친하기는커녕 근처에 얼씬도 하지 않았다.

그런데 이젠 그와 친해져야 한다.

'이번엔 꼭 살게 해 줄 거야.'

벨라는 이안의 옷자락을 더 꽉 잡았다.

'기억나지 않으려면 완전히 나지 말든가, 회귀했다면 짠 하고 새로운 인간으로 저도 모르게 바뀌어 있든가. 회귀해도 별다른 묘책이 없어서 더 미안해, 이안. 어떻게든 생각해 낼게.'

자꾸만 눈물이 날 것 같았지만 눈물이 흐를 새를 주지 않았다. 바로 자신에게 휘어잡힌 이안이!!

"아놔, 왜 또 질질 짜는 건데. 울보쟁이 주인님."

이안이 짜증을 왈칵 내었다.

"꼭 내가 울린 것 같잖아요. 이 아가씨야!"

'~요'를 붙여 봤자 존댓말이 아닌 그런 태도를 과거에도 루카스가 몹시도 나무랐으나 이안은 그때에도 '나는 원래 생기기를 이렇게 생겼는데 어쩌라고?'를 외칠 뿐 전혀 고치질 않았다.

지금도 이안이 버럭버럭 큰 소리로 말할 때마다 깜짝깜짝 놀랐으나, 다시 고쳐 사는 삶에서는 참아 보기로 결심했다.

처음 이안의 옷자락을 붙들고 늘어지며 "이이잉~." 애교 기술을 시전해 보았으나 무참하게 무시당했다.

"아가씨 나이답게 노세요. 아가씨는 열다섯 살입니다. 원, 늙은 아줌마도 하지 않을 콧소리. 말 배우는 어린애가 그러면 누굴 보고 흉내를 내나 이해라도 하지, 기저귀 차고 다닐 거 아니면 그런 몹쓸 짓은 그만하십시오."

'느, 늙은 아줌마!'

벨라는 그의 발언에 심한 충격을 받았다.

'술집 매니저가 남자들은 이런 거에 껌뻑 죽는다며 익히라고 가르쳤다고! 남자들은 애교 부리면 좋아하는 거 아니었어?'

저도 모르게 목구멍으로 콱 넘어오려는 말을 씹어 삼키고서, 벨라는 복어처럼 볼을 실룩거렸다.

'푸딩이 같으면 프리스비라도 던져 주고 배라도 긁어 줄 텐데.'

할 일이 없어서 몸부림치던 이안은 소파에 드러누워 책을 읽는가 싶더니 조용해졌다. 벨라는 이안의 얼굴을 가린 책을 들어 올렸다. 완전히 곯아떨어져 있었다.

한 형제라고는 하나 분위기가 상반된 둘이었다.

어릴 적 느낌에 그는 거대하고 무서워 보였다.

회색 머리카락인데 특이하게 눈썹은 검다. 약간 동공이 위로 올라간 느낌의 시퍼런 눈동자는 가만있어도 치뜬 것처럼 사나워 보여서 이목구비가 루카와 닮았어도 느낌이 딴판이었다.

'회색 늑대.'

벨라는 다가오지 않으면서 저 멀리 풀숲에서 자신을 쏘아보고 있는 고고한 늑대 한 마리를 떠올렸다.

'위험하지만 결코 나만은 물지 않을 충직한 늑대.'

벨라는 이안의 잠든 얼굴을 빤히 바라보았다.

'소작료를 감독하는 동안 단 한 푼도 사사로이 쓴 적이 없었지. 개인 재산도 남기지 않았고. 이안이 죽은 이후에 세운 소작료 감독관은 바로 횡령하다 걸렸어.'

잠든 이안의 검은 눈썹이 움찔거린다. 많이 피곤했나 보다.

'그래도 함부로 구는 것은 얄미워. 명색이 후작가의 후계자인데 대놓고 싹퉁바가지 없는 소리를 해 대니 좋게 볼 수가 없었잖아.'

잔다. 쿨쿨 잘도 잔다. 이젠 고개를 젖히고 코까지 곤다.

벨라는 얄미워서 그가 덮은 책 위로 또 쌓고 쌓았다.

책이 흔들거리자마자 후다닥 이안의 발끝 쪽에 앉고서 자는 척을 했다.

이안의 고개가 흔들릴 때마다 책의 탑이 출렁하는가 싶더니 우당탕탕 바닥으로 쏟아졌다.

"으헉!"

자다 놀란 이안이 벌떡 일어나다 소파 테이블에 정강이가 걸려 앞으로 데굴 굴렀다.

벨라는 혀를 한 번 몰래 내밀고는 천연덕스럽게 다가갔다.

“이안, 왜 그래? 괜찮아?”

이안은 자다가 겪은 날벼락에 머리를 긁적이며 주변을 두리번거렸다.

읽던 책 몇 권이 쏟아져 있는 것 외엔 아무것도 없었으므로 그는 머쓱하게 책을 주워 올렸다.

“이안. 그러게 평소 하지 않던 짓을 왜 해? 책 읽는 거 안 어울려. 루카스는 언제 오나? 늦으면 늦는다, 전화라도 해주면 좋은데.”

“에? 전화요?”

이안이 책을 정리하다 말고 벨라를 쳐다보았다.

“응. 전화 몰라?”

벨라는 말하다 말고 입을 흡 하고 가렸다.

전화는 벨라가 스무 살이 되던 해에 시제품으로서 처음 등장했다. 처음 몇 년은 그다지 유행하지 않다가 스물일곱 살 때쯤 보급형이 개발되면서 널리 퍼졌다. 하지만 지금 자신은 열다섯 살이 아니던가?

“전화가 뭡니까?”

이안이 고개를 갸웃거렸다.

‘헉! 이 세상에 아직 전화기가 없다는 사실을 이제야 깨닫다니! 이안에게 나는 미래에서 온 서른 살의 영혼을 가지고 있다고 말한다면? 그래서 미래에 있을 일들을 안다고 솔직

하게 고백하면?'

왠지 솔직하게 말한다 해도 이안이 믿을지 미지수였지만, 그것보다도 벨라 자신이 말할 준비가 덜 된 듯한 기분이 들었다.

벨라는 잠시 머뭇거리다가 이안에게 말했다.

"소설책에서 봤는데 미래엔 전화라는 물건으로 먼 곳에 사는 사람들도 서로의 목소리를 들을 수 있는 날이 올 거래. 신기하지 않아?"

"확실히 그런 게 현실에 있다면 편리하긴 하겠군요."

이안은 별로 깊게 생각하지 않고 대답했다.

벨라는 그 모습을 보며 눈을 감았다.

이안이 죽었다는 전사 통지서가 왔었다. 그날의 기억은 생생했다. 동생이 전사했다는데 루카는 묵묵히 전사 통지서의 글자만 바라보고 서서 그 어떤 감정 표현도 하지 않았다.

어쩌면 멍하니 오랫동안 서 있는 것이 그의 슬픔을 표현하는 유일한 방법이었는지도 모른다. 그는 자신의 아픔 따위 누군가와 나눌 만한 사람도 아니었고, 그때쯤엔 이 사람 저 사람 저택을 떠나거나 죽은 사람이 많아 무엇이든 다 덤덤하게 받아들여졌던 것인지도 모른다.

그 무렵의 벨라는 한창 마리앤 이모의 충동질에 고무되어 루카스를 몹시도 미워하여 그와는 말 한마디 섞고 싶어 하지 않았다.

하지만 그때만큼은 루카스에게 상심하지 말라고 말 한마

디라도 예의상 건네주고 싶은 마음이 들었다. 침묵에 빠진 그의 모습이 어쩌면 소리 내 우는 뒷모습보다 더 아파 보였던 것인지도 모른다.

먼저 침묵 시위를 했던 주제에 위로의 말을 건네도 그가 대꾸하지 않을까 봐 그에게 말을 걸지 못했다. 그러고는 저택에서 이안이 주로 머물던 루카스의 집무실로 갔다. 루카스가 자리를 비웠을 때 혼자 들어가 한참을 소파에 앉아서 집무실 풍경을 둘러보았다.

딱히 이안과 친해 본 적도, 이안에게 호감을 느껴 본 적도 없었지만, 이안이 다시는 돌아오지 않는다는 사실이 믿어지지 않는 순간이었다.

"젠자앙할! 어디 도망 안 가니까 이 셔츠 자락 좀 그만 붙들고 늘어지시기 바랍니다. 벨라 아가씨! 물 마시러 간다고요! 쫌 쫌 쫌!"

어딜 가나 대롱대롱 딸려 오는 벨라에 인상을 구겼으나 그녀는 시치미 떼고 시선이 마주치면 싱긋 웃어 보일 뿐이었다.

"이안. 이안은 뭘 좋아해?"

대답이 없다.

"이안. 이안은 쉴 때 주로 뭘 해?"

여전히 그는 대꾸도 없다.

"이안, 이안, 이안! 심심하지 않아? 우리 뭐 하고 놀지?"

솔직히 그 어떤 것도 궁금하지는 않았다. 다만 아무 말이라도 해서 그의 관심을 끌고 싶을 뿐이었다.

벨라는 옷자락을 더욱 꽉 붙들고 늘어지며 눈을 두어 번 깜빡깜빡해 보았다.

'아이이잉이 통하지 않으면 눈망울 크게 뜨고 귀여운 척이라도.'

창부 시절 매상이 덜 나올 때면 부리던 애교였다. 그 모습에 가던 손님도 귀엽다고 되돌아와 매상을 올려 주곤 했다. 딴것은 몰라도 처량한 눈빛 하나는 자신 있던 그녀였다.

"이안, 이안!"

이안이 물 마시다가 몸을 돌려 벨라를 쳐다보고…….

"푸학!"

물을 뿜은 그는 격하게 가슴을 두들기고 기침을 했다.

"이안, 괜찮아?"

캑캑거리던 이안이 고개를 홱 하고 쳐들더니 어금니를 꽉 깨물고 눈을 치떴다.

"하지 말랬죠! 그 몹쓸 애교!"

그가 주먹까지 쥐고 부르르르 떨었다.

"한 번만 더 해 보세요! 그땐 주인이고 뭐고도 없으니! 자를 테면 자르시든가. 어차피 무보수 봉사직 잘려도 그다지 아쉽지도 않습니다!"

딴엔 이안과 친해지고 싶은데 곁도 내주지 않고, 그가 무엇을 좋아하는지도 모르겠는데 도리어 싫어하는 티를 팍팍 낼 뿐이니 벨라는 갑자기 서러워졌다.

'과거의 삶에서도 현재의 삶에서도 난 내가 무엇을 어째야

하는지 하나도 모르는걸. 처음부터 다시 시작하는 마음으로 잘해 보고 싶었을 뿐인데. 너무해.'

서운해진 벨라의 코가 분홍색으로 짙게 물들어 가기 시작했다.

이안은 뭔가 할 말이 있는 듯 버럭 하려다가 한숨을 푹 내쉬며 창가로 걸어갔다.

"죄송합니다. 나이가 어려도 주인은 주인인데…… 내가 뭘 하는 것인지. 제 성격이 좀 더럽습니다. 그 점은 잘 아실 테니 이해하십시오. 이해하기 싫으면 마시고."

이안이 사과했다. 시선도 피한 채 횡설수설하는 거였지만 그래도 벨라는 이 작은 틈새를 비집어 보기로 했다.

"내가 더 미안해. 난 아직 미숙해서 이안이랑 친해지고 싶은데 어떻게 해야 할지 잘 몰라."

벨라는 용기를 쥐어짜 내어 그에게 사과했다. 물론 싹퉁바가지인 이안의 탓이 제일 크지만 그와 친해지고 싶은 것은 자신이니 양보하듯 솔직하게 말했다.

"후우……."

이안이 여전히 뒤돌아선 채 한숨만 깊게 내쉬었다.

벨라는 이안을 더 귀찮게 해 봐야 좋을 것이 없다는 생각이 들어 거실을 나가려고 했다.

"아가씨."

이안이 벨라를 불렀다.

"제가 성격이 좀 그래서……, 가시가 많습니다만 뒤통수는 안 칩니다. 이런 시시한 이야기 저는 하지 않을 줄 알았는데."

말을 제대로 꺼내기 전부터 이안은 어색해서 시선을 돌렸다.

"제가 자랄 땐 아가씨보다 더 힘들었습니다. 형은 저보다 더 힘들었고요."

말하는 게 그리도 어려운지 그는 한숨을 쉬었다.

"물론 아가씨는 대귀족의 후계자이고 저희는 아무 가진 것 없는 평민일지라도 저마다 자기 사는 일은 힘든 법입니다. 그러니까……."

이안이 다가와서 한쪽 무릎을 꿇고 벨라의 시선과 같은 높이에서 말했다.

"남의 인생 조언 따위 해 본 적이 없어서 이게 뭐람. 아가씨. 조금 더 당당해져 보십시오. 비굴하게 그러지 말고. 당신은 모든 것을 다 가진 사람입니다. 푸딩이를 상상해 보십시오."

느닷없이 그가 웃으며 말했다.

"아가씨 눈높이에서 말씀드리는 겁니다. 푸딩은 아가씨를 보면 어떻게 합니까? 먼저 귀를 뒤로 젖히고 허리를 낮춘 채 엉기적 다가가서 꼬리를 흔들죠."

벨라는 고개를 끄덕였다. 그 모습을 보며 이안이 말을 이어 나갔다.

"아가씨, 양치기 폴이 키우는 개 중에서 올슨이라고 아십니까?"

"응, 알아. 검은데 입 주변하고 배가 하얀 커다란 개."

"아가씨. 이젠 올슨의 모습을 떠올려 보세요. 올슨은 아가씨가 다가가면 어떻게 합니까?"

"으음, 올슨은 좀 무서운데……."

"왜 무섭습니까?"

"올슨은 가만히 쳐다보고 있다가 느닷없이 달려들어서 사람들을 물어."

"푸딩하고 올슨하고 같이 있으면 누가 대장일 것 같습니까?"

"당연히 올슨?"

"네. 맞습니다. 서열이 높은 개는 조용합니다. 그리고 응시하고 있다가 갑자기 확 덮쳐들어서 물죠. 상대방이 방심한 틈을 타서요. 오히려 힘없고 약한 개가 나에게 다가오지 말라고 요란하게 짖습니다. 상대를 이길 자신이 없으니 겁 많은 개가 시끄럽게 짖는다고들 하죠."

이안의 푸른 눈이 날카롭게 반짝였다.

"아가씨. 우리 같은 고용인들에게 '이이잉'거리며 콧소리 내어 아양 떨거나 눈을 크게 뜨고 깜빡거리면서 잘 보이려고 애쓰지 마세요."

벨라는 그의 말을 숨죽이고 들었다.

"그런다고 해서 아가씨께 더 잘해 드리는 것 아닙니다. 오히려 빈틈을 내보이는 겁니다. '나는 약하고 힘이 없으니 당신께 복종하겠습니다.' 하고 개가 배를 드러내 보이는 것과 같아요."

이안은 눈썹을 찡그렸다.

"물론 푸딩이 약하고 비굴하다고 말하려는 뜻은 아닙니다. 다만 아가씨는 아르티드 가문의 올슨이나 마찬가지입니다. 아가씨. 있는 그대로 당당하게 행동하세요. 아가씨는 그래도 됩니다. 다비드 엘 아르티드의 딸이니까요."

이안은 벨라의 눈을 정면으로 바라보았다.

"우리는 모두 그분께 목숨 빚을 졌고, 당신은 우리가 목숨 바쳐 지켜드릴 존재시니까요."

이안의 진심 어린 말에 벨라의 눈이 커졌다.

수도 브릭에 도착한 지 사흘째 되는 날에서야 슈르츠 공작가의 저택을 방문했다. 거대한 규모에 압도되는 것만 같았지만 뒤를 돌아보니 루카스가 고개를 가볍게 숙이며 앞으로 나아가라는 눈빛을 보냈다.

그녀는 입술을 굳게 다물고 앞을 잠시 노려보다가 발을 내디뎠다.

이곳에 오기 앞서서 루카스가 넌지시 언질을 주었다.

'공작저에 가시면 아마도 아가씨의 숙부님과 이모님께서 계실 겁니다. 공작 부인께서는 앞으로 부인의 후원을 받아 공작저에서 살아갈 것인지 물어보실 겁니다.'

루카스는 심각한 표정이었지만 덤덤하게 말했다.

'아가씨께서 이해하기 힘드시겠지만, 그 제안을 거절하셔야 합니다. 그래야 그리젤리가 무사합니다. 무조건 저와 함께 있겠다고 말씀해 주실 수 있겠습니까?'

왠지 과거에 루카스가 슈르츠 공작 부인의 초대를 거절한 이유를 알 수 있을 것 같았다.

'아마도 숙부와 이모가 공작 부인께 루카스에 대해 허튼소리로 헐뜯었겠지.'

벨라는 한숨을 내쉬며 생각했다.

'그 당시의 나는 불만에 가득 차 있었으니 데리고 와 봤자 숙부의 주장에 날개를 달아 주는 격이었을 것이고.'

직접 보지 않아도 뻔했다.

'루카스는 슈르츠 공작 부인의 초대를 거절하면서 나를 시험에 들지 않게 막았던 거였어.'

벨라는 입맛을 쓰게 다셨다.

'숙부는 늘 루카스가 어딘가 떳떳하지 못하니 내 의견을 직접 묻지 못하게 원천 봉쇄하는 것이라 우겼지.'

벨라는 다시 뒤를 돌아보았다. 이안은 마차 앞에 서서 따라오지 않고 있었다.

"이안, 뭐 해! 빨리 와!"

이안은 목에 맨 크라바트가 어색한지 손가락을 넣어 잡아당겨 보더니 긴장한 얼굴로 뒷걸음질을 쳤다.

벨라는 이안에게 다가가 그의 옷자락을 끌었다.

"나보고 당당해지라며? 그런 사람이 왜 쭈그러들고 있어? 스스로 내뱉은 말이 창피하지 않아?"

이안의 얼굴이 새빨갛게 익어 갔다.

"저…… 저는 귀족들 사이에 끼어 본 적이 없어서 말입니다."

벨라는 미간에 세로 주름을 그으며 말했다.

"준남작 작위 일껏 산 거 갖다 버릴까? 와아. 이안 그렇게 안 봤는데 겁쟁이구나."

왠지 짓궂게 말하고 싶은 기분이 들었다.

"우리 가문의 10년 치 소작료를 날려 먹고 작위는 땅에 패대기치려나 보네. 실망이야."

그 말에 이마에 힘줄이 솟아오른 이안은 주먹을 말아 쥐고 으르렁거리듯 말했다.

"까짓것 갑시다! 네! 갑니다."

벨라와 이안은 서로 각각 다른 이유로 쿵쿵거리며 공작저 안으로 들어갔다. 그 둘의 뒤를 루카스가 조용히 따랐다.

"아르티드 가문의 후계자이자 실질적 가주인 이사벨라 엘 아르티드 양께서 인자하신 공작 부인께 인사드립니다."

슈르츠가의 집사가 하는 말에 맞춰 벨라는 배운 대로 다소곳하게 인사를 드렸다. 그리고 고개를 들자 자신을 인자한 눈빛으로 바라보는 동글동글한 할머니를 보았다.

할머니라고는 하나 피부가 탱탱하여 입가와 이마 한가운데의 주름이 없었다면 나이를 추측하기 힘들었을 것이었다.

짜리몽땅한 공작 부인은 의자에서 벌떡 일어나 두 팔을 벌리고 울먹였다.

"오! 세상에나! 다비드가 남긴 보석이 바로 너였구나. 아가."

공작 부인은 갈비뼈에서 뽀각 소리가 나도록 벨라를 끌어안았다.

"아가! 작고 여리고 예쁜 아가! 다비드와 이렇게 똑 닮다니! 첫눈에 다비드의 딸인 것을 알아보겠구나."

그녀는 그렁그렁한 눈망울로 벨라를 바라보더니, 자신이 앉아 있던 의자 곁으로 이끌었다. 벨라는 뼈가 부러졌는지 더듬어 보았다.

"이렇게 다 크도록 찾아보지 않았다니 나도 참 무심하지. 마지막으로 소식을 전해 들었을 때는 네가 변두리 저택에서 요양 중이라 했는데. 실은 지금도 반신반의하고 있었단다. 내가 누군지 알겠니, 아가?"

자꾸 아가 아가 하며 두 손을 꼭 잡고 어루만지며 웃는 이 호들갑스러운 노부인을 보자 벨라는 단박에 낸시가 떠올랐다.

'도플갱어인가? 어쩜 이렇게 비슷하지?'

"다비드 그 착하고 따스하던 아이가 언제 다 자랐나 싶어 서운했던 때가 엊그제 같은데, 이렇게 귀여운 딸을 남기고 먼저 세상을 뜨다니! 에구, 혼자 남은 우리 아기 어쩌면 좋을까."

벨라의 눈에는 그저 낸시가 겹쳐져 보였다. 호들갑을 떠는 그녀의 경쾌한 목소리가 문득 그리웠다.

"그래, 그건 그렇고, 우리 예쁜 아기를 누가 가두어 둔다고?"

공작 부인의 표정이 순식간에 싸늘하게 바뀌었다. 마치 동일인이 맞나 싶을 정도로 팍 구긴 눈초리는 혐오와 경멸의 기색을 띠고 뒤를 향했다.

공작 부인이 바라보는 방향은 루카스였다.

"고모님. 벨라가 부모님을 잃은 충격에 말문을 닫고 있을 때는 조카가 말을 할 수 없다며 저의 방문조차 막았고, 단 한 번만이라도 좋으니 우리 조카가 제대로 된 교육과 보살

핌 속에 자라나는지 확인하자 했을 뿐인데 그마저도 번번이 묵살당해 오늘날에 이른 것입니다."

낯익은 얄미운 목소리가 커튼 뒤에서 들려왔다.

"이젠 조카가 말을 할 수 있게 되자 학대 사실을 은폐하기 위해 어둡고 음침한 방에 가두어 놓고 저를 만나지 못하게끔 했습니다. 그자가 바로 저자입니다."

역시나, 공작 부인의 곁엔 숙부 찰스가 서 있었다.

그는 황갈색 머리카락을 포마드로 잘 넘겨 붙여 세련된 외모를 하고 있었다. 언뜻 보면 외모가 벨라의 아빠와 닮은 듯도 하나 아르티드 후작가의 상징 같은 밤갈색의 숱 많고 곱슬거리는 머리카락에 어금니도 송곳니처럼 뾰족한 특성을 보이지 않아 아르티드가의 혈통이 희미하다는 평을 듣고 있었다.

그런 콤플렉스를 만회라도 하듯 그는 노골적이지 않으나 비싼 것임이 틀림없는 최고급 원단으로 만들어진 슈트 차림에 비단 광택이 나는 크라바트를 걸치고 티 안 나게 눈에 띄는 타이 핀과 알 굵은 보석 반지 따위를 착용하고 있었다.

"뻔뻔한 사기꾼이 이곳에 잘도 발을 들였겠다?"

그는 연한 초록색 눈을 갸름하게 뜨며 벨라와 루카스를 째려보았다.

"돌아가신 형님께서는 조카에게 부족함이 없게 하고자 저자에게 랜드 스튜어트 —재산과 영지까지 관리하는 집사. 보통 가문의 직계 자손이 맡는 중요한 일을 담당— 일을 제대로 수행하라고 준남작 작위를 하사하셨는데, 저자는 집에서 빈둥거리면서 그 일마저 저 뒤에 있는 자기 동생에게 맡긴다죠?"

찰스는 입가를 이죽거렸다.

"오늘은 그럴싸하게 차려 입힌 것 같은데 평소의 행실은 건달이 따로 없어서 영지민의 원망이 자자합니다. 고모님."

그의 말에 루카스의 곁에 서 있던 이안이 미간을 팍 구기며 찰스의 눈빛에 지지 않을 강렬한 시선을 내보냈다.

벨라는 이미 찰스가 공작 부인을 완전히 설득한 후에 자신들을 초대하게끔 한 것이라는 것을 깨달았다.

뭔가 루카스의 편을 들어줘야 할 것 같은데 왜 루카스는 별다른 말 없이 자신을 이곳에 데리고 온 것인지 알 수 없었다.

그때였다. 시녀 하나가 공작 부인에게 와서 귓속말을 건넸고 그 말을 들은 공작 부인은 기뻐서 반짝거리는 낯빛을 하고는 시녀에게 들라 하라고 말을 전했다.

"잠시 실례하지요."

가죽을 잔뜩 짊어진 남자 하나가 공작 부인의 앞에 고개를 굽신거리며 다가와 가지고 온 것들을 펼쳐 보였다. 그 남자가 가지고 온 가죽들은 하나같이 귀하고 흔치 않은 동물들의 것이었다.

"역시 가죽에 흠집 하나 남지 않았네! 역시나 솜씨가 좋다고 추천받을 만하다니까!"

공작 부인은 그중 하얗고 등에 까만 줄무늬가 있는 작은 털가죽을 들어 올리며 기뻐했다.

"화살촉 하나 쓰지 않고 잡아서 생생하게 처리한 가죽이라니. 정말 대단해요."

공작 부인이 부탁한 가죽을 시녀들이 들고 안으로 들어갔다.

벨라는 무심결에 그쪽을 바라보았다가 숨이 멎을 듯 놀라 멈춰 섰다.

'잊을 수 없는 저 딸기코! 콜레트 엘 슈르츠 고모할머니 또한 숙부와 한패인가?'

아르티드가의 명예를 위해 사병을 끌고 이안과 라울린과 함께 출발하기 하루 전날이었다.

'놔! 지금 당장 마리앤 이모님을 불러 줘! 나갈 거라고!'

'불가합니다, 아가씨!'

'닥쳐! 네가 뭔데 이래라저래라야!'

'모두 다 아가씨를 위한 일입니다.'

'핑계 대지 마! 자꾸 어린애 취급하지 말란 말이야! 내 앞가림은 내가 알아서 해!'

'아가씨를 붙잡아!'

그날도 일상적인 난리 법석 중이었다. 반항하고, 가출 소동을 벌이고 어떻게든 루카의 속을 뒤집는 것만이 하루의 낙이던 그때.

정원에 잠복해 있던 괴한들이 뛰쳐나와 벨라를 질질 끌고 가려고 했다. 그걸 이안이 초인적인 속도로 울타리를 뛰어넘어와 제일 먼저 막았었다.

이안이 그들과 대치하는 사이, 괴한 하나가 느닷없이 칼을 뽑아 들더니 벨라를 찌르려고 했다. 손쓸 새도 없이 이안은 그것을 자신의 어깨로 막고 괴한이 칼을 찌르느라 내민 손목을 그대로 틀어쥐어 팔을 부러뜨려 버렸다.

다른 자들은 도망쳤고 잡힌 자는 그 자리에서 준비해 둔 독약을 먹고 죽었다.

그 남자의 얼굴만큼은 지금도 생생히 기억이 났다. 특이하게도 주먹만 한 딸기코를 지니고 있었기 때문이었다.

'바로 저 남자!'

벨라는 남자를 쏘아보았다.

당시 이안은 붕대를 감았으나 피가 배어 나오는 어깨를 더 치료하지도 못하고 예정대로 사병과 함께 전장으로 가야 했다.

'어쩌면 이안이 죽은 것은 어깨를 다쳐서였을까. 잘 가라는 인사조차 못한 채 그렇게 영원히 떠나보냈지. 그 뒤로 부르기만 하면 먹먹해지는 이름이 되었던 이안.'

벨라는 깊은숨을 들이켜며 눈을 천천히 감았다가 떴다.

"아, 이거."

공작 부인이 가죽 중 하나를 집어 들자 그 딸기코가 바로 대답했다.

"안목이 뛰어나십니다. 담비 가죽입니다."

"담비 가죽으로 하도록 하지. 프랭크, 이것과 똑같은 것으로 얼마든지 가져오시오. 시세보다 후하게 쳐줄 터이니. 올리버! 이자를 데리고 가서 저녁 식사를 대접해서 보내도록 하세요."

공작 부인의 말에 검은 연미복을 말쑥하게 차려입고 하얀 머리카락을 올백으로 잘 빗어 넘긴 초로의 집사가 고고하게 고개를 치켜든 채 공작 부인의 손에서 담비 가죽을 받아 들었다.

벨라는 흥미롭다는 듯 공작가의 집사를 '뚫어져라' 바라보았다.

"이 고모할머니가 직접 골라야 하는 것이어서 실례를 했구나. 공작 각하께 선물로 드릴 물건을 만들 재료다 보니 무례를 용서해 주렴."

공작 부인은 인자한 눈빛으로 벨라의 손등을 가볍게 두들겼다.

"그래. 그건 그렇고 아가. 이 할미가 그래도 나쁜 사람 하나 혼내 줄 정도의 힘은 남아 있단다. 혹시라도 저자가 너를 협박하지는 않던?"

노골적으로 루카스를 힐난하려는 질문이었다.

"후환이 두려워서 저자를 두둔하려거든 걱정하지 말아라. 네 말 한마디면 이 자리서 저놈을 당장 체포하여 행한 대로 죗값을 치르게 해 줄 수 있단다."

너무나 확고하게 말하는 공작 부인의 말에 벨라는 입술이 바짝바짝 말랐다.

'말주변도 없는데 대체 뭐라고 해야 하는가. 어쩌자고 루카스는 나를 이렇게 시험에 들게 하는 걸까?'

말 한마디 잘못하면 당장에라도 사병들을 시켜 루카스를 지하 감옥에라도 처넣을 것 같은 기세에 벨라는 무릎이 떨려 왔다.

"아니에요. 정말 아무 일 없었어요. 루카스는 제게 해가 될 만한 일은 단 하나도 하지 않았어요."

간신히 용기를 냈으나 공작 부인은 코웃음을 칠 뿐이었다.

"입단속을 단단히 시킨 모양이구나. 겁먹을 필요 없다니까, 아가야? 네가 자유로워질 기회란다."

이미 답을 정해 놓고 시작한 초대였다.

"정말 아니라니까요. 그리젤리 저택에 살면서 불만을 느낀 적은 단 한 번도 없었고 저들은 제가 하고 싶은 것이라면 무엇이든지 다 이루게 해 주었습니다. 정말이에요. 저 잘살고 있어요."

벨라는 바들바들 떠는 이 모양새가 상대의 눈에 비굴해 보이는 건 아닌가 하는 생각이 들었다.

덜덜 떨며 말하니 공작 부인이 더 믿어 주지 않는 듯하여 주먹을 쥔 손에 힘을 꽉 주었다.

벨라의 눈에 이안의 노려보는 시선이 와 닿았다.

'올슨.'

벨라는 검은 개 올슨을 떠올렸다.

언덕 위에서 지켜보고 있다가 무섭게 달려들어 양들을 자유자재로 모는 똑똑하고 강한 개 올슨을…….

'나는 저들을 행복하게 해 주려고 돌아왔다.'

벨라는 미간을 찡그렸다.

'내가 올슨이 되어서 우리 저택 사람들을 해치려고 하는 작자들을 콱 물어 줘야 해. 나는 올슨이다. 나는 올슨…….'

벨라는 숨을 '후' 하고 내쉬면서 올슨에 빙의되는 상상을 했다. 여전히 덜덜 떨렸지만, 어깨부터 쫙 펴고 고개를 치켜들려고 애썼다.

"잘해 주는데 가출해? 말이 안 나오네. 찰스, 내게 했던 말을 이들에게도 다시 한번 해 주길 부탁해."

공작 부인의 말에 찰스가 의기양양한 미소를 지으며 한 걸음 앞으로 나섰다.

"소식통에 의하면 벨라가 몇 달 전에 저택에서 필사의 탈출을 해서 달아났다가 무지막지한 하인들의 손에 붙들려서 저택으로 개처럼 끌려갔다던데. 맞습니까? 루카스 경?"

가출해서 무작정 빅스톤 극장가로 갔던, 회귀 전의 자신의 행동을 문제 삼는 발언이었다.

"그것은, 오해에서 비롯된 일입니다. 그때 빅스톤 극장에서 아가씨는……."

루카스가 운을 떼자마자 찰스가 버럭 소리를 질렀다.

"벨라가 학대를 견디다 못해 가출한 것 아닌가! 어떻게 주인을 함부로 학대해!"

"학대한 적 없습니다."

루카스는 차분하게 대꾸했다. 그러나 찰스는 확신에 차서 소리쳤다.

"먹기 싫은 음식을 강제로 벨라의 입에 쑤셔 넣고, 교육한답시고 강제로 앉혀 놓고서 무섭게 윽박질러 가며 외우게 시키고, 이모나 숙부의 방문까지 철저하게 차단한 것은 학대가 아니고 무엇인가!"

찰스는 득의양양해서 공작 부인을 힐끔 쳐다보았다.

"증인까지 있고 명백한 목격자가 있는데 이래도 시치미를 떼는가?"

벨라는 입술을 깨물었다.

"당시 실어증 상태이던 아가씨는 거식증을 동반해서 입을 다문 채 식음을 전폐하셨습니다. 음식을 드시지 않으면 생명에 지장이 있어 부득불 강제로 드시게 한 적은 있습니다. 부인하지는 않겠습니다."

루카스는 정중히 고개를 숙였다.

"하지만 그때는 후작님께서 살아 계셨을 때이고, 후작님의 동의와 의사의 지시하에 그리한 것일 뿐, 위급한 상황을 넘긴 후에는 다시는 그리하지 않았습니다."

루카스가 침착하게 해명했다.

"허튼소리 하지 마! 그 당시는 형님께서 심신이 미약하시던 시절이라 형님마저 손에 쥐고 주무르지 않았더냐! 후견인 자리도 가로챈 날강도들! 너희 같은 천한 것들이 함부로 주인의 몸에 손을 대다니 이런 천인공노할 일이 있나!"

찰스는 화가 머리끝까지 치민 듯한 표정을 일부러 지었다.

"게다가 빅스톤 극장에서 얇은 실내복 차림을 한 채 길거리를 배회하고 있다가 하인들이 몰려가 질질 끌고 간 사실은 어떻게 설명할 건데? 한두 사람이 본 것이 아니란 말이지!"

찰스가 회심의 일격이라는 듯 미소를 지었다.

실제 있었던 가출 소동이었으니 뭐라 할 말은 없었을 거였다. 게다가 가출 사유도 빅터가 공부 가르치는 게 싫다고 감행한 것이었다.

루카스가 뭐라고 대답하려는 순간 벨라가 벌떡 일어났다.

"숙부님! 그건 제가 말씀드리겠습니다."

벨라는 화가 났다.

'자기가 뭐라고 루카스를 저렇게 몰아세운담!'

화가 나서 빨이 발갛게 상기된 모습에 찰스는 씨익 웃었다. 그 가출 건으로 인해 벨라도 할 말이 많은 듯, 그녀가 결정적인 쐐기를 박아 주려 한다는 생각을 했다.

"실은…… 빅스톤 극장가 뒤에 무엇이 있는지 도통 루카스가 알려 주지도 않고 근처에 가지도 못하게 하길래 호기심에 가 봤어요!"

벨라는 우렁차게 외쳤다.

"저는 궁금한 것이 있으면 못 참거든요. 귀족 남성분들이 열심히 가시길래 뭔가 좋은 것이 있나 궁금한데, 루카스가 무조건 가지 말라는 거예요!"

벨라는 보란 듯이 루카스를 째려보았다.

"허락이 안 떨어지니까 그렇게 억지로라도 도망쳐서 가 봤는데 사람들이 남자 어른들은 들여보내 줘도 저는 들여보내 주지 않더라고요!"

사람이라도 한 대 칠 듯 인상을 구기며 볼멘소리로 말했다.

"그러고서 되돌아가는 길을 잃어버려서 헤매고 있다가 하녀가 저를 찾아서 루카스와 함께 마중을 왔더라고요. 그때 루카스가 빨리 와 주지 않았으면 정말 유괴라도 당할 뻔했지 뭐예요."

벨라는 회심의 미소를 지었다.

"그런데 찰스 숙부님. 정말 궁금해서 그러는데 귀족 남성분들은 왜 극장가 뒤에 남자들끼리만 들어가나요? 아무도 가르쳐 주지 않아서 궁금해요. 숙부님도 그런 데 들어가 보셨나요?"

빅스톤 극장가 뒤에는 사창가가 있었다. 그 점을 벨라도 잘 알고 있었다. 그곳이 뭐 하는 곳인지 과거의 삶에서 지긋지긋하게 겪어 봐서 굳이 묻지 않아도 뻔하지만, 벨라는 자신이 호기심 많은 열다섯 살의 얼굴을 하고 있다는 점을 떠올리며 천연덕스럽게 말했다.

'나는 올슨이다.'

벨라는 마음속으로 그 말을 계속 되풀이했다.

'나는 이들 모두의 대장. 나는 지금 약하고 작지만, 언젠가는 소리 없이 물어뜯어 줄 테니까, 루카스를 건들지 마! 이젠 내가 저들을 보호할 거야!'

찰스는 어린 조카의 입에서 나오는 난데없는 말에 당황했다.

벨라는 눈을 크게 뜬 채 정말 궁금해 죽겠다는 표정으로 찰스를 바라보았다.

"숙부님 말씀처럼 루카스는 제 호기심에 절대로 대답도 해 주지 않고 거기 들어가 보지도 못하게 하는 불충한 자이니 숙부님께서 루카스를 꾸짖어 주시고 조카의 궁금증을 풀어 주셨으면 합니다."

찰스는 당돌한 벨라의 말에 어찌 대처해야 할지 몰라 난감한 표정을 지으며 공작 부인과 루카스를 번갈아 쳐다보았다. 그의 이마에 진땀이 줄줄 흘렀다.

“루카스 경이 오히려 잘한 행동이었나 보군요. 벨라가 거식증으로 생명이 위독한 상황이었다니 할 수 없는 일이었겠고요. 다비드의 허가가 있었고 의사의 감독하에 그리 먹인 것이라 하니 딱히 탓할 만하지도 않았던 문제인 듯한데…….”

공작 부인은 미간을 찡그렸다.

“그리고 빅스톤 극장가가 뭐 하는 곳인지는 모르겠지만 아무래도 루카스 경이 앞으로도 쭈욱 벨라가 그 근처에 얼씬도 하지 못하도록 잘 지도해 주셨으면 좋겠네요.”

그녀는 한숨을 푹 내쉬면서 중얼거렸다.

“이런. 사람 말은 양쪽 이야기를 다 들어 봐야 한다더니.”

슈르츠 공작 부인의 굳었던 얼굴이 활짝 풀렸다.

“아가. 루카스 경이 정말 네게 별 위해를 끼치지 않았니?”

공작 부인은 다시 다정한 표정을 지으며 벨라의 손을 잡아끌며 다독였다.

“전 루카스 경뿐만 아니라 이안 경의 보호 아래서 안전하게 지내고 있고요. 가정 교사인 빅터 브롬웰 씨 덕에 공부하는 재미를 차츰 알아 가고 있어서 시간 가는 줄 모른답니다.”

벨라는 최대한 미소를 지었다.

“브롬웰 씨에게 졸라서 숙제라도 하고 싶으니 공부할 책을 정해 달라고 해서 다섯 권이나 들고 온 걸요.”

벨라는 생글생글 웃는 표정을 짓느라 입꼬리가 바르르 떨렸다.

“어머나. 그런 기특한 생각까지…….”

활짝 펴지는 공작 부인의 표정에 찰스는 자기 뜻과는 정반대로 돌아가는 상황을 깨닫고 어금니를 꽉 깨물었다.

"아무리 그래도 아르티드가의 본성인 포르위네 성을 버리고 그 구석진 곳의 그리젤리 저택에 조카를 격리한 행동은 바람직하지 않아!"

그는 끝까지 미련을 버리지 못했는지 연신 공작 부인을 쳐다보며 말을 이어 갔다.

"조카가 아르티드가의 고귀한 귀족 정신을 어디서 배우겠어! 아르티드가의 피를 이은 나! 내가 바로 진정한 후견인이 되어야 한다고!"

찰스는 루카스를 노려보았다.

"네가 귀족 정신이 뭔지 알아? 돈 주고 산 준남작 작위 가지고 그게 가능할 거 같아?"

상황을 만회하고자 찰스가 다급하게 소리쳤다.

이안이 울컥해서 뭐라 하려는 것을 본 루카스는 가만히 고개 저었다.

벨라는 그가 끝까지 걸고넘어지려 하자 언짢아졌다.

'제일 중요한 때엔 뒤로 쏙 빠지고 전쟁터에 이안을 대신 보낸 주제에…….'라고 말하고 싶은 것을 간신히 씹어 삼키다가 눈빛을 반짝이며 입을 열었다.

"아르티드가의 귀족 정신이요?"

벨라가 눈을 동그랗게 토끼처럼 뜨고 자신을 동경하듯 쳐다보자 찰스는 실낱같은 희망의 끈을 부여잡고 벨라를 쳐다보며 말했다.

"그래. 귀족 정신. 우리 아르티드가를 관통해 흐르는 그 위대한 정신! 벨라, 나는 그것을 네게 보여 줄 수 있단다."

벨라는 손뼉을 치며 기쁘다는 듯이 몸을 일으켰다.

"와~ 정말요? 브롬웰 씨에게 들었어요. 노블레스 오블리주! 귀족은 혈통만으로 존경받는 것이 아니라 노블레스 오블리주 정신이란 것을 보임으로써 진정하게 우러름을 받는다고요."

벨라는 감격한 시늉을 했다.

"전쟁이 일어나거나 국가에 큰 환난이 벌어졌을 때 국가의 부름에 자원해서 앞장서는 것이 진짜 귀족 정신이라면서요!"

벨라는 루카스와 이안을 힐끔 살펴보았다.

"루카스나 이안은 고귀한 혈통이 아니니까 솔선수범할 수 없지만, 우리 찰스 숙부님께서는 전쟁이 일어나면 제일 먼저 앞장서서 자원해 군대를 이끌고 전장으로 달려가실 거라는 거죠?"

순간 찰스는 당황한 기색이 역력했다. 벨라는 두 손을 모아 쥐고 눈을 반짝이며 감탄사를 퍼부었다.

"와아! 책에서만 본 것을 눈앞에서 직접 보니 너무나 감격스러워요!"

벨라의 말에 찰스가 똥 씹은 듯한 표정을 지으며 입술만 굳게 닫은 채 노려보았다.

벨라는 자신의 한마디 한마디가 루카스에게 부메랑으로 돌아갈까 봐 눈치를 보며 공작 부인에게 시선을 돌렸다.

공작 부인은 벨라의 첫인상 감상평 그대로 낸시와 동급이었다. 한 번 입을 열어 시작된 수다가 도통 끝날 줄을 몰랐다.
벨라는 자신이 어떻게 해야 할지 힌트라도 얻으려고 루카스와 이안 쪽을 힐끔힐끔 바라보았지만, 그들은 그저 가만히 서 있을 뿐이어서 체념의 한숨을 몰래 쉰 후 그냥 맞장구를 쳐 주는 쪽을 선택했다.
낸시도 그래야 오히려 수다를 금방 멈추지 중간에 끼어들면 처음부터 다시 하는 버릇이 있었다.
지난 삶 내내 뼈저리게 체득한 것은 재밌게 잘 들어 주는 척하는 것이었다. 상대 남성이 그 어떤 쓰레기 같은 소리를 지껄이고 있어도 결코 반박해서는 안 되었다. 손님이 조금이라도 인상을 찡그리고 기분 나빠하면 돌아오는 것은 관리자로부터 주먹으로 맞는 일뿐.
살아남기 위해서 웃었다. 한 푼이라도 더 벌려고 재밌다는 듯 까륵거리며 남성의 가슴팍 언저리를 콩콩 두들기고 잘했다고 칭찬해 줘야 했다.
가짜로 웃다 보면 입가가 바르르 떨린다. 진심으로 웃는 게 아니다 보니 입 근육이 마비되는 것만 같다. 가짜가 진심인 듯 보이도록 연기해야 했던 지난날.
벨라는 자신이 가진 것을 과시하고 싶어 하는 사람들의 심리를 잘 알았다.
온몸으로 나를 떠받들어 줘, 라고 말할 땐 떠받들어 줘야 한다. 성심성의껏 공중으로 붕붕 띄워 줘야 한다.
찰스가 또다시 입김을 불어넣어 공작 부인의 귀를 팔랑거리게 할 틈을 주지 말고 확실하게 공작 부인을 꼬셔 내야 했다.

벨라는 입을 크게 벌리고 눈을 동그랗게 뜨며 "와! 신기해요!", "정말요? 믿어지지 않아요!", "깜짝 놀랐어요.", "저도 배우고 싶어요!" 따위 대답을 하며 해가 중천에 뜨고 점심때를 지나서 오후 차 마시는 시간까지 공작 부인과의 쓸데없는 대화를 이어 갔다.

"어머나! 내 정신 좀 봐. 사람들을 초대해 놓고 수다에 정신이 팔려서 ……."

공작 부인은 소스라치게 놀라는 척하며 말했다.

"우리 꼬마 아가씨가 어쩜 이리 입담이 좋고 재치가 있는지. 덕분에 시간 가는 줄 모르고 수다를 떨었네. 벨라, 우리 간단히 식사를 즐기고 못다 한 이야기는 이따가 이어서 하자꾸나."

공작 부인은 신이 나서 벨라를 데리고 일어섰다.

내내 서 있느라 다리가 저렸던 이안은 무릎을 굽혔다 폈다 하며 미동도 없이 서 있는 제 형의 귀에 속삭였다.

"와! 못다 한 이야기라니. 여태 한 이야기는 대체 뭔데. 그리고 우리 꼬마 아가씨가 입담이 좋다고? 그저 입 벌리고 웃어 준 것밖에 없던데 입담은 무슨……."

그러나 루카스는 이안의 말에 대꾸도 안 하고 휙 하니 일행을 따라갈 뿐이었다.

"형은 다리도 안 저리나. 에잇."

이안은 혼자 구시렁거리며 루카스의 뒤를 따랐다.

식사하는 동안 먹을 것이 입으로 들어가는지 코로 들어가는지 초긴장 상태에서 먹었다. 벨라가 신경 쓰는 것은 지금저 수많은 포크와 나이프의 사용 순서였다.

애피타이저용. 주요리용, 디저트용 정도나 사용하다가 테이블 위에 풀 세팅된 수많은 나이프와 포크와 스푼에 기겁했다.

이 또한 시험이리라.

식사 예절을 얼마나 잘 배웠는지 그것을 꼬투리 잡기 위해 자기네도 평소에 쓰지 않는 풀세트를 꺼내 뒀을 거로 생각하며 벨라는 포크와 나이프의 모양을 살폈다.

생선용 나이프와 고기용 나이프, 닭고기용 나이프의 미묘한 칼날 무늬 차이에 신경 쓰며 긴장해서 잡았다.

과거에 루카스가 귀에 딱지가 앉도록 읊어 주어 반강제로 머릿속에 저장되어 버린 8대조 후작 부인의 예의 규범집. 당시엔 외면해도 귀에 대고 외치는 그 잔소리에 치를 떨었으나 지금은 그렇게 반복해 말해 줘서 고마울 지경이었다.

벨라는 태연해 보이려고 애쓰며 자신의 앞에 주어진 애피타이저부터 우아한 후작가의 여식답게 도도한 표정으로 잘라 입에 한 점 집어넣었다.

콩 한 조각도 왜 잘라서 입에 넣어야 하는지 그다지 이해는 가지 않지만 어쨌거나 자신의 실수가 루카스의 흠이 되게 하고 싶지 않았다.

딱히 자신의 먹는 자세에 대해 지적하는 말이 없자 벨라는 한시름 놓고 주변을 둘러보았다.

찰스는 벨라의 식사 예절을 트집 잡으려는지 눈을 부릅뜨고 있었다. 공작 부인은 벨라가 식기를 사용하는 것을 보고는 합격점이라고 생각했는지 눈웃음을 지으며 벨라에게 그리젤리에서의 음식은 어떠한지 물었다.

"솔직히 그리젤리에서는 이렇게 많이 먹지 않아요. 그런데 너무 맛이 있어서 실례를 무릅쓰고 많이 먹었어요. 모두 혀에서 살살 녹는 최고의 만찬이었어요."

무조건 맛있다고 칭찬해 줘야 한다. 하지만 과도하게 칭찬하면 역효과가 나므로 적당한 선에서 칭찬해야 한다.

"그리젤리 저택에 방문해 주신다면 저희 주방장인 샐리 존스 씨의 솜씨를 보여 드리고 싶어요."

실은 우리 집이 더 맛있지만 여기 주방장이 한 수 위라고 치켜세워 줘야 한다.

"이곳의 솜씨에 비교할 바는 아니겠지만 재료의 풍미를 살려 소박하고 소화가 잘되는 요리를 해 주셔서 저는 밖에 나가서도 늘 집밥을 떠올리곤 한답니다."

공작 부인이 눈웃음을 지으며 말했다.

"나이에 걸맞지 않게 집밥의 맛을 알다니 조숙하구나."

그 정도면 과하지 않을 치켜세움이란 생각이 들었다. 아마도 공작 부인 역시 그 말의 의미를 알고 있으리라.

공작 부인은 말을 이어 갔다.

"내가 듣기로는 그리젤리의 고용인들은 목이 뻣뻣하기가 이를 데 없고 어린 너를 마음대로 조종해 자신들의 사리사욕을 채울 뿐만 아니라, 먹는 것조차 주인과 한 테이블에 앉아 저들이 주인인 것처럼 먹고 마신다고 하였다."

벨라는 그 또한 찰스의 중상모략임을 깨달았다. 공작 부인은 확인하듯 물었다.

"정말 그러느냐?"

벨라는 천진함을 가장해 서글서글한 웃음을 지으며 말했다.

"그들은 제가 죽으라고 하면 당장 죽을걸요?"

벨라의 보라색 눈동자가 반짝거렸다.

"차마 시험해 보시라고 말씀드릴 수는 없지만, 그들은 저의 손발과도 같습니다."

감히 그리젤리 사람들을 헐뜯다니 찰스 숙부를 용서할 수 없었다.

"저와 한 테이블에서 식사하는 것은 맞습니다. 그러나 그렇게 하지 않으면 저는 늘 혼자 테이블에 앉아 혼자 먹고 혼자 건배를 해야 합니다. 정석대로라면 늘 외롭고 쓸쓸하고 맛없게 먹어야 하거든요."

벨라는 잠시 한숨 쉬는 척했다.

"우리 집 하인들은 식사때마다 저의 흥을 돋우려고 가족이 많은 집을 연출해 줍니다. 그보다 더 헌신적인 고용인들이 있을까요?"

벨라의 말에 공작 부인은 잠시 침묵에 휩싸이더니 이내

눈이 가득 휘어지도록 웃음을 지으며 벨라의 등을 토닥여 주었다.

"이런. 친척이랍시고 그다지 챙겨 주지 못한 것이 부끄럽구나. 얼마나 외로웠을꼬."

순간적으로 공작 부인의 눈가가 붉게 물들었다. 그 감정이 거짓은 아니어 보였다.

"어린것이 얼마나 외로우면 고용인들더러 가족들이 함께 식사하는 분위기를 연출해 달라고 할꼬."

공작 부인은 손수건으로 눈가에 고인 눈물을 살짝 닦았다.

"이 할머니가 미리 헤아리지 못해 미안하구나. 이제라도 자주 초대할 테니 이 할머니의 실수를 눈감아 주겠니?"

다행이었다. 아무래도 공작 부인의 시험은 무사히 통과한 것 같았다. 안도감이 밀려오자 벨라의 눈에 저도 모르게 눈물이 고였다.

"할머니!"

벨라가 울먹거리고 있자 공작 부인이 두 팔을 활짝 벌려 끌어안아 주었다.

"아이고. 이 착하고 여린 것. 다비드를 닮아서 착하기도 하지."

공작 부인의 품은 푸근했다.

"그래도 너는 어린아이이고 저들은 어른이라 뭐든 네 맘 같지는 않을 터인데 이 어린 마음에도 제 고용인들을 살뜰히 아껴서 칭찬만 해 주는 마음 씀씀이라니. 그 마음씨가 참으로 예쁘다."

고모할머니의 품에 안겨서 저도 모르게 울컥하니 눈물이 나오려고 했지만 지금 울면 혹시라도 그리젤리의 고용인들이 섭섭하게 한 일이 있는데 덮어 주는 것으로 비칠까 봐 눈물을 꾹 눌러 삼켰다.

벨라를 토닥이던 공작 부인이 손뼉을 치더니 루카스를 불렀다.

"설마하니 빈손으로 온 것은 아닐 테고."

다시 한번 신중하게 확인하듯 공작 부인은 말을 이어 갔다.

"그동안 자네가 아르티드 후작령을 관리하면서 작성한 재산 관리 목록을 보여 주게. 재산이라면 우리 슈르츠 가문에도 차고 넘치도록 많으니 이것이 탐나 목록을 요구하는 것이 아니라는 것을 잘 알 테지."

아직도 다는 믿지 못하겠다는 듯 공작 부인은 근엄하게 말했다.

"나는 그저 다비드의 하나 남은 혈육이 그 재산을 성년이 되어 돌려받을 수 있는지 확인하고 싶을 뿐이야."

공작 부인의 말에 루카스는 서류 장부를 꺼내어 공작 부인에게 건넸다. 공작 부인은 그 서류 한 글자 한 글자를 유심히 쳐다보며 마지막 장까지 다 읽었다.

"지금까지 성적이 나쁘지는 않군."

코에 걸친 돋보기안경을 벗어 시녀에게 넘긴 후 그녀는 입을 다시 열었다.

"비록 내가 슈르츠 집안의 사람이라 아르티드가의 일에 왈가왈부할 자격은 없지만, 가문을 떠나 고모할머니로서 벨라를 생각하는 마음은 한결같을 것이네."

근엄하던 표정이 한결 부드럽게 풀렸다.

"앞으로도 해마다 한 차례씩은 공작저에 놀러 와서 그간 무엇을 배우고 익혔는지, 귀족 영애로서의 기본 소양은 갖추었는지 벨라의 자라는 모습을 지켜볼 것이니 그리 알게."

공작 부인은 흐뭇한 표정으로 활짝 미소 지었다.

"대신 더 이상 후견인에 대해 의심하지 않겠네. 알겠는가? 루카스 버틀러 경."

콜레트 공작 부인의 말에 루카스는 그 특유의 무표정함으로 묵례를 하고 장부를 받아 정중히 뒤로 물러섰다.

콜레트는 찰스 엘 아르티드를 경멸에 가득 찬 눈길로 바라보며 말했다.

"찰스. 더 할 말 있느냐?"

"어…… 없습니다."

찰스는 목덜미까지 붉어진 채 고개를 숙였다.

"할 말 없으면 나가 보렴. 배웅은 하지 않을 테니 알아서 잘 돌아가고."

콜레트 공작 부인이 손뼉을 치자 집사 올리버가 그의 등을 떠밀다시피 하여 밖으로 데리고 나갔다. 벨라는 그제야 안도의 숨을 내쉬었다.

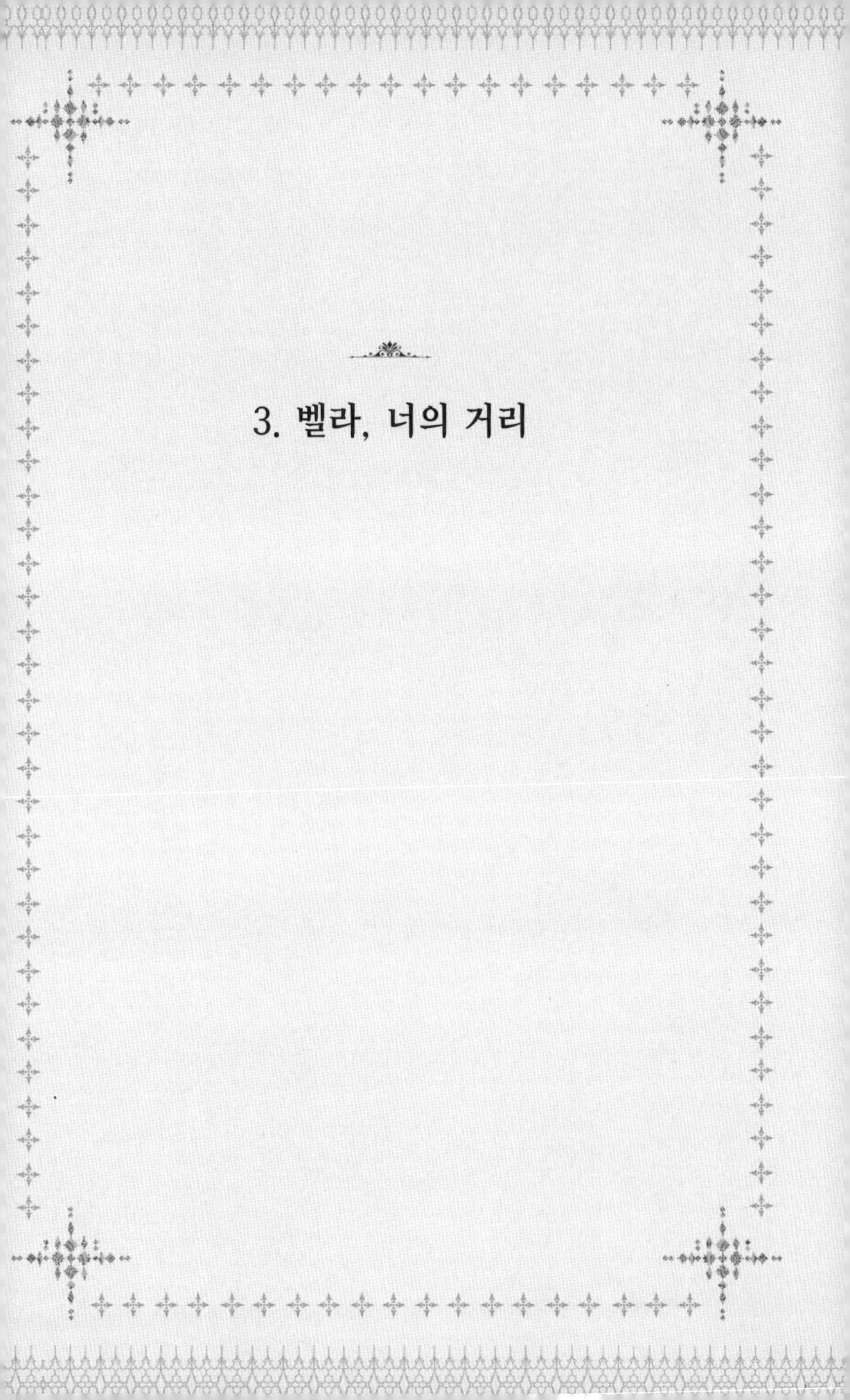

3. 벨라, 너의 거리

3. 벨라, 너의 거리

"우와아아 해방이다아아!"

이안이 목에 맨 크라바트를 거칠게 잡아당겨 풀어헤친 후 마차 바닥에 패대기쳤다.

"가려워서 혼났네!"

목을 벅벅 긁는 이안에게 루카스가 냉랭하게 말했다.

"아가씨 앞에서 무슨 짓이냐. 다시 매."

"풀고 있어도 돼. 실은 크라바트 매고 있는 거 정말 안 어울렸어."

벨라는 입을 가리며 터져 나오는 웃음을 참았다.

이안은 머쓱한 표정으로 크라바트를 주워 목에 한 바퀴 감았지만 제대로 고쳐 매지는 않았다.

"이안. 고마워."

벨라의 뜬금없는 말에 이안이 뚱한 표정으로 그녀를 바라보았다.

"이안의 충고 덕분에 용기가 났어."

이안은 '아아!' 하며 엄지손가락을 '척' 내밀었다.

"아가씨, 다시 봤습니다. 정말 용감하시던데요."

"이런 모함을 받을 줄 알면서도 왜 아무런 연습도 시키지 않은 거야?"

벨라는 긴장이 풀리자 원망스럽다는 듯 루카스를 향해 되물었다.

"내 말 한마디에 루카스가 지하 감옥에라도 끌려갈까 봐 얼마나 조마조마했는지 알아?"

루카스는 말없이 벨라의 보라색 눈동자를 바라보고 있다가 이내 표정 없는 얼굴로 돌아가 대답했다.

"앞으로도 계속 이와 같은 일이 반복될 테니까요."

"아무리 그래도 그렇지, 루카스!"

"결론은 아가씨는 잘 해내셨고 앞으로도 잘해 나가실 거란 겁니다. 오늘처럼."

"싫어! 루카스와 그리젤리 사람들의 목숨을 걸고 이런 도박 같은 일을 겪고 싶지 않아! 내가 나를 못 믿겠는데 누가 나를 믿어? 나한테 목숨 같은 거 걸지 마!"

벨라가 빽 하니 소리 질렀다.

그러자 루카스가 빤히 바라보다가 입을 열었다.

"아가씨를 믿습니다."

"믿지 말라니까!"

벨라의 얼굴이 새빨개졌다. 그 모습에 루카스의 입꼬리가 희미하게 위로 끌어당겨진 것도 같았다.

"세상에는 그저 믿는 것밖에는 별도리가 없는 일도 있습니다. 아가씨가 아무 근거 없이 저를 믿어야 하듯이, 저도 그 어떤 근거 없이도 아가씨를 믿습니다. 그래야만 하는 일이니까요. 후견인이 된 순간부터 저는 늘 믿어 왔습니다."

벨라는 그의 말에 가슴이 쿵쾅거렸다.

'그 어떤 근거도 없이 나를 믿는다? 그래서 과거에 그토록 도움을 쳐 내는 나를 향해 변함없이 손 내밀어 주었던 걸까?'

벨라의 입술이 바르르 떨렸다.

'내가 당신을 믿는 것은 뒤에 있을 일을 보고 왔기 때문이야. 그런데 뒷일 따위 알 리도 없으면서 아무 이유 없이 날 믿는다니 이런 바보 같은 소리가 또 어디 있어? 허튼소리나 지껄이는 술주정뱅이도 아닌, 내뱉은 말은 반드시 실천하고야 마는 고지식한 당신이!'

벨라는 울컥해서 다시금 입술을 깨물었다.

'대체 왜 나를 믿는데? 무슨 이유로? 무슨 생각으로?'

벨라는 눈을 크게 뜬 채 눈앞의 루카스를 빤히 바라보았다. 마음속에 알 수 없는 격한 통증이 밀려왔다.

벨라는 화제를 전환하려고 마차의 창밖을 내다보며 물었다.

"우리 이제 어디로 가는 거야?"

"벨라시아 저택으로 갑니다."

루카스의 말에 벨라가 불만에 가득 차 소리쳤다.

"톰은! 톰 가드너 씨는 언제 만나 보려고?"

루카스는 무표정한 얼굴로 말했다.

"계속 연통을 넣었으나 답장이 돌아오지는 않았습니다. 내일 사람을 시켜서 직접 서신을 건네 보겠습니다."

"아냐. 우리가 지금 직접 가 보자."

벨라의 말에 이안이 손을 내저었다.

"끔찍한 공작가를 빠져나온 게 조금 전인데 오늘은 저택에서 뜨거운 물에 몸 담그고 쉬면 안 되겠습니까?"

이안은 뻐근하다는 듯 목을 이리저리 꺾으며 말했다.

"이제 곧 날도 저물 것이고, 하도 긴장했더니 목뼈가 통째로 굳어 버린 것만 같은데."

그녀에게는 찰스도, 공작 부인도 쓸데없이 사람 불러서 시간 낭비하게 만든 성가신 존재처럼 느껴졌다.

언제 신께서 그녀의 영혼을 돌이켜 차가운 강물에 처박아 놓을지 모른다. 그 전에 부디 톰에게 당신의 아버지가 당신을 얼마나 그리워했는지 꼭 전해야만 했다.

"싫어. 지금 당장 가."

벨라는 미간을 찡그리며 이안에게 말했다.

"아가씨. 곧 해가 떨어집니다."

"그러니까 가야 한다고! 톰도 낮에는 돌아다니다가 밤에는 집에 돌아갈 거 아냐? 사람을 보내도 자리에 없다면 밤에 찾아가야지! 그래야 우리를 피할 수 없잖아!"

"톰이 사는 곳은 도시 외곽의 슬럼가입니다. 어디서 범죄가 일어날지 몰라 위험합니다."

루카스의 말에 벨라는 버럭 했다.

"나 혼자 간다는 거 아니잖아. 마차랑 호위병에 루카스와 이안이 곁에 있잖아. 어떻게 이보다 더 안전할 수가 있지? 그러니까 지금 당장 가."

"아가씨를 위험에 처하게 둘 수 없습니다."

루카스가 딱 잘라 말했다

"루카스, 내 성미 알잖아. 못하게 막으면 몰래 뛰쳐나가기라도 한다는 것."

벨라는 고집스레 눈빛을 반짝였다.

"내가 몰래 나가는 것 자체로 찰스 숙부가 저렇게 헐뜯는데, 나에게 자꾸 오점을 남기게 하지 마."

벨라도 지지 않고 말했다.

"원칙에 어긋납니다."

"나를 믿는다면서! 쓸데없는 데서 믿지 말고 이런 데서 믿어 달란 말이야!"

루카스의 한쪽은 갈색, 한쪽은 파란색의 눈동자가 벨라를 향했다.

"나를 믿어. 가드너 씨의 마지막 소원을 대신하러 왔어. 즉시 오고 싶었지만, 사흘이나 지체한 것도 속상해. 얼마나 톰 가드너 씨를 그리워했는지 한시 빨리 전하고 싶어."

루카스는 이렇다 저렇다 할 반응 없이 벨라를 바라보고 있다가 무겁게 입을 뗐다.

"그것은 아가씨의 일방적인 마음일지도 모릅니다."

루카스는 무심한 듯 말을 이어 갔다.

"톰 가드너 씨는 그 이야기를 듣고 싶지 않아서 자리를 피하는 것일 수도 있습니다."

벨라는 그 말에 수긍할 수 없었다. 하지만 루카스는 전혀 다른 생각을 하는 듯했다.

"남의 가정사에는 깊게 관여하지 않는 것이 좋습니다. 저마다의 사정이 있을 수 있으므로 스스로가 해결해야 합니다."

왠지 그의 말이 딱딱하게 들려서 서운함을 감출 수 없었다.

"이미 부고 소식은 서면으로 그의 집에 두고 왔으므로 알고 있을지도 모릅니다."

루카스는 목소리 변화 없이 무표정하게 말을 이어 갔다.

"정성이 없잖아. 정성이!"

벨라는 흥분해서 빼액 소리쳤다가, 이안의 떨떠름한 표정을 보며 자신의 목소리가 너무 높았다는 생각에 헛기침했다.

"루카스 버틀러 경, 고인이신 가드너 씨는 나의 아버지이신 다비드 엘 아르티드 후작의 선대 때부터 그의 부인과 함께 우리 아르티드가에 헌신해 왔던 고용인이야. 사실 그들이 그렇게 헌신해야만 할 이유는 크지 않았어."

"대신 계약서를 썼고, 그에 따른 급여를 충분히 받았습니다."

루카스가 차갑게 말했다. 그 말에 벨라는 울컥했다.

'그러는 당신은 왜 자신이 진범이라고 허위자백하고 대신 사형을 받았는데. 누가 그렇게 해 달라고 했어? 아님, 그런 계약서를 쓰기라도 했어?'

그 말이 입 밖으로 튀쳐나오려는 것을 간신히 참으며 떨리는 입술로 말했다.

"그래서, 다른 집안 정원사나 유모가 그렇게 헌신적으로 봉사했다던가?"

저도 모르게 벨라의 눈가가 붉어졌다.

“난 지금도 기억나. 떼를 쓰고 울며 달려가도 친할아버지처럼 나를 안아 주던 순간이 지금도 생생해. 라이오넬 가드너 씨도 비록 친아들을 잃었지만 내 아버지를 자기 아들처럼 따뜻하게 바라봐 줬을 거야.”

벨라의 목소리가 울컥하니 떨려 왔다.

“그리고 나를 자기 아들이 낳은 손녀처럼 여겨 줬을 거야. 난 알아. 말하지 않아도 믿어.”

다시 또 눈물이 나려는 것을 꾹 눌러 참으며 말을 이었다.

“그러니까, 나는 삼촌에게 할아버지의 부고를 전하는 마음으로 가서 그를 위로하고 함께 슬퍼해 주고 싶어. 내가 해 줄 수 있는 것이 그것뿐이어서 슬퍼. 루카스!”

벨라의 말에 루카스는 할 말을 잊었고 이안이 대신 입을 열었다.

“와우, 형. 우리 꼬마 아가씨가 하시는 말씀 들었어?”

이안은 놀랍다는 듯 말했다.

“마냥 자라지 않는 철부지 코흘리개 아가씨인 줄만 알았는데 본래부터 속이 이렇게 깊으셨던 건가?”

이안은 씨익 웃었다.

“와…… 대단합니다, 아가씨. 벌써 우리들의 올슨이 되신 것 같은데요?”

이안의 감탄사와 동시에 루카스가 마부를 향해 말했다.

“그레이시 13번가 네 번째 블록으로!”

슬럼가의 풍경이 마차 창에 스쳐 갔다. 지나가던 사람들이 저런 비싸 보이는 마차가 왜 이런 좁고 더러운 길목을 지나가는가 싶은 의혹의 시선을 던졌다.

해가 저물어 가는 찰나의 선연한 주홍빛은 슬럼가 사람들의 등 뒤로 짙은 그림자를 드리우고 있었다.

'익숙한 느낌.'

벨라의 눈에 과거의 자신이 행인들과 겹쳐 보였다.

당장 내일 먹을 것이 없는 사람들이 모여 사는 곳.

뒤져 봐야 돈 될 만한 것도 하나 없는데 그나마 남은 세간살이조차 문을 잠가 두지 않으면 누군가가 훔쳐 갈지 모르는 곳.

그곳에 톰이 살고 있었다.

제대로 된 하수구 하나 없이 도랑을 파고 그곳으로 시궁창 물이 고여 흐르고, 시궁창이 더러운 것인지 그들의 집이 더 더러운 것인지 분간이 되지 않는 그런 곳에 벨라가 드레스를 말아쥐고 고급스러운 마차에서 걸어 나오자 누더기를 입은 사람들이 힐끔힐끔 루카스 일행을 훔쳐보았다.

"여기, 톰 가드너 씨가 사는 곳 맞나요?"

벨라가 입구에 쭈그려 앉은 노파에게 물었다.

노파는 마귀할멈처럼 코가 구부러지고 눈은 백내장으로

인해 하얗게 떴으며 이는 하나가 남아 있는 것인지 두 개가 남아 있는 것인지 다시 쳐다보기도 미안한 지경이었다.

"안 들려."

노파의 말에 벨라가 다시 물었다.

"톰 가드너라고 그림 그리는 사람 여기 사나요?"

노파는 한쪽 귀에 손을 대고 안 들리는 척을 했다. 벨라는 그 모습을 보더니 뒤돌아서서 루카스에게 갔다.

"10센트만 줘."

루카스가 품에서 10센트를 꺼냈다. 벨라는 그 돈을 탁 가로채듯 가져가 노파에게 내밀었다.

"이젠 들려?"

"아직도 안 들리는데……."

노파의 말에 벨라는 루카스의 주머니를 뒤져 50센트 동전 하나를 꺼냈다.

"자. 50센트. 이제 잘 들려?"

노파가 실실 웃으면서 대답을 안 하고 있자 벨라가 싸늘하게 말했다.

"할멈. 이것보다 더 받으면 괜히 돌아가는 길에 뒤통수 맞고 쓰러질 거야. 잘 알면서 그래."

노파는 느릿느릿 벨라의 손에서 동전을 받았다.

"여기 살긴 사는데 좀 전에 밖으로 나갔어. 이따가 새벽 네 시가 넘어야 돌아올 거야. 헛물켜지 말고 돌아가."

"그 그림쟁이가 초상화 그려 주는 술집이 어딘지 알아?"

벨라의 말에 노파는 씩 웃었다. 벨라는 입술을 깨물며 루카스의 주머니를 다시 뒤져 50센트의 동전을 더 꺼냈다.

"할멈. 욕심이 과하면 안 된다고 내가 경고했어."

노파는 벨라의 말에 그저 싱글벙글 웃으며 50센트를 받아 들고서 천천히 입을 열었다.

"오늘은 비도프 클럽에서 일할 거야. 거기 없으면 법원 거리 뒷골목 술집들 뒤져 봐."

벨라는 뒤돌아서 루카스에게 말했다.

"루카. 이 차림으로는 그곳에 갈 수 없을 테니까 벨라시아로 가서 옷을 갈아입고 가자."

뒤에서 팔짱을 끼고 바라보던 이안이 놀랍다는 시선으로 벨라를 바라보았다.

"여차하면 내가 나서려고 했는데 아가씨께서 알아서 다 하시네? 슬럼가에는 발도 디뎌 본 적이 없으신 분이?"

이안의 말에 벨라는 입술을 꾹 다물었다.

벨라는 마차를 타려다 말고 무슨 결심에선지 톰의 판잣집 문 쪽으로 다가가 밀어 보았다. 문이 열리지 않자 벨라는 손을 뻗어 더러운 문 밑을 더듬어 보았다. 그러고는 숨겨 둔 녹슨 열쇠를 찾아내어 능숙하게 열었다.

이안이 놀랍다는 듯 휘파람을 삐익 불자 벨라는 미간을 찡그리며 이안에게 말했다.

"문이 허술해서 어차피 잠가 봐야 형식적으로 잠가 놨을 것 같아서 찾아봤더니 있었어. 별거 아냐."

벨라는 변명하듯 말하며 톰의 집 안으로 들어갔다.

곰팡내가 퀴퀴하게 나고 바람이 다 새어 들어오는 집에 들어서자 루카스가 어디선가 등잔을 찾아내어 불을 밝혔다.

말이 집이지 창고처럼 꽉 차 있어 발 디딜 곳도 없었고 선반마다 그림이 켜켜이 쌓여 있었다. 한쪽 구석에 모포를 깔고 간신히 잠만 자는 듯 그의 살림살이란 단출하기가 이를 데 없었다.

벨라는 자신의 드레스가 뭐라도 엎어뜨릴까 봐 조심하며 발밑의 캔버스를 바라보았다. 그리다가 두고 뛰쳐나간 듯 아직 그림의 물감도 마르지 않았다.

벨라는 그 그림을 물끄러미 바라보았다.

그림에 조예가 없었으나 생전 처음 본 그림이래도 이상하게 어디선가 본 것도 같았다.

그림은 주로 술집이나 슬럼가의 사람들을 그린 초상화였다. 그가 사는 환경만큼이나 어둡고 지저분하고 혼란스러운 것들로 빼곡한 사이로 사람들의 얼굴만큼은 뽀얗고 밝았다.

때 묻지 않은 순수한 밝음이 아니고, 마치 삶을 초탈해 버린 듯한 밝음이 그림에 깃들어 있었다.

화장도 번지고 머리도 흐트러진 술집의 무희가 퉁퉁 부은 발을 주무르고 있는데 뒤돌아서 짓는 미소가 아름답다. 짐수레에 산더미같이 폐기물을 싣고 가는 아버지와 아들의 풍경이 고단하면서도 정겹다.

채소 파는 여자의 손이 거칠고 지저분한데도 눈빛이 다정하고, 쓰레기 더미 옆에 앉은 젊은 여자와 그의 품에 안겨 젖을 먹는 아기의 모습이 평화롭다.

벨라는 저택에서 일하는 시종 아이의 옷을 빌려 입고 빵떡모자 안에 긴 머리를 욱여넣었다. 그리고 루카스와 이안을 끌고 술집에 쳐들어갔다.

입구에서부터 느껴지는 진한 담배 냄새에 루카스는 우뚝 멈추어 서더니 벨라의 어깨를 붙잡았다.

"아가씨. 안 됩니다."

"여기까지 다 와 놓고 왜 안 된다는 거야!"

루카스는 벨라의 어깨를 잡은 손을 놓지 않았다.

"이안더러 톰 가드너를 데리고 나오라고 말하겠습니다."

"내가 직접 들어가 봐도 된다니까!"

벨라가 신경질적으로 말하자 루카스는 더 세게 벨라의 어깨를 잡았다.

"이안. 톰 가드너 씨가 있는지 보고 데리고 나와."

이안은 모자를 고쳐 쓰며 술집 안으로 들어갔다.

하늘의 별은 밝았고 이따금 밤바람에 별빛이 가물거렸다.

벨라가 짜증 난다는 듯 돌부리를 걷어차자 루카가 말했다.

"아가씨. 남이 보든 보지 않든 아가씨의 행동은……."

"알아! 안다고! 아르티드가의 예의 규범집 1장 14절. 맞지? 지금 하려는 말!"

벨라는 여기까지 왔는데 허탕 치고 가는 것이 아닌지 조바심이 났다.

“저는 5장 1절 이야기를 하려고 했습니다.”

“알아! 그러니까 그만!”

벨라의 신경질적인 반응에 루카스는 그녀를 바라보고 있다가 말했다.

“예의 규범집을 후작 부인께서 달달 외우게 하셨습니까?”

“그, 그건 아니고 여하튼!”

벨라는 속으로 치를 떨며 뒷말을 삼켰다.

‘과거의 당신이 나를 달달 외우게 했다고! 눈뜨는 아침부터 잠드는 밤까지. 에티켓 규범집의 ‘예’ 소리만 나와도 저절로 짜증이 폭발하는 건 다 당신 탓이야.’

그와 동시에 술집에서 와장창하는 소리가 들려왔다.

“안 가! 만나 볼 필요 없다고 몇 번을 말해! 당장 나가!”

“한 번만 만나 보고 판단하라고!”

술집에서 한바탕 격투기가 벌어진 것 같아서 벨라의 눈이 커졌다. 함성도 들리는 것으로 미루어 보건대, 이안이 누군가와 몸싸움을 벌이고 있고, 그 과정에서 아무거나 잡히는 대로 휘두르다 곁의 엉뚱한 자를 때려 패싸움으로 번진 것 같았다.

‘이런 곳에서 일어나는 소동이란 안 봐도 뻔해.’

요란한 파열음과 함께 이안이 축 늘어진 한 남자를 어깨에 둘러메고 서둘러 도망치듯 술집을 뛰쳐나왔다.

“뛰어!”

얼결에 루카스와 벨라는 이안을 따라 뛰었다. 뒤로는 성난

술꾼들이 깨진 맥주병, 의자 따위를 들고 달려와 투척했다.

벨라가 잘 뛰지 못하자 루카스가 벨라의 손을 잡았다.

벨라는 눈이 휘둥그레져 루카스를 바라보았다.

'크고 단단한 손.'

힘껏 뛰어서 심장이 두근거리는 것인지, 그의 손이 주는 따뜻함과 평온함으로 인해 그러는 것인지는 알 수 없었다.

그가 벨라의 얼굴을 돌아보았다. 그러더니 그대로 공주님 안기듯 안아 들고 이안을 따라 뛰었다.

쿵. 쿵. 쿵. 쿵.

벨라는 루카스에게 안겨 있는 이 순간, 그의 두 팔 안에서는 그 어떤 위험도 그녀를 해치지 못할 것처럼 느껴졌다.

그리 멀지 않은 공원에 가서 벤치에 앉아 가쁜 숨을 몰아쉬었다.

머리를 맞아 기절한 남자가 으으음 소리를 내며 눈을 떴다.

"정신 차리십시오. 톰 가드너 씨."

루카스의 목소리에 그는 눈을 느리게 감았다 떴다 하면서 주변 풍경을 둘러보았다.

"사람을 잘못 찾아오셨다니까 그러십니까. 톰 가드너란 사람은 없습니다."

그가 제일 먼저 내뱉은 말이었다. 그러나 희미한 가로등

조명 아래서도 벨라는 분명히 알 수 있었다. 이목구비가 돌아가신 라이오넬 씨를 닮은 중년 남자는 톰 가드너가 분명했다.

"그러지 마시고, 가드너 씨, 이야기를……."

루카스의 말에 그가 버럭 소리 질렀다.

"나는 가드너가 아니라니까! 내 이름은 로드니라고! 로드니 앤더슨! 몇 번을 말해!"

벨라는 순간 '헙' 하고 저도 모르게 손가락을 입에 물었다.

'이 사람, 분명히 본 적 있어.'

'벌써 여러 차례 부탁드린 일 아닙니까? 이번이 다섯 번째입니다. 그 돈이 꼭 필요합니다. 제가 공짜로 가불해 달라는 것도 아니고, 판화로 제작한 광고 포스터값을 이젠 주십사 하는 것 아닙니까? 네?'

허름한 차림의 남자가 술집 주인에게 매달리다시피 하며 애원하고 있었다.

'그림이나 잘 그리고 돈을 받으러 와야 할 말이 있지, 괴상망측하게 그린 그것도 포스터라고 내걸고 얼마나 놀림거리가 된 줄이나 알아? 내가 원하는 대로 그려 줘야지 네 맘대로 그려 놓고 돈 달라고 하면 어쩌라고!'

입구에서 벌어지는 실랑이를 벨라는 무심히 바라보았다.

누가 뭘 어쨌거나 말거나. 그 당시의 벨라는 아무에게도 관심이 없었다. 그러니 그의 얼굴을 유심히 바라본 적도 없었다.

'벌써 일 년째입니다. 제발 반절만이라도 주십시오. 그 돈 없으면 굶어 죽습니다. 제발요!'

'허허. 차라리 구걸을 해라. 돈 달라고 쫓아올 시간에 벽돌이라도 나르고 소똥이라도 치우라고! 게을러서 굶어 죽게 생긴 것을 어쩌라고! 별 거지 같은 게 일하기 싫어서 애먼 데서 시비야!'

그가 마지막으로 왔을 때는 눈보라가 심하게 치는데 주인이 술집 건달들을 시켜 두들겨 패고 질질 끌어내다시피 하여 내쫓았다.

'남은 포스터 없습니까?'

'아니, 술집에 와서 술은 안 팔아 주고 포스터 타령이랍니까?'

'그러지 말고, 단골손님인데 포스터 한 장만 주시오. 다음에 내 동료들 데려와서 거하게 술 살 테니.'

'거참, 그 괴상한 그림이 뭐가 좋다고 찾습니까? 우리 가게의 꽃인 앨리스를 괴물로 그려 놓은 포스터를! 여기 예쁘게 그려 놓은 다른 포스터도 많은데.'

'사장님이 뭘 참 모르시네. 그 포스터가 미술 애호가들 사이에서 없어서 못 구하는 희귀 컬렉션인 거 모릅니까?'

'허허. 이 인간 그렇게 돈 달라 구걸할 때는 언제고 이젠 다시 의뢰하려니깐 오지도 않네. 이름이 뭐더라. 여기 낙관이 있네. 로드니 앤더슨.'

'이 화가 죽었잖습니까? 길거리에서 얼어 죽은 채 발견된 이후로 이 화가 그림값이 금값이 되었습니다.'

'뭐요? 그걸 왜 말 안 해 줘? 그럼 이 포스터값도 금값이

겠네? 나 원. 이걸 지금 내게 공짜로 달라고 한 거요?'

과거의 풍경들이 벨라의 눈앞을 스쳐 갔다.

라이오넬 가드너의 아들은 이름을 로드니 앤더슨으로 바꾸고 가난한 화가로서 살다가 길거리에서 비참하게 생을 마감했고, 그가 남긴 그림들은 그가 살아생전에 단 한 푼의 도움도 되지 못하고 묻혔다가 그가 죽은 이후에 값이 폭등했다.

과거의 벨라는 그가 누구인 줄도 모르고 그렇게 그의 인생에 아무 도움을 주지 못했다.

내 삶도 버거워 죽겠는데 남의 삶이야 어찌 되든 말든 관심 밖이었다.

과거의 편린은 이렇게 가까이에 있었다.

벨라의 숨이 눈에 띄게 거칠어져 가자 루카스가 그녀의 호흡을 살폈다.

"역시 이런 밤에 외출하는 것은 아가씨에게 무리였습니다. 돌아가셔야 합니다."

하지만 그가 톰 가드너라는 사실을 안 이상, 그가 그렇게 비명횡사하는 것은 막아야 했다.

"실례합니다만."

벨라는 허리를 숙여 꾸벅 인사를 했다.

"저는 아르티드가의 후계자, 이사벨라 엘 아르티드라고 합니다. 저희 부모님을 대신해 부고를 전해드리려고 찾아왔어요."

로드니의 눈이 휘둥그레졌다.

"이런 방문이 실례인 것은 잘 알지만, 자꾸 자리를 피하셔서 불가피하게 여기까지 찾아오게 되었어요."

벨라는 모든 것이 자기 탓인 듯하여 고개를 들지 못했다.

"그분이 살아 계실 때 아드님을 보셨다면 눈이라도 편히 감으셨을 텐데 그렇게 돌아가실 줄 몰랐답니다. 그래서 부고 소식이라도 직접 찾아뵙고 전해드리는 것이 순리가 아닌가 싶어서……."

"푸핫!"

로드니는 실성한 사람처럼 머리카락을 쓸어 올리며 고개를 젖히고 낄낄 웃었다.

벨라는 대체 뭐라 해야 할지 이 상황이 판단되지 않아 눈만 크게 뜰 뿐이었다.

"저, 로드니 씨!"

사람이 너무 슬프면 웃음만 나온다던데, 혹시 로드니도 그런가 싶어서 벨라는 멍하니 그를 바라보았다.

로드니는 연거푸 손바닥으로 얼굴을 세수하듯 쓸어 올리고는 다시 푸핫 하고 웃은 후에 말했다.

"이보세요. 귀한 집 아가씨. 사람 잘못 찾아오셨다니까요."

그의 목소리엔 비아냥거림이 가득했다.

"저는 라이오넬이라는 사람이 누구인지도 모르고 톰이라는 사람이 누구인지도 모릅니다."

설마 아버지가 돌아가셨다는데 낄낄거리는 건가 하는 생각에 벨라의 미간이 찡그려졌다. 그러거나 말거나 그는 조롱조로 말을 이어 갔다.

"댁네 문제는 댁네 사람들끼리 해결하시고 초상이 났으면 당신네끼리 알아서 치르세요."

그의 목소리가 웃음기도 없이 싸늘해졌다.

"다 지우고 간신히 마음 추스르고 살아가는 사람한테 와서 속 뒤집어 놓지 마시고."

벨라는 잠시 숨을 멈추었다.

그의 눈에 비치는 증오의 시선.

"나는 그때 분명히 말렸어……. 그러시지 말라고 아버지를 말렸다고!"

로드니의 입은 웃고 있는데 눈은 더할 나위 없이 슬퍼 보였다.

벨라와 로드니 사이에 황량한 밤바람이 불어왔다.

톰은 양들을 우리에 가둬 놓고 서둘러 손을 씻고는 집으로 달려갔었다.

동생은 엄마 품에서 젖을 배불리 먹고는 방긋거리고 있었다. 톰이 다가서자 엄마는 동생을 품에 안겨 주었다.

처음 태어났을 땐 볼품이 없더니 백일쯤 지나자 젖살도 오르고 잘 웃어 사랑스럽기가 이루 말할 수가 없었다. 어찌 다루어야 할지 몰라 톰은 서툴게 안고 낑낑거리다가 드디어 목을 받쳐 들고 껴안았다.

가냘픈 콧숨이 톰의 목덜미에 닿았고 아이의 입가에서는 달큼한 젖 냄새가 났다. 아기의 말간 입술에 침방울이 고여서 톰은 자기 소매로 쓰윽 닦아 줬다가 더러운 것이 묻었을까 봐 손수건으로 아기를 닦았다.

그것이 간지러운지 아기가 까르륵 웃었다. 이도 하나 없는 게 벌쭉벌쭉 잘도 웃는다. 이가 없는 아기 입 안이 너무나 신기해서 그 안을 유심히 들여다보았다.

아기의 옹알이는 음악 소리 같았다. 손가락도 투명하다. 그 손가락으로 톰의 새끼손가락을 옴팡지게 쥐었다. 손가락을 빼려는데 아기의 주먹이 딸려 온다. 그마저도 재밌나 보다. 아기는 발을 버둥버둥하며 신난다고 몸을 들썩인다.

살아 있는 아기란 온통 신기한 것투성이였다.

다른 집 아기는 빽빽 울기만 하던데 동생은 먹고 배부르면 방긋 웃으며 발길질하고 놀다가 어느새 보면 까무룩 잠들어 있어서 더 예뻤다.

톰의 아버지가 톰의 인사도 받는 둥 마는 둥 하더니 부엌으로 황급히 들어갔다. 톰은 아이의 엉덩이가 뜨끈한 것 같아서 눕히고 바지를 벗겨 보았다. 오줌 쌀 것 같은데 엄마를 부르면 안 될 것 같은 분위기라 힐끔거리며 부엌을 엿보았다.

아버지가 심각한 표정으로 말씀하고 계셨다.

"……엘레노어 님께서 난산 중에 돌아가셨는데, 태어나신 도련님도 지금 상태가 심각해."

"여러 차례 유산 끝에 겨우 가지신 아기씨인데 하늘도 참 무심하시군요."

"도련님도 며칠 못 버티고 돌아가실 것 같아서 벌써부터 토레스 님이 상심하신 채 모든 희망을 놓아 버리셨어. 어떻게 하지?"

아버지는 어머니에게 어렵사리 말을 건넸다.

"까딱 잘못하다가는 줄초상을 치르게 생겼는데?"

어머니는 대답하지 않았다. 아버지도 차마 뒷말을 이어 가지 못했다. 두 분 사이에 무거운 침묵이 감돌았다.

"앗! 뜨거!"

그쪽을 바라보던 사이 뜨거운 물줄기가 톰의 가슴팍을 강타했다. 아기가 시원스레 갈긴 오줌 줄기가 톰의 앞섶을 흠뻑 적셨다.

"엣퉤퉤! 이게 뭐야! 엄마! 아기 오줌 쌌어! 나 어떡해!"

톰의 야단법석에도 불구하고 두 사람은 무거운 한숨 속에 있었다.

부모님은 톰의 말이 안 들리기라도 하듯 침울한 분위기에서 말을 이어 갔다.

"아르티드가의 저주인가?"

"손이 귀하다 해도 이렇게 귀한 집안은 처음 봐요. 정말 무슨 저주라도 걸린 게 아닌지……."

톰은 부모님이 하는 말씀을 이해하진 못했지만 무슨 뜻인지 알아듣기 위해 귀를 쫑긋 세웠다.

"엊그제까지만 해도 엘레노어 님과 웃으며 인사말도 나눴는데 돌아가셨다고 하니 믿어지지 않아요."

"소원하시던 아드님도 낳으셨는데……. 이젠 마음 졸일 일 없이 아드님과 행복하게 사시면 되었는데……."

"토레스 님 가여워서 어떡해요."

"그러니 이렇게 부탁하는 것 아닌가?"

대체 무슨 일인지 아무리 엿들어도 톰은 짐작이 되지 않았다. 하지만 아버지의 목소리는 진심을 담아 무겁고도 슬프게 들렸다.

"노라, 그것이 여러 사람 살리는 길이라오."

아버지는 목이 멘 듯 잠시 말을 잇지 못했다.

"이 말을 하는 나도 결코 피도 눈물도 없어서 이런 말을 꺼내는 것이 아니라……."

"으흑……."

노라는 두 손으로 얼굴을 가린 채 한참을 흐느꼈다.

"제발 엄마 좀 불러 주세요! 우리 니키가 죽어 간다고요! 제발요!"

톰은 목청이 터질 듯 외쳤다.

"내 목소리 들리면 창문이라도 좀 열어 보라고오오!! 엄마! 엄마! 엄마 제발!!"

굳게 닫힌 성문을 두들기며 애원했다. 목이 터져 피가 배어 나오도록 소리를 질렀다. 그러나 창문조차 열릴 기미가 보이지 않았다.

엄마를 부르다 지쳐 목이 온전히 쉬어 더 목소리가 나오지 않았다. 라이오넬이 다가와 그런 톰의 손목을 잡고 강제로 이끌었다.

"놔! 이것 놓으란 말이에요!"

톰은 필사의 몸부림을 쳤다.

"엄마를 데려가야 해요! 제발 한 모금이라도 젖을 먹게 해줘요!"

라이오넬은 톰의 손목을 거칠게 잡아당겼고 톰은 딸려 가지 않으려고 온몸을 뒤로 젖히며 두 발로 버텼다. 그러다가 당기는 힘이 없자 뒤로 나동그라져 굴렀다.

"소젖을 먹지 않는 것을 어쩌란 말이냐……."

라이오넬이 혼자 중얼거리듯 말했다. 톰은 엎어져 울면서 두 주먹으로 있는 힘껏 땅을 두들겼다.

"엄마를 데려다줘! 우리 엄마 내놔! 귀족이면 다야? 제 자식 살리겠다고 남의 자식 죽여도 돼? 얼마나 귀한 자식이길래 내 동생을 굶어 죽게 만들어!"

톰의 목소리가 갈라져 쉿소리가 났다.

"너무해! 이게 사람이 할 짓이야? 살인이야 살인! 어린 애하나를 당신들이 죽이고 있는 거야!"

목구멍에서 피가 터지는 것처럼 소리 질렀다.

"바라만 보고 도와주지 않는 당신들 모두 다 살인마야! 이 나쁜 인간들아!"

톰은 쉬어서 나오지도 않는 목소리로 악을 써 가며 울었다. 그러나 아무도 톰을 일으켜 세워 주거나 다독여 주지 않았다.

얼마나 그 자리에 엎어져 있었는지 모른다.

터덜터덜 힘없이 집으로 돌아갔더니 집 마당에 여러 사람이 모여 있었다. 그리고 다들 고개를 숙인 채 두 손을 모아 기도하고 있었다.

톰은 정신이 번쩍 들어 그 사람들을 밀쳐 내며 집 안으로 들어갔다.

사제의 기도 속에 아기의 몸 위엔 하얀 천이 덮이던 참이었다.

"비켜! 저리들 비켜! 내 동생한테 손대지 마!"

소리 지르고 싶은데 목이 쉬어서 정말 한마디도 나오질 않았다.

"내 동생을 빼앗아 가지 마!"

톰은 온몸으로 동생에게 다가가려고 버둥거렸고 사람들이 그런 톰의 팔과 다리, 허리를 강제로 붙들었다.

"놔! 이거 놔!"

톰은 미친 듯이 몸을 비틀어 대다가 마지막 힘까지 모두 소진한 채 손 하나 까딱하지 못할 정도로 탈진해 버렸다. 그제야 사람들이 톰을 굳게 붙들었던 손을 놓았다.

톰은 기다시피 다가가 동생의 몸을 덮은 하얀 천을 걷어내고 끌어안았다. 동생이 너무 가벼워서 울었다.

"차라리 나도 같이 묻어 줘."

톰은 목소리도 나오지 않는 목으로 처절하게 외쳤다.

로드니는 저도 모르게 눈물을 줄줄 흘렸다.

그는 어금니를 깨물며 말했다.

"난 라이오넬 가드너 같은 사람이 누군지 모릅니다. 기억에도 없습니다. 그러니 사람 잘못 보셨습니다. 이만 저를 놔주십시오."

벨라는 어떻게 해야 할지 몰라서 루카스와 이안의 눈치를 살폈다.

톰이 라이오넬 씨와 연을 끊은 것은 알았으나 그래도 부고인데 아버지를 그리워할 줄 알았다.

하지만 로드니의 눈에 활활 불타오르는 증오의 빛이란 뜻밖이었다.

루카스가 한마디라도 도와주면 좋으련만, 루카스는 나는 말렸는데 당신이 여기 오자 했으니 알아서 하라는 듯 무표정하게 서 있었고, 이안은 눈이 마주칠세라 몸을 돌려 휘파람을 불며 딴청이었다.

벨라는 깊은 한숨을 내쉬었다.

"로드니 씨, 원망스럽더라도 돌아가셨잖아요. 돌아가신 분 마음 편하도록 한 번만이라도……."

"불편하라고 하세요!"

그의 눈에서 불똥이 튀는 듯했다.

"살아생전 불편했으면 죽어서도 영원히 불편하길 바랍니다!"

벨라는 어찌 자식의 입에서 저런 말이 튀어나오는지 그저 눈이 휘둥그레질 뿐이었다.

"자기 마음의 평화를 얻고자 한다면 그냥 눈감고 신경 쓰지 마세요! 신경 안 쓰면 불편할 마음 따위 없습니다!"

그는 불이라도 뿜듯 격렬하게 외쳤다.

"그냥 당신들 사시던 대로 그대로 사세요. 저는 이대로 살 겁니다! 남의 인생에 참견하지 마십시오!"

로드니가 버럭 소리를 질렀다.

"하지만 가드너 씨가 저희 아르티드가에 헌신해 오신 공이 크고, 그분께서 그토록 당신을……."

"아 그러니까 당신들 마음 편해지자고 적당히 장단 맞춰 줄 생각 없다니까요! 당장 제 눈앞에서 사라져 주시지 않으면 제가 꺼져드리겠습니다! 다시는 찾지 마십시오!"

벨라는 입술을 깨물었다. 그의 가슴속에 어떤 원망과 한이 서렸는지 어설프게 뚜껑을 열어 보았다가 쩔쩔매는 중이었다.

"돌아가신 분과 제 아버지와의 관계는 들어서 잘 알고 있습니다."

벨라의 목소리가 떨려 왔다.

"보니까 그림을 놓을 공간도 부족하실 텐데 마음 놓고 그림을 그리실 공간과 집을 제공하고 술집에서 초상화 그리느라 시간 허비하지 않아도 될 만큼 생계를 책임지겠……."

벨라의 말이 떨어지자마자 그는 자기 신발짝을 벗어서 벨라에게 던졌다.

"어맛!"

벨라가 깜짝 놀라 뒤로 주춤 물러서자 바로 다음 신발짝이 날아왔다.

"허튼소리 하지 말고 썩 꺼져! 그냥 미워하다 죽게 냅둬!"

그는 주변의 돌멩이를 집어 위협용으로 던졌다.

그와 동시에 사과 한 개가 날아들어 로드니의 어깨에서 산산이 조각났다.

"에이. 나중에 먹으려고 아껴 둔 사과인데. 제기랄."

이안이 비속어를 내뱉으며 구시렁거렸다.

"돌 한 번만 더 던져 봐! 이번엔 사과가 아니라 돌로 네 머리통을 박살 내 줄 테니!"

"이안! 아무리 그래도 그렇지 사과로 맞히면 어떻게 해!"

벨라가 이안에게 버럭댔다.

루카스가 그런 벨라와 이안 사이에 팔을 집어넣어 둘을 뒤로 물리며 말했다.

"아가씨. 보상은 상대방이 그 보상을 받아들일 마음이 들 때 주는 것입니다. 원치 않는데 들이밀면 그 또한 폭력입니다."

그 말에 벨라는 멈칫했다.

"오늘은 밤이 늦었으니 이만 돌아가십시오. 저 사람에게도 생각할 시간이 필요할 겁니다."

루카스의 정중한 말에 벨라는 머뭇거리며 뒤돌아섰다. 그리고 몇 걸음 앞으로 걸어가다가 다시 로드니를 향해 섰다.

"로드니 앤더슨 씨! 당신 그림 언젠가 꼭 대박 날 거예요.

그때까지 실망하지 말아요! 정말이에요! 당신의 이름은 회화사에 길이길이 남을 거예요!"

벨라의 말에 자갈이 투둑 하고 구르는 소리만이 되돌아왔다.

벨라는 자신의 등을 떠미는 루카스의 손을 뿌리치며 소리쳤다.

"절대로 희망을 잃으면 안 돼요! 보란 듯이 성공해서 당신 자식에게 부끄럽지 않은 아버지가 되어 달라고요!"

벨라의 말이 채 끝나기도 전에 그가 고래고래 고함을 질렀다.

"지금 사람 놀리는 겁니까? 결혼도 안 하고 자식도 없는 사람한테 너도 자식 생기면 어쩌나 보자고 악담하시는 겁니까? 그딴 소리 하려거든 썩 닥치고 가던 길이나 가십쇼!"

"죄송합니다! 저 사람이 무언가 잘못했다면 제가 사과드리겠습니다!"

난데없는 여자 목소리가 들려 바라보니 그곳에 한 창녀가 서 있었다.

한때 벨라의 차림도 저러했었다.

벨라는 그 여자의 얼굴을 바라보았다.

'아마도 이 여자가 조앤…….'

벨라의 눈에 예전의 그녀가 떠올랐다.

로드니가 죽은 후로 그녀가 찾아와 울면서 포스터 대금을 달라고 애원했다.

'아이 아빠도 죽고 아기 키울 돈이 없어요. 꼭 그 돈이 필요해요!'

술집 사장은 그녀마저 매정하게 가게 밖으로 내몰았다. 그 포스터 가격이 천정부지로 뛰어오른 것을 뻔히 알면서도 말이다.

벨라의 눈가에 눈물이 그렁그렁 맺혔다.

조앤에게 말을 건네려고 했으나 루카스가 벨라의 등을 휙 떠밀어 더는 뒤돌아보지 못하고 자리를 떠날 수밖에 없었다.

밤의 공원엔 침묵만이 감돌고 있고, 두 손에 흙을 움켜쥔 로드니가 바닥에 엎드려 있었다. 차가운 밤바람에 조앤은 오들오들 떨었다.

"로드니. 추워요. 밤이 깊었으니 인제 그만 들어가요. 외투도 입지 않았고……."

"너나 들어가 봐. 난 내버려 둬."

조앤이 다가가 일으켜 세우려 했다. 그 손길을 로드니는 와락 뿌리쳤다.

"내가 어떻게 되든 말든 상관하지 말라는 말 못 들었어?"

조앤이 울먹거리며 그의 어깨에 다시 손을 대려 하자 그가 버럭 화를 냈다.

"우리는 헤어졌다고! 몰라? 미래 따위 없고, 자존심만 더럽게 세서 잘 팔리는 그림 따위는 못 그리는 그림쟁이가 바로 나라고!"

피를 토하듯 말하는 그의 목소리가 처절했다.

"당장 내일 먹을 것도 없는 것은 둘째 치고 종이를 더 살 돈도 없어! 그런데 이런 내게 무슨 볼일이 있다고 끈적하게 들러붙냐고!"

온통 절망에 젖은 사내는 닥치는 대로 소리 질렀다.

"가! 굶어 죽든지 말든지 상관하지 말고 네 살길이나 모색하라고!"

조앤은 뭐라고 대답하지도 못하고 하염없이 눈물만 흘렸다.

그 모습이 너무나 처량해 보여서 로드니는 짜증을 왈칵 냈다.

"가! 두 번 다시 내 눈앞에 나타나지 마! 설령 내가 죽었다 해도 신경 쓰지 마!"

조앤이 계속 그 자리에 서서 버텼지만 끝내 그는 돌아보지 않았다. 자신의 추운 것보다 바닥의 흙을 움켜쥔 그의 손이 더 시릴까 봐 눈물짓던 조앤이 고개를 떨구며 몸을 돌렸다.

그러나 몇 걸음 걷다 말고 입을 열었다.

"그래요. 신경 쓰지 않을게요. 하지만…… 나, 조만간에 아이를 낳거들랑 앤더슨이란 성을 붙일 거예요. 당신이 믿어 주든지 믿지 않든지 간에."

조앤이 머나먼 점 한 점으로 사라져 가는 모습을 보며 그가 한숨을 내뱉었다.

그의 입가에서 하얀 수증기가 뭉게뭉게 일었다.

"이런 것 말고 좀 색다른 것은 없나?"

화랑 주인이 애써 그려 온 그림들을 바닥에 휙 내던졌다. 로드니는 엎어진 자신의 그림들을 주섬주섬 챙겨 올렸다.

“당신 그림은 돈이 안 돼. 대중들은 새롭고 독창적인 것을 좋아하는 것이 아니라고!”

화랑 주인은 인상을 팍 구겼다.

“기존에 잘나가는 화풍 8할에다가 2할의 새로운 것을 섞으라고 누누이 말했지 않나?”

화랑 주인의 말에 로드니는 어깨를 움찔했다.

“당신 엔레비나 미대 출신이라면서! 당신과 동기인 블랑슈는 그림 한 점이 집 한 채 값이고, 후배 리차르도는 부르는 게 값이란 말야!”

그는 책상을 쾅쾅 두들기며 계속해서 말했다.

“꼿꼿하게 그리고 싶은 대로 그려 와서는 이걸 팔아 달라는 것인가?”

로드니는 고개를 굽신거렸다.

“저…… 그건 압니다만, 노력해도 금세 흥미가 떨어져서 그런 건 도저히 그릴 수가 없습니다.”

그 말에 화랑 주인이 벌컥 화를 내며 책상을 손바닥으로 내리쳤다.

“그럴 거면 혼자 스케치북에 습작해! 누굴 비춰 주겠다고 하질 말고!”

화랑 주인은 어처구니가 없다는 듯 말했다.

“개인 그림 일기장을 훔쳐보는 것도 아니고!”

이어질 레퍼토리는 뻔했다. 로드니는 다시 어깨를 움찔거렸다.

"최소한 프로 작가로서 그림으로 밥벌이를 하겠다고 생각한다면 이 그림을 누가 사 줄지, 어디에 걸릴지, 이 그림이 무슨 용도로 쓰일지 생각이란 걸 하고 그려야 할 것 아닌가!"

화랑 주인의 말에 로드니는 한없이 작아지는 기분이 들었다.

"이 칙칙한 색깔을 봐! 저절로 우울해지는 이 색채 어찌할 거야?"

차마 그의 말에 대놓고 반박하지는 못했지만 로드니도 하고 싶은 말이 목구멍에 쌓이는 것을 간신히 삼켰다.

"그림을 사는 사람들은 부유한 귀족 아니면 그런 귀족 밑에서 일하는 인텔리 계급이라고! 이 그림을 귀족이 좋아할 거야, 인텔리 계급들이 좋아할 거야?"

화랑 주인은 짜증스런 시선으로 로드니를 노려보았다.

"하층민들만 실컷 그린 풍경을 슬럼가 사람들이 사 줄 것 같아? 그들은 이 그림을 걸 만한 벽조차 없어!"

그는 다시 책상을 주먹으로 쾅쾅 두들겨 대며 말을 이어갔다.

"애당초 이런 걸 팔아 달라고 오질 말란 말일세!"

화랑 주인은 안경을 꺼내어 코에 걸치고는, 책상 서랍에서 두툼한 장부를 꺼내 손가락에 침 발라 가며 넘겼다.

"그간 그림값을 미리 당겨쓴 거라도 갚아! 능력이 안 되면 선불을 당겨 달라고 하질 말든가!"

로드니는 화랑 주인 앞에서 더더욱 고개를 떨궜다.

"죄송합니다. 그래도 물감은 사야 그림을 그릴 수가 있어서……."

“옳거니. 여기 있다. 이런. 벌써 빚진 게 꽤 오래되어서 이자까지 늘었네. 안 되겠어.”

화랑 주인은 짜증스럽다는 듯 장부를 책상에 던졌다.

“돈도 안 될 놈의 그림이지만, 당신이 당겨쓴 돈조차 갚을 능력이 없으니 오늘 가져온 그림 다 그 돈으로 변상하고 가게!”

반박하려는 로드니의 입을 막듯 화랑 주인은 더 큰 목소리로 외쳤다.

“전부 다 양도해도 변제 못한다네. 알았나?”

화랑을 나서면서 로드니는 땅이 꺼져라 한숨을 내쉬었다.

어떻게든 팔아 보려고 나왔으나 오히려 화랑 주인에게 한 장도 남김없이 압수당하고 빈손으로 너털너털 계단을 걸어 내려와야 했다.

로드니는 계단에 털썩 주저앉은 채 두 손으로 머리를 감싸 쥐었다.

‘이놈의 자존심…….’

자존심이 밥 먹여 주는 것도 아닌데 이 자존심마저 꺾이면 세상 살 의미가 없는 것만 같았다.

‘무슨 더 좋은 꼴을 보자고 하루하루 버티는 것인가.’

로드니는 눈물이 났다.

오늘 들고나온 그림들은 그가 매우 아끼던 것이었다.

마치 강도를 당한 기분이 들었다.

미리 당겨쓴 돈들은 그 순간의 곤궁함을 모면하는 데 사용했지만, 치러야 할 대가가 너무 컸다.

고개를 들 면목이 없었다.

이렇게 무능할 거면 왜 조앤을 임신시켰는가 후회의 눈물이 그의 눈에 고였다.

'나만 믿으라고, 창녀 생활은 그만두면 된다고 큰소리쳤잖아, 그간 조앤이 모은 돈을 탈탈 털어 빌붙어 산 주제에.'

극심한 자괴감이 밀려왔다.

'최소한의 끼니도 잇지 못해 그녀를 다시 술집에 나가게 한 건 내 탓이나 다름없어. 난 허접쓰레기다. 크흑.'

로드니는 비참해서 그랑블루 다리에 두 팔을 얹고 고개를 숙인 채 꺽꺽거리면서 울었다.

'부조리한 세상. 그놈의 트렌드. 트렌드가 무엇이기에…….'

속에서 수많은 것들이 욱하고 치밀어 올랐다.

'까짓것, 농부라도 되든가, 마부나 시장에서 등짐 지는 일꾼이라도 되면 끼니야 잇겠지.'

로드니는 땅이 꺼져라 한숨을 내쉬었다.

'그런데 이 허무함은 무엇인가. 죽었다 깨어나도 그렇게는 못 살겠다.'

돈 한 푼 벌지 못했는데 벌써 해가 저물어 가고 있었다. 다시금 차가워진 밤하늘을 등에 지고 그는 무작정 걸었다. 가슴속이 타는 듯 아팠다.

"지켜보시는 것은 자유입니다만, 그가 원치 않으면 다가

가지 마십시오. 받아들이고 받아들이지 않고는 그의 의지입니다. 그것까지 타인이 간섭할 수 없습니다."

루카스의 말은 차가웠다.

"보상이라면 이미 충분히 했습니다. 다비드 님께서 저자의 미술 재능을 후원하셔서 엔레비나 미술 대학교에서 돈 걱정 없이 그림만 그리도록 해 주셨습니다. 그는 그것을 면책감을 느끼려고 하는 후원이라 여겼죠."

루카스의 말에 벨라는 아무 말도 할 수 없었다.

"그의 어머니께서 애원하다시피 해서 그녀 살아생전에는 학교에 다니기는 했습니다만 그녀 사후에 자퇴하고 뛰쳐나가 가드너 씨와 연을 끊었습니다."

루카스는 확인하듯 다시 말을 이어 갔다.

"지금 그에게 무슨 후원을 하시든, 그는 죽은 동생의 목숨값을 돈으로 사려 한다는 생각에 더더욱 비뚤어질 뿐입니다."

그의 말에 벨라는 고개를 수그렸다.

"괜히 그를 자극하지 마시고 이쯤에서 물러나십시오. 성의를 보인다는 측면에서 아가씨는 충분히 정성을 보이셨습니다. 그만 잊으십시오."

루카스의 말에 벨라는 입술만 잘근잘근 깨물었다.

'돌아가셨다는 이유로 갑자기 모든 원망을 덮고 아버지의 죽음을 순수하게 슬퍼하리라고 생각한 자체가 실수였나 보다.'

조금 성장했다고 생각했는데 여전히 그녀의 영혼은 미숙하고 실수투성이였다.

벨라는 고개를 푹 숙였다.

라이오넬 가드너 씨의 죽음도 막지 못했고, 죽어서라도 화해시키고 싶었으나 화해는커녕 그의 아들의 원망이 얼마나 깊은지만 확인하고 말았다.

과거에 무슨 일이 있었는지 알아도 현재가 바로잡아지지 않음에 슬펐다.

벨라의 어깨가 축 늘어졌다.

마차 창밖으로 보이는 브릭의 모습은 낯익은 듯하면서도 낯설었다. 아마도 벨라가 기억하는 수도 브릭의 모습은 지금으로부터 15년 후의 풍경이어서 그럴지도 몰랐다.

전차가 다니고 가로등이 켜지고, 전구가 밤을 밝히고 전화가 있고, 기계가 있고…….

그 모든 것은 석탄과 증기로 이루어졌다. 세상이 너무나 빨리 변했다. 사람들은 변화를 한탄했지만, 그 이전의 세상으로 돌아가고 싶어 하진 않았다.

그 어떤 변화에도 술집만큼은 언제나 문전성시였다.

점잖은 척하는 지식인들도 술에 취하면 개나 소나 마찬가지.

벨라는 그들 옆에서 웃음과 술과 몸을 파느라 허송세월했다. 업계에서 퇴물이라고 일컬어지는 서른 살 창녀에게는 두 가지 길이 있었다.

좋은 물주를 잡거나, 술집을 차리거나.

그 두 가지 길에 접어들지 못한 창녀는 길바닥으로 밀려난다. 술집에서 일할 수 있을 때가 오히려 행복한 것이었다.

직접 길을 떠돌며 몸을 살 남자를 물색하러 발품을 팔아야 했다. 경관들은 술집 창녀에게는 관대해도 길거리를 돌아다니는 퇴물 창녀에게는 단호했다.

더러는 몸 팔다 잡혀서 감옥에 가고, 감옥에서 나오면 다시 몸을 팔다 잡혀 들어가고, 무한 반복하다 어느 날 병에 걸려 죽거나 비명횡사하거나 살해당하거나.

'그래서 더욱 비참한 기분에 벤자민과 마주쳤을 때 참지 못하고 그를…….'

벨라는 눈을 감았다.

선홍빛 잔인한 기억.

벨라는 루카스를 바라보았다.

'고쳐 살겠다고 아등바등하는데도 삶이 고쳐지지 않는다면 이 남자는 어떻게 되는 걸까?'

침으로 입술을 축여도 바짝바짝 타들어 가는 것 같았다.

'민폐 인생…….'

벨라는 기가 팍 죽어 고개를 숙였다.

다그닥 다그닥 달리던 마차가 사거리에서 멈춰 섰다. 교통이 혼잡하여 마차들이 한데 뒤엉켜 있었다. 벨라의 시선이 길거리에 머물렀다. 그곳은 벨라가 몸담았던 고급 술집들이 있는 곳.

이미 15년 전에도 그 자리에 있음에 벨라는 묘한 기분이 들어 그곳을 멍하니 바라보았다.

마차 창에 턱을 괸 채 물끄러미 바라보노라니 아는 사람 몇이 지나갔다.

'호오, 신기하네.'

벨라의 눈빛이 반짝거렸다.

"무엇을 그리 흥미롭게 보십니까?"

루카스가 벨라에게 물었다. 벨라는 혼자 쿡쿡 웃으며 말했다.

"루카, 사람들 뒷조사는 어떻게 하지?"

로드니는 직업소개소의 문을 쭈뼛거리며 두들겼다.

그간 돈 알기를 우습게 알고, 돈을 탐하면 자신이 속물이 되는 것 같아서 돈에 초탈해 살아왔으나 당장 자신의 생명처럼 아끼던 그림들을 헐값에 화랑 주인에게 모조리 빼앗기고 나자 막노동이라도 해서 그 그림들을 되찾아 와야겠다 결심을 했다.

막노동도 해 본 사람이 하지, 평생을 붓만 잡아 본 그에게는 두렵고 막연한 미지의 세계였다. 어깨나 손이 상하면 그림을 못 그릴 것 같아서 하지 않았던 일이었다.

벽돌을 지고 나르는 것도 서툴렀고 톱질을 하는 것도 엉망이었다. 근력도 형편없었고 지구력은 더더욱 없었다.

온종일 몸이 부서져라 일하고도 되돌아온 것은 일을 엉터리로 한다는 타박뿐이었다.

로드니는 연신 '죄송합니다', '죄송합니다'를 외치며 일을 한다고 했으나 일과를 마칠 시간이 되자 돌아온 품삯은 남들보다 턱없이 적었다.

그 돈을 바라보며 무엇을 할까 궁리했다.

'그림을 한 장이라도 되찾아올까, 내일 먹을 빵을 살까, 아니면…….'

착잡한 마음에 돌아서서 집으로 향하려는데 직업소개소 주인이 그를 붙들었다.

"이봐. 당신 전직이 화가라고 했나?"

"그렇습니다만……."

로드니가 그를 바라보자 그가 말했다.

"이게 방금 전달된 공문인데, 그레이시 13번가 전체가 흉물스럽다고 새로운 도시 계획에 따라 언제 헐릴지 모른다고 하지 않았나?"

"아마도요. 그렇지만 그게 그렇게 금방 일어날 일은 아닌데……."

"그 슬럼가를 철거하는 대신 담벼락에 대대적으로 벽화를 그리기로 했다네. 그래서 벽화 그릴 페인트공을 찾는다고 하는데, 이게 경력이 있어야 한다는군."

직업소개소 주인이 싱긋 웃었다.

"생각해 보니 로드니 당신이 그 일에 딱 맞는 것 같아서 말이야. 페이는 좀 짠데 일감이 많아서 할 만할 것 같아."

이어지는 그의 말을 들으면서도 꿈인가 싶은 생각에 로드니는 눈을 느리게 감았다 떴다.

"한두 달짜리가 아니고 슬럼가 전체를 다 칠할 때까지 계속 고용할 거라고 하니 일을 느리게 해 주면 더 오랫동안 일당을 받을 수도 있을 것이고."

직업소개소 주인의 말에 로드니의 귀가 솔깃했다.

슈르츠 공작가의 후원으로 슬럼가의 허름한 담벼락은 빨갛고 하얗고 노랗게 물들어 갔다. 생명이 없는 꽃이 화가의 손길을 거치니 아름답게 무리 지어 피었다.

처음에는 워낙 여러 사람이 하는 작업이다 보니 불협화음을 이루었다. 그려진 모양도 제각각이었고 색칠도 엉망진창으로 들이붓는 수준이어서 대충 눈가림용으로 슬럼가를 덮는 정도였다.

그런데 어느 한 사람이 늦은 밤에도 등불을 밝히고 열심히 그린 탓에 어느 한쪽 길만 다른 쪽 길에 비해 수준이 높은 고급 길이 되었다.

그쪽으로 많은 사람이 구경하러 다니게 되면서 어둡던 골목길이 번화가처럼 변하기 시작했다. 그 모습을 본 주민들이 너도 나도 그쪽 길을 탐내면서 그 한 사람이 책임지는 골목이 점차 늘어났다.

로드니는 그저 '그림 그리는 막노동'이어서 최선을 다해 그림을 그렸을 뿐이었는데, 어느덧 사람들이 그를 벽화 사업의 총괄 책임자쯤으로 여기기 시작했다.

"점심은 먹고 그려요."

조앤의 말에 로드니가 붓을 든 채 뒤를 돌아보았다. 그녀의 배는 이제 제법 많이 불러 있었고 화려한 무희 옷이 아니라 평범한 잔꽃 무늬가 그려진 원피스를 입고 있었다.

그녀는 손에 도시락 통을 들고 로드니가 그린 그림을 바라보고 있었다.

"벌써 시간이……."

로드니는 해가 떠 있는 방향을 살펴보았다. 조앤이 내미는 물수건을 받아서 대충 손을 쓱쓱 닦고 그녀가 건네는 샌드위치를 한 입 입에 물었다.

"선생님! 이건 어떻게 그려요?"

한 꼬마가 물감투성이인 얼굴로 해맑게 웃으며 다가왔다.

로드니는 샌드위치를 반 잘라 그 아이의 입에 물려 주며 미소 지었다.

"그거 다 먹으면 알려 주마."

"이힛!"

꼬마는 장난스럽게 웃으며 샌드위치를 씹어 삼켰다. 그 모습을 보며 조앤이 말했다.

"아이들에게 그림 그리는 일을 시키다니, 이거 노동력 착취 아니에요?"

그녀의 말에 로드니가 웃으며 말했다.

"이 벽화 사업을 후원하는 슈르츠 공작 부인께서 말씀하시기를 인건비는 재량껏 써도 좋다고 허락하셨어."

로드니는 샌드위치를 마저 씹으며 말을 이어 갔다.

"이 아이들에게 저임금 고강도 노동을 시킨다고 탓한다면 할 말이 없지만, 이건 인건비를 아끼는 차원을 떠나서 저 아이들에게도 양질의 일자리이고, 단순히 일만 하는 게 아니라 내게 그림을 배우는 이점도 되지."

로드니는 자랑스럽다는 듯 말했다.

"봐. 이 아이들에게 붓을 쥐여 주지 않았다면 아마도 길거리에서 구두를 닦거나 소매치기가 되거나, 어른들의 허드렛일을 도우며 춥고 배고픈 나날을 이어 갔을 거야."

로드니는 물 한 잔으로 입 안을 말끔히 씻어 내며 입을 다시 열었다.

"할 일이 있다는 것은 좋은 것이지. 아이들의 표정 좀 봐봐. 자신이 무언가 의미 있는 일을 하고 있다고 뿌듯한 표정들이잖아?"

로드니의 눈가에 미소가 번졌다.

"돈도 벌면서 의미 있는 일을 한다는 것이 저 아이들에게 얼마나 소중한 일인지 모른다고."

로드니의 말에 조앤이 수줍게 웃으며 배를 쓰다듬었다.

"사람들이 당신더러 쌈닭이라고 부르는 거 알아요?"

"내가?"

"그래요. 당신이요."

조앤은 피식 웃었다.

"주민들하고는 허구한 날 얼굴 붉히면서 싸우고, 자존심은 쓸데없이 높아서 굽히느니 부러뜨린다는 식으로 덤빈다고 말이에요."

조앤은 활짝 미소 지으며 말했다.

"그런데 아이들에게만큼은 예외인 것 알아요? 어른은 끔찍이도 싫어하면서 애들은 어떻게 그리 귀여워할 수가 있죠? 신기해요."

조앤의 말에 로드니는 피식 웃었다.

"그럴지도 모르지. 하지만 귀여운 것을 어떡하나?"

로드니의 눈가에 웃음으로 인한 주름이 살며시 졌다.

"이들은 자신이 나고 싶어서 세상에 나온 것도 아니고, 세상 풍파에 찌든 탁한 영혼도 아니고, 그저 맑고 여린 존재들 아닌가? 보고 있으면 저절로 미소가 나오는 존재들."

로드니는 꿈을 꾸는 듯한 시선으로 골목을 뛰어가는 아이들을 바라보았다.

"이런 슬럼가에는 과분한 아름다운 꽃들이지."

"그래서 아이들이 열심히 그리고 남은 엉터리 흔적들을 손질해서 그럴싸하게 만드느라 저는 남편 얼굴을 낮이고 밤이고 보기 힘들다는 문제가 남지요."

"그래도 이 공공사업 덕분에 당신과 내가 입에 풀칠이나마 하면서 안정적인 가정을 꾸릴 수 있게 되었잖소."

로드니는 미소 띤 얼굴로 아내를 바라보았다.

"최소한 아이가 태어나서 비바람을 피할 수 있는 집도 생겼고. 그러니 이 일에 더 애착이 갈 수밖에. 나에게 숨통을 틔워 준 일이니 그만큼 최선을 다해서 아름답게 만들고 싶어."

로드니는 샌드위치를 하나 더 입에 욱여넣은 후 소매로 입가를 쓰윽 닦았다.

"그나저나, 오후에는 내 그림들이 잘 있나 화랑 주인에게 다녀올 생각인데, 기다리지 말고 일찍 자. 문단속 잘하고."

로드니는 걱정스럽다는 듯 말했다.

"전에 살던 집 옆에 살던 노파는 겨우 50센트 빼앗기지 않으려고 용쓰다가 살해당했어. 결혼 전에야 혼자 사는 몸이니 슬럼가에 아무렇지도 않게 살았지만, 이젠 당신은 홑몸도 아니고, 형편이 좋아져서 이사하기 전까지는 조심해."

"당신도 조심해요. 항상."

"그래도 벽화가 그려진 곳은 분위기가 밝아져서 그런가, 사람들도 많이 다니고 하면서 강도가 적어졌어. 그러니 너무 걱정하지 말고. 항상 조심할게."

"이야. 여기서 또 만나네요. 도시락 가져다주고 돌아가시는 길? 마침 저도 배달하고 가는 길인데 같이 가실래요?"

로드니와 조앤에게 옆집 이웃 빵 가게 부부가 인사를 해왔다.

"아니, 빵 가게가 빵은 별로 굽지 않던데 무슨 배달을 맨날 다닙니까?"

"그러게 말입니다. 하하. 나름 벽화 덕분에 분위기가 밝아졌다고는 해도 혼자 돌아다니기는 그러니까 앤더슨 씨 부인도 그렇게 혼자 다니지 마시고 저희 배달 나갈 때 같이 움직이십쇼. 저희야 늘 가는 배달, 같이 다니면 좋죠."

빵 가게 부부의 말에 조앤은 미소를 지었다.

"늘 신경 써 주셔서 고마워요. 그래도 배달할 때 방해될지 모르는데 조심해서 다닐게요."

"아닙니다. 저희야 늘 하는 일인데, 부담 없이 동행해 달라 하십시오."

로드니는 조앤을 챙겨 주는 빵 가게 부부에게 손을 흔들었다.

슬럼가가 번화가가 되어 가면서 가장 좋은 것은 괜찮은 이웃들이 생기기 시작한 것이었다.

로드니는 아내를 집으로 배웅해 주고는 돌아서서 화랑으로 향했다.

화랑 주인이 믿을 수 없는 말을 했다.

"어느 귀족이 와서 그림을 헐값에 다 사 갔어."

그 말에 로드니는 화랑 주인의 멱살을 잡았다.

"왜 파셨습니까? 제가 형편이 닿는 대로 돈을 마련해서 그림을 되찾아 가겠다고 했잖습니까?"

그가 벌컥 화를 내자 화랑 주인이 대답했다.

"그 양반이 악성 재고로 불리는 인지도 낮고 암울한 그림만 모조리 사 갔다네."

화랑 주인은 신난다는 식으로 말했다.

"덕분에 지지리도 안 팔리던 것들을 쉽게 처분했지. 티끌 모아 태산이라고 둬 봤자 골치만 아픈 것들 차라리 잘되었지 뭔가."

로드니는 화랑 주인의 멱살을 잡고 흔들며 말했다.

"제 분신과도 같은 그림들을 어쩌자고 동의도 없이 팔아치우셨습니까! 어떻게 그린 줄이나 아십니까?"

주인은 쓴웃음을 지으며 말했다.

"너무 열 내지 말게나."

그는 여전히 들뜬 목소리로 로드니에게 말했다.

"신흥 귀족인 것 같은데 세상 물정을 모르는지, 아니면 그걸로 재테크가 된다고 생각했는지 여기 말고 딴 화랑에 있는 칙칙한 그림이란 그림은 죄다 사들였다지 아마."

로드니는 심장이 쿵 하고 나락으로 떨어져 내리는 기분이 들었다.

"요즘 화랑 주인들끼리 그 정신 나간 귀족 때문에 말이 많아."

화랑 주인은 선심이라도 쓰듯 말을 덧붙였다.

"정 그림을 되찾고 싶으면 그 그림을 사 간 귀족에게 따지게나. 다만, 그 양반이 조건을 걸었네. 화가들의 동의서를 받지 않고 다량으로 사 가는 대신 낱개로 환불은 하지 않는다고."

화랑 주인은 여전히 신난 목소리로 말했다.

"만약에 로드니 자네의 그림을 되돌려 받고 싶다면 그자가 사 간 다른 화가들의 그림까지 전부 다 환불해 줘야 한다네."

로드니의 얼굴이 흑색으로 변해 가는 것을 보며 즐거워하는 것도 같았다.

"그렇게 하면 다른 화랑들도 가만히 있지 않을걸?"

로드니는 유들유들하게 웃는 화랑 주인의 얼굴을 보며 발끈했다.

"제가 빚을 갚는다고 그림을 압수당한 것이지 그것을 당신에게 양도한다는 계약서를 쓴 적이 없지 않습니까?"

너무 화가 난 나머지 로드니의 목소리는 떨리기까지 했다.

"저 말고 다른 화가들도 마찬가지입니다. 계약서도 없이 빼앗긴 그림이 부지기수인데 꼭 이렇게 하셔야 했습니까?"

화랑 주인은 전혀 미안한 기색도 없이 말했다.

"법대로 하고 싶으면 법대로 하든가. 하지만 그 뒤로 나를 비롯한 다른 화랑에게도 그림 위탁하는 것은 포기해야 할거네."

주인이 내민 명함에는 루카스 버틀러라는 이름이 적혀 있었다.

로드니는 그 이름을 확인하자마자 이를 갈았다.

'젠장, 아르티드가 놈들…….'

로드니는 그날부터 자신과 마찬가지로 그림을 처분당한 화가들을 찾아다녔다.

보아하니 신경향의 사조를 가진 엔레비나 미술대 출신 화가들의 그림을 깡그리 긁어 간 모양이었다.

그들의 손에는 푼돈만이 쥐여졌을 뿐. 간신히 물감값이나 건지면 다행이었다.

로드니는 벨라가 그림을 사 가면서 자신에 대한 부채감으로 고가에 그림을 사 갔으면 당장 고향으로 혼자 내려가서 난동이라도 부릴 작정이었다.

그런데 정반대로 헐값에 박박 긁어 갔다니 어처구니가 없을 지경이었다.

그 바람에 분노한 로드니가 동료 화가들을 찾아다니며 그림을 돌려 달라고 함께 행동하자고 설득을 하는 과정에서 화가들은 그의 방문을 기뻐했다.

"사실 화랑 주인에게 가져다 쓴 돈이 꽤 되어서, 그 돈을 갚으라고 하느니 그냥 나는 묻어 버리고 싶다네."

맥 빠지는 소리에 로드니는 어금니를 꽉 깨물었다. 그러나 동료 화가는 로드니의 눈치를 보다 조심스레 말을 이어 갔다.

"그보다 자네 공공사업으로 잘나간다지? 자네가 다른 화가들에게도 벽화 그리는 일을 알선해 줬다던데. 나도 어떻게 안 될까?"

로드니는 동료 화가들의 딱한 환경에 그저 혀만 찰 뿐이었다.

다들 자존심이 세서 다른 일은 하지도 못하고 집에서 돈도 못 벌면서 그림만 그려 대는 사람들이다 보니 생활고가 이루 말할 수 없었다.

비가 새는 작업실, 그려도 팔리지 않아 가득 쌓인 그림들, 자신의 그림을 밖에 내보이고 싶어도 돈이 없어 전시관을 빌리지 못하는 처지. 오늘 굶어 죽을지 내일 굶어 죽을지 모를 궁핍한 환경.

같이 아르티드가에 쳐들어가자고 시작한 동료 화가들의 집 방문이었는데 어느새 정신을 차리고 보니 자신은 신경향 화가들의 하소연을 들어 주는 상대가 되고 있었다.

딱히 별 뾰족한 수가 없자 로드니는 슈르츠 공작 부인과의 면담을 신청했다.

이제 벽화 사업이 거의 끝나 가고 있었다. 당장 벽화 사업이 끝나면 자신도 더 할 일이 없을뿐더러 자신이 불러다 놓은 동료 화가들의 밥벌이 거리도 끝이었다.

미술에 조예가 있는 것 같으니 다른 일거리라도 달라고 통사정을 해 볼 생각이었다.

뒷배경이 든든한 사람도 슈르츠 공작 부인 같은 거물급 귀족은 면담 한 번 신청하기도 힘들었다.

그런데 공작가에 면담을 신청하자 신기하게도 다른 일정을 당겨 가면서까지 흔쾌히 그의 면담을 받아들여 줬다.

이게 꿈인지 생시인지 알 수가 없어서 얼떨떨한 기분으로 로드니는 공작저에 발을 내디뎠다.

"벽화 사업을 잘 진행해 주어서 고마워요."

얼굴 한번 보기 어렵다는 공작 부인이 활짝 웃으며 로드니를 반갑게 맞아들였다.

"일단 길이 아름다워지니까 구경꾼들이 많이 생겨서 그 일대 땅값이 올랐어요."

그 말에 공작 부인이 기분 좋은 이유를 깨달았다. 공작 부인은 스스로 생각해도 의외였는지 너털웃음을 지었다.

"나 원 참, 판잣집이 뭐가 그리 좋다고 웃돈을 주고 거기 살고 싶다고 하는지……."

그녀는 만족스럽다는 듯 말했다.

"그림들 덕에 그 일대에 관광 여행이 생기고 가게들이 생긴 거 알아요? 이럴 줄 알았으면 진작에 벽화 사업을 진행할 것을. 로드니 씨, 고마워요."

공작 부인은 진심으로 기뻐하고 있었다.

"재개발하려고 내버려 뒀던 곳이었는데 벽화 길이 생긴 이후로 범죄율이 줄어들고 실업률도 줄어들었어요."

로드니는 그저 얼떨떨한 기분이었다.

"게다가 더욱 좋은 것은 그쪽 언덕에 젊은 화가들이 모여들면서 음악가니 무용가니 하는 사람들도 일대에 몰려들었다는 점이죠."

공작 부인은 다시금 활짝 웃었다.

"탁월한 선택이었다고 황제 폐하께 치하까지 받았답니다. 조만간 로드니 씨에게도 훈장 하나 돌아갈 테니 그렇게 아시고요."

공작 부인은 생각났다는 듯 말을 마저 이어 갔다.

"아 참, 다른 귀족분들이 그러시더군요. 그 벽화 길 작업에 참여한 화가들의 명단 좀 달라고요."

들으면서도 믿겨지지가 않는 말이었다.

"자기네 영지에도 모델 삼아서 도시 정비 사례의 모범으로 삼겠다고 합니다. 벽화 길 화가 협회 회장이 누구냐고 묻길래 저는 로드니 씨밖에 몰라서 당신을 추천했어요. 조만간 다른 영지의 귀족들에게서도 연락이 갈 겁니다."

로드니는 이것이 꿈인가 생시인가 실감이 들지 않았다.

늦여름을 아쉬워하는 매미 울음소리가 맴맴 하고 울려 왔다. 벨라는 테라스에서 탁 트인 정원을 바라보며 과일 셔벗을 맛있게 먹고 있었다.

"아이, 시원해!"

벨라의 눈에 하트 빔이 뿅뿅거렸다.

'눈처럼 차갑고도 우유처럼 부드럽고 입 안에서 사르르 녹는 과일 맛이란.'

"역시 샐리가 최고야."

벨라는 두 뺨에 손을 얹고 고개를 이리저리 기울이며 행복감을 만끽했다.

그 모습을 힐끔 바라본 루카스는 집무실 의자에 걸터앉아 읽고 있던 월간지에 마저 시선을 돌렸다.

월간지에는 황제 폐하와 한자리에 서서 뽐내고 있는 슈르츠 공작 부인의 사진과 함께 예술인의 거리 이야기가 대서특필되어 있었다.

문화에 조예가 깊은 황제 폐하, 그리고 미술을 특별히 애호하여 장기적인 안목으로 도시의 구조와 중심지를 바꿔 버린 현명한 공작 부인, 그의 뜻을 정확하게 짚어 내어 빛나는 문화 발전을 충실히 이행한 문화부 장관.

"혀엉!"

이안이 구둣발 소리를 쿵쿵거리며 들어왔다.

"노크."

루카스가 쳐다보지도 않고 말했다. 그 말에 이안은 뒤로 몇 걸음 물러나 입구에서 문을 두들겼다.

"형. 이제 됐어?"

루카스는 대답이 없었지만, 이안은 성큼성큼 들어왔다. 그리고 루카스가 무엇을 읽는지 확인하고는 자신이 들고 있던 월간지를 책상에 휙 던졌다.

"에이. 재미없어. 제일 먼저 들고 왔다고 생각했는데."

이안은 루카스의 월간지에 보이는 공작 부인의 사진을 보더니 훗 하고 웃었다.

"공작 부인 얼굴이 참 두께만큼이나 넓네."

"말조심!"

루카스의 말에 이안이 투덜거렸다.

"말이야 바른말이지 그거 다 우리 아가씨 아이디어 아냐."

이안은 불만스럽다는 듯 눈썹을 찡그렸다.

"벽화 사업 비용 아가씨가 낸다고 시작만 좀 대신해 달라고 하니깐 생색내듯이 대역만 서더니 그게 뜨니까 전적으로 자기 선견지명 때문에 그런 척하기는."

이안은 다시 사진을 쳐다보았다.

"공작 부인 표정 봐. 두꺼비가 따로 없네."

이안이 창가에서 테라스의 벨라를 바라보았다. 벨라는 셔벗을 한 입, 그야말로 온몸으로 경탄을 표시해 가며 행복하게 먹고 있었다.

“아무리 봐도 그저 꼬마 아가씨인데. 우연일까? 아니면 정말로 선견지명을 가지고 태어난 것일까?”

이안의 푸른 눈이 벨라의 얼굴을 빤히 응시했다.

“벽화 사업 돈 댄다고 떼쓸 때는 그저 땅바닥에 드러누워서 팔다리 허우적거리는 것이 세 살짜리도 그런 떼는 안 부릴 것 같더니만, 미리 사 둔 그림 값이 오르고 있는 건 알까?”

이안은 놀랍다는 듯 어깨를 으쓱했다.

“벽화 사업에 드는 어마어마한 돈의 규모나 실감하고 저러는 것인지 궁금했는데, 그 벽화 사업을 만회하고도 남게 그림값이 폭등하다니.”

이안은 고개를 흔들었다.

“헐값으로 사들인 그림 중에 르네상스 시대의 잘 알려지지 않은 천재의 그림도 있고, 지난달 세계 예술 박람회 때 1등 상을 받은 작가의 그림도 있고. 선구안이란 것이 정말 있는 걸까?”

이안은 감탄을 내뱉었다.

“아무리 봐도 우리 아가씨는 천재야, 천재!”

그러고는 창밖을 쳐다보며 다시 어깨를 으쓱했다.

“떨이로 산 종이 나부랭이가 이렇게 비싼 가치를 가질 줄 누가 알았을까?”

이안의 말에 루카스는 여전히 월간지를 꼿꼿한 정자세로

한 장 한 장 넘겨 읽으며 말했다.

"자꾸 꼬마 아가씨, 꼬마 아가씨 하지 마라. 이제 사교계 데뷔하실 나이다. 전에는 열다섯 살이면 결혼도 했다."

마지막 장을 넘기며 루카스는 고개를 들어 이안을 바라보았다.

"그리고 그림 가격이 오르든 오르지 않든, 우리가 그 일로 손해 본 사실은 변함없다. 아가씨께선 모으신 그림을 팔지 않으실 작정이라 하셨다."

"에엑? 그럼 그림 가격이 지금보다도 더 오른다는 뜻?"

이안의 눈이 휘둥그레졌다.

루카스는 다 읽은 월간지를 책상 위에 놓으며 말을 이어갔다.

"아니. 아가씨께서는 전시장을 만드실 작정이시다."

루카스의 말에 이안의 눈썹이 꿈틀했다. 그 아까운 것을 왜? 라는 듯한 표정이었다. 그러거나 말거나 루카스는 다시 입을 열었다.

"1층은 미술 작품을 전시하는 전시회장, 2층은 로드니를 비롯한 신경향파 화가들과 빛을 못 보고 묻혀 있던 고전 그림들의 상설 전시장으로, 3층은 로드니가 미술 협회를 차리든 미술 교육 기관을 만들든 마음대로 쓰라고 말이다."

잠시 말을 끊은 루카스는 이안에게 다짐을 받듯 뒷말을 이어 갔다.

"언젠가 자기 그림 내놓으라고 로드니 앤더슨 씨가 이곳을 찾아오면 주라고 관련 서류를 작성해 놓으셨다."

이안의 눈이 더욱 커졌다.

"그때까지 아무에게도 발설하지 말라고 당부하셨으니 조심하도록."

이안의 입이 헤 하고 벌어졌다.

"도저히 어린아이의 생각이라고 할 수가 없는 일인데? 우리 아가씨 천재인데 정말?"

이안의 감탄사는 계속 이어졌다.

"형, 앤더슨 씨는 정말 모르고 있는 건가? 유명세 치르면 강도당할까 봐 경호해 줄 이웃까지 만들어서 주변에 배치해 둔 것까지 말야. 그 정도 했으면 눈치를 못 챌 수가 없을 텐데."

벨라는 이안의 목소리가 워낙 커서 엿들으려고 한 것이 아닌데 본의 아니게 듣고 말았다.

'네 목소리 다 들려'라고 말할 수도 없고 뒤통수가 뜨끔한데 뒤돌아볼 수가 없었다.

과거에 일했던 술집 거리를 루카스와 함께 마차로 지날 때 벨라는 낯익은 얼굴을 발견했다. 다른 창부들과 함께 '찌질이'라고 통칭하던 귀족이었다. 그는 술집에 오면 늘 자기가 과거에 얼마나 잘나갔었는지 일장 연설을 늘어놓았다.

그가 늘 자랑스럽게 말하던 일 중 하나가 '예술가의 거리'를 조성한 일이었다.

그 혁신적인 성과 하나가 벽화였다.

물론 그는 제대로 된 화가가 아닌, 아무 데서나 아무 일꾼을 불러서 페인트 통을 쥐여 주고 칠하게 시켰다.

그런데도 그 기획이 시대의 흐름에 맞춰 잘 먹힌 탓에 그거리가 번화가가 되면서 그 일대에 예술가들이 몰려가 살면서 예술가의 거리가 되었다.

그러나 곧 그곳의 가게들이 번창하고 땅값이 오르자 예술가들은 더 싼 집을 찾아 이사했고 그곳엔 또 그 나름대로 상권이 형성되었다.

다른 것은 몰라도 늘 그 술 취한 찌질이는 맨 마지막엔 벨라의 몫이었으므로 그 당시에 같은 넋두리를 듣고 또 들어야만 했다.

벨라가 마차를 타고 가다 옛 술집이 그대로 있는 풍경을 보다가 우연찮게 보게 된 그 익숙한 남자 덕에 떠올린 게 벽화 사업이었고, 벽화 사업이 발로 그림 그려도 어차피 성공할 건데 로드니를 들이밀어 보자고 생각한 것이 딱 맞아떨어졌던 거였다.

본래는 로드니의 그림을 화랑에서 찾아 주려고 루카스와 함께 그 화랑에 갔다.

그러고는 '르네상스 시대의 숨겨진 명작'이라며 발견되자마자 엄청난 가격으로 폭등해 버린 '행운의 그림'이 구석진 자리에 먼지를 뒤집어쓰고 있는 것을 보았다.

그 역시 그 찌질이가 술만 처먹으면 '내가 그 그림을 샀어야 했는데'라고 지긋지긋하게 주사를 부리던 기억에 눈에 딱 띄었다.

그래서 그림들을 열심히 둘러보니 술집에도 흔하게 걸려 있던 유명한 그림들이 이곳에 대량으로 처박혀 있음을 깨달았다.

그것을 헐값으로 샀을 뿐이었다.

뒤늦게 그림값을 알고 화랑이 소송을 제기하지 않도록 법적인 서류를 완벽하게 구비하는 것은 루카스의 몫이었다. 그뿐이었다.

벨라는 자신의 아픈 과거가 조금은 쓸모가 있었다는 생각에 문득 코끝이 시큰해졌다.

순간 빅터가 벨라의 곁에 다가왔다.

"아가씨, 쪽지 시험 결과를 들고 왔습니다."

셔벗을 먹고 있다가 즐거운 얼굴로 벨라가 뒤돌아봤다.

"응? 몇 점이야?"

"빵점입니다. 빵점. 이 점수를 맞고도 셔벗이 목구멍으로 넘어가십니까?"

"으익!"

벨라가 숟가락을 입에 문 채 눈물을 글썽거려 보았으나 소용이 없었다.

"아가씨, 틀린 문제를 다시 맞힐 때까지 외출 금지입니다."

"너무해! 몇 번 있지도 않은 외출 시간 이렇게 까 버리면 나는 어찌 살라고!"

"그러게 왜 그리 당당하게 빵점을 맞으십니까! 아가씨, 책을 처음부터 다시 외우겠습니다."

"안 돼! 악!"

벨라의 비명에 맞춰 푸딩이 웡웡 하고 짖어 대었다.

수도 브릭에 가서 로드니와 실랑이 끝에 빈손으로 돌아왔다. 벽화 사업 후원 건과 신경향파 화가들의 저평가된 그림들을 몽땅 사들이는 것으로 소동을 일단락하고 나머지는 수도에서 알아서들 하겠거니 하고서 공부에 전념했다.

벨라는 루카스에게 벨라시아 저택이 있는 수도의 변두리 일대의 땅과 상가를 사 두라고 말해 두었다.

"벨라시아 저택 뒤쪽의 거리는 슬럼가는 아니지만, 수도의 서민들이 사는 비교적 저렴한 지역입니다. 그곳을 사들이라 하시는 이유가 무엇입니까?"

루카스의 말에 벨라는 설명할 거리가 궁색해서 둘러댔다.

"그냥. 그 동네가 마음에 들어. 다 사들여."

루카스는 뚱한 표정을 지으며 말없이 벨라를 쳐다보다가 고개를 끄덕였다.

"알겠습니다."

벨라는 차마 루카스에게 말은 하지 못하고 그 이유를 일기장에 적었다.

과거의 일들이 조금씩 기억날 때마다 몰래 숨겨 둔 자신의 일기장에 연도와 주요 사건을 적어 놓았다.

'이제 예술가의 거리는 일대 번화가가 될 거야. 그러면 그 자리는 화장품과 옷가게가 들어서고.'

벨라는 잠시 한숨을 쉬었다.

'정작 예술가들은 임대료가 비싸져서 이사하겠지. 내가 벨라시아 주변의 임대료를 오르지 않게 막아 두면 자연스레 이쪽을 제2의 예술가의 거리로 만들 수 있는걸.'

잠시 곰곰이 생각해 본 후 벨라는 일기장을 멍하니 들여다보았다.

'루카스에게 미리 말해 봐야 어린아이 떼쓰는 거라 오해할지 몰라. 로드니 같은 사람들이 자꾸만 밑바닥 인생으로 곤두박질치지 않게 하려면 이게 최선이야.'

벨라는 미래에 있을 일을 걱정하느라 밤잠 못 이룰 때도 있었다. '어차피 미리 걱정해 봐야 닥치지 않은 일이라 지금이라도 이 평화를 누리자…….'라고 생각했는데 빅터가 지나치게 열정적이었다.

특히나 벽화 사업 건과 그림값 폭등 이야기를 전해 들은 빅터는 "우오오오오옷!" 하는 괴성을 내질렀다.

"우리 아가씨의 천재적인 안목과 심미안을 길러 줘야 합니다!"

조용히 지내자 했던 생각과는 달리 벨라는 죽도록 공부만 한 기억으로 매일매일을 채워야 했다.

벨라는 한쪽 벽에 적힌 문구를 보았다.

[장례 히망을 쓸라구 헷는대 웬지 글로 쓸라니 앖돼어여. 감기가 낳고 나서 시험시험 쓰면 앖될까여? 골이따분한 거슨 쓰기두 개민망하구, 문안한거가 먼지두 몰르게꾸, 선생님은 일해

라 절해라 말씀하시는개 쉽갰지만 저는 아는거시 절떼 업써서 와방 민망해여. 어뜨케 쓸지 몰갰네양. 신의과오가함게잇기를. 안녕이개새오.]

그것은 삐뚤빼뚤하게 적은 벨라의 작문 숙제였다.

아마 회귀한 지 얼마 안 되었던 시점이었던가.

그 숙제를 본 빅터는 그야말로 입에 게거품을 물고 뒤로 휘청했다. 그는 벨라가 공부하기 싫어하면서 흐트러질 때마다 꺼내서 읽어 주려다 정작 자기 얼굴이 시뻘게져서는 뒷덜미를 움켜쥐고 괴성을 지르기 일쑤였다. 그러더니 어느새 그 글을 필사하여 사방팔방에 붙여 놓았다.

그리고 그 글 밑에 이렇게 적어 놓았다.

[항상 마음이 느슨해질 때마다 이 글을 바라보십시오. 공부를 게을리하시면 이 글을 가보 삼아서 아가씨의 후대에 길이 전해 드리겠습니다.]

벨라는 빅터의 메모를 보며 고개를 저었다.

'왜 저런 글을 피아노 앞에까지 붙여 놨담.'

"악보에 집중해 주세요."

음악 교사 리아나 존스는 샐리의 먼 친척쯤 되는 인물로 기본적인 피아노 솜씨밖에 없지만 성실한 사람이었다.

벨라는 문득 과거에 자신이 무척 좋아했던 음악 선생, 트리스탄을 떠올렸다.

언변이 뛰어나고 서글서글했던 그는 벨라에게 폭풍 칭찬을 남발했다는 흠이 있었지만, 벨라의 이야기를 무척 잘 들어 줬다.

그는 피아노도 수준급으로 연주할뿐더러 작곡도 잘해서 벨라에 자작곡을 들려주기도 했었다. 하지만 그는 루카스와 대판 싸우고 그의 미움을 받아서 짐 싸 들고 나갔다.

'가지 말라고 그의 여행 가방을 붙들고 얼마나 울었는지…….'

피아노 소나타 연주곡을 느릿느릿 연주하고 있는데 밖이 소란했다.

이윽고 노크 소리가 들리더니 음악실의 문이 열렸다.

"아가씨, 나와 보셔야 할 것 같습니다."

브렌다가 벨라에게 소식을 전했다.

"숙부님께서 방문하셨습니다."

벨라는 그 말에 화들짝 놀랐다.

"평소라면 루카스 선에서 거절되었을 텐데. 무슨 일이지?"

벨라가 현관을 나서려 하자 루카스가 들어와서 그녀에게 물었다.

"숙부님께서 손님과 함께 방문하셨습니다. 어찌하시겠습니까?"

벨라는 저택 입구에 서 있는 사람들을 보고 그만 우뚝 멈추어섰다.

찰스 숙부가 벨라를 보고 손을 흔들었다.

그리고 그 뒤에 서 있는 사람은 트리스탄과 벤자민이었다.

과거에 벨라의 피아노 선생이었던 트리스탄.

그리고 벨라에게서 위임장을 받아 내자마자 돌변했던 벤자민.

찰스 하나만 나타나도 머리가 복잡할 판에 끔찍한 셋이 한꺼번에 나타났다.

벨라의 눈동자가 흔들렸다.

언젠가 그들과 맞닥뜨릴 순간이 오리라고 믿었지만, 지금은 너무 빨랐다.

'저택에서 일어나는 모든 흉흉한 사건들이 트리스탄의 짓입니다. 트리스탄을 내보내야 합니다.'

'벤자민은 찰스 님의 사주를 받고 접근한 정황이 있으니 멀리하십시오.'

당시에 루카스는 벨라를 뜯어말렸지만, 그녀는 '증거를 가져와!'라며 그의 말을 전혀 듣지 않았다.

'그랬었는데…….'

버젓하게 그 셋은 한날한시에 그리젤리에 나타났다.

'기가 막혀. 셋이 한패라는 것을 이렇게 드러내도 되나?'

벨라의 움켜쥔 주먹이 저절로 부들거렸다. 그 모습을 보고 루카스가 말했다.

"돌려보낼까요?"

벨라는 고개를 저었다. 그러곤 입술을 깨물었다.

'떼로 몰려온 이유라도 알아볼까? 슈르츠 공작가의 일처럼 루카스가 난처한 상황이 된 걸까? 루카스는 힘들어도 내색을 안 하니까 알 수 없잖아.'

찰스가 뒷짐을 진 채 그리젤리 저택 안으로 들어왔다.

“숙부님, 오래간만이시네요?”

벨라의 인사에 찰스는 헛기침하며 집 안으로 성큼성큼 들어가 제멋대로 구경하기 시작했다.

“숙부님, 차를 대접해 드리겠습니다. 응접실로…….”

“아. 조카가 어떻게 사는지 한번 둘러보려고 그런다. 신경 쓰지 말아라. 숙부로서 그간 챙겨 주지 못한 것을 이렇게라도 만회하고 싶어서 그러는 것이니.”

말과는 달리 그는 어디에 무엇이 있는지 새겨 넣듯이 곳곳을 둘러보았다.

벨라는 미간을 찡그리며 뒤를 따라 들어오는 두 인간을 바라보았다. 검은 머리가 이마를 가리는 미청년 분위기의 트리스탄은 벨라와 시선이 마주치자 순수한 소년 같은 미소를 지어 보였다.

“아. 인사해라. 특별히 수도에서 초빙해 온 너의 예절 및 사교댄스 선생님이시다. 앞으로 너의 사교계 데뷔를 도와주실 거다.”

벨라의 입술이 실룩거렸다.

‘분명히 음악 선생이었잖아. 그런데 예절, 사교댄스 선생이라니!’

벨라는 과거에 트리스탄이 찰스 숙부가 디민 사람이란 말을 믿지 않았었다.

유일한 나의 편이라 생각해 소중히 간직한 추억들이 시꺼멓게 바스러져 가는 듯했다.

"교사는 저희 쪽에서 알아서 준비한다고 말씀드렸습니다만."

루카스의 목소리가 들려왔다.

"알아서 준비한다면서 여태 사교댄스도 가르치지 않고 수도의 사교계에서 쓰이는 예절에 대해 연습시키지도 않는가? 오죽하면 숙부인 내가 이렇게 애가 달아서 선생을 마련해 오지 않았겠나."

그러더니 숙부는 뒤돌아서서 벤자민에게 눈짓을 했다.

"이쪽은 프로스트 백작가의 후계자인 벤자민 영식, 사교계에서 가장 뜨거운 관심을 받는 분이지. 사교계 데뷔탕트를 이끌어 주실 멋진 파트너로서 말이야."

벨라의 어깨가 부들부들 떨렸다.

벤자민의 가느다란 눈매가 벨라의 위아래를 훑었다.

과거엔 숙부와 벤자민은 각자 아무 연관도 없다며 모르쇠더니 대놓고 끌고 온 저의가 불쾌했다.

'그러니까, 둘 중 하나는 걸려라였던 건가? 내가 트리스탄 선생을 보고 반하든, 벤자민을 보고 반하든, 나를 남자로 낚아서 마음대로 하려고!'

가슴이 벌렁거려서 숨 쉬기가 힘들었다.

특히나 벤자민의 그 역겨운 면상을 바라보고 있는 것은 짧은 순간이라도 괴로웠다.

"충분히 저희 쪽에서도 준비하고 있었습니다. 그러니 더 이상의 참견은 하지 말아 주십시오."

루카스의 언성이 약간 높아졌다. 무표정해도 극도로 화가 난 것처럼 보였다.

"참견하지 않게 해 놓고서 참견 타령을 하던가! 트리스탄 씨, 여장을 이곳에 푸십시오. 그리고 내년 벨라가 사교계에 데뷔할 때 벨라와 함께 수도로 올라오면 됩니다."

찰스는 고개를 돌려 옆을 쳐다보았다.

"벤자민 영식, 부디 미숙한 벨라의 파트너로서 데뷔탕트를 멋지게 이끌어 주십시오."

정중한 말과는 달리 찰스의 이마에 힘줄이 툭 불거졌다.

"꼭 이렇게 하셔야겠습니까?"

루카의 말에 찰스가 눈을 반짝였다.

"당신을 못 믿겠어. 내 조카를 쥐고 흔드는데 어느 숙부가 맘 편히 수수방관하고 있겠나?"

찰스의 생쥐 같은 눈이 빛났다.

"나는 트리스탄 선생에게 내 조카의 학대 사실 여부를 조사하는 것도 맡길 거요. 각오하는 것이 좋을 거외다."

루카스가 싫습니다, 라고 말하기도 전에 찰스가 뒷말을 덧붙였다.

"그렇게 떳떳하면 트리스탄 선생의 관찰을 받아들이시오. 트리스탄 선생은 수도에서도 이름난 예법 선생이고, 초빙하기도 힘든 사람이라 그란첼가에서 어렵게 모셔 왔지."

찰스는 뻔뻔하게도 말했다.

"내 조카를 잘 돌보고 있다면 내년에 얼마나 우아하게 사교계에 데뷔하는지 보여 달란 말이오."

루카스의 눈썹이 미세하게 찡그려졌다. 그는 무언가 곰곰이 생각하는 눈치였다.

"싫어!"
벨라는 우렁찬 고함을 내질렀다.
다들 화들짝 놀라 벨라를 쳐다보았다.
"싫어! 절대로 안 한다고요!"
하나도 아니고 둘이다.
'끔찍하게 마주하기 싫은 두 인간이 데뷔탕트를 돕는다고?'
벨라는 얼굴이 새파랗게 질렸다.
"차라리 데뷔탕트를 포기할래요!"
"허튼소리 마라!"
찰스는 정색을 했다.
"귀족 사회가 얼마나 좁은데! 남들은 데뷔탕트 준비를 괜히 공들이는 줄 아느냐? 다 생존을 위한 방법이다!"
찰스는 자신이 정의로운 숙부인 양 확신에 차서 소리쳤다.
"이 간악한 자들이 너의 눈과 귀를 가리기에 선생과 파트너를 초빙해 온 것이다. 네가 데뷔탕트 기회를 포기하는 것은 아르티드가의 얼굴에 먹칠하는 것과도 같다!"
"싫어요! 안 해요! 그까짓 데뷔탕트 안 한다고 세상이 두 쪽 나는 것도 아니고! 이 선생에게서는 배우지 않고 저 파트너의 곁에도 가지 않을 겁니다!"
벨라의 반항에 찰스는 눈썹을 찡그렸다.
"막무가내로 들이닥쳐서 숙부님의 생각을 강요하지 마시고 이만 돌아가 주세요!"
저 뱀 같은 인간이 그리젤리에 발 딛는 것을 허락한 것은 실수였다.

마지막은 다정하게
I

D&C BOOKS

마지막은 다정하게
I

D&C
BOOKS

"슈르츠가의 영식께서 이미 데뷔탕트 무대의 파트너가 되어 주시기로 약속하셨습니다만."

루카스의 말에 그는 버럭 역정을 내었다.

"거짓말! 자세히 알아보고 왔다!"

루카스는 무표정한 얼굴로 입을 열었다.

"공작가에서 데뷔탕트를 도와줄 수 없다는 서신을 받아서 가져오셨습니까?"

"그런 것은 아니지만 공작가에 들러서 파트너 요청을 받았는지 확인하고 왔다."

자신을 노려보는 시선에도 아랑곳하지 않으며 루카스는 대답했다.

"공작 부인께서 벨라 아가씨를 계속 지켜보시겠노라고 약조하지 않으셨습니까? 아가씨의 데뷔탕트 무대도 공작 부인께서 조언을 아끼지 않으시겠다는 서신이 여기 있습니다만."

루카스는 품에서 공작가의 인장이 새겨진 서신을 꺼냈다. 찰스는 짜증스러운 표정으로 루카스의 손에서 서신을 낚아챘다.

[……벨라가 나날이 아름답게 자라나는 것은 고모할머니로서 흐뭇한 일이기도 합니다. 저도 도울 수 있는 것은 무엇이든 도울 예정이니 언제든 말해 주세요, 루카스 버틀러 경. 예를 들면 우리 가문의 후계자를 파트너로 동행하는 것 등등……]

글을 읽어 내려가는 찰스의 표정이 누리끼리하게 물들어

갔다.

“아직 회신하지 않았으므로, 공작가에서는 모를 수 있는 일입니다. 하지만 슈르츠가의 영식을 데뷔탕트 파트너로 요청하는 답장을 막 보낸 참입니다.”

찰스의 눈빛이 당혹감에 흔들렸다.

“그러니 감사하지만 이만 돌아가 주십시오.”

루카스의 말에 찰스는 미간을 찡그리고 있다가 질 수 없다는 듯 소리쳤다.

“파트너야 먼저 정하면 그만 아닌가! 숙부의 정성을 이렇게 모욕하고도 무사할 성싶은가?”

안 되겠다 싶었는지 무작정 화부터 내고 보았다.

“어디서 하늘 높은 줄 모르고 고용인 따위가 감히 나를 오라 가라 하는 건가! 절대로 그냥은 돌아갈 수 없다. 귀족을 모욕한 죄를 묻겠다.”

어처구니가 없어서 벨라는 입술을 바르르 떨었다.

“대체 어디가 귀족을 모욕했다는 거죠?”

“우리가 한가한 사람인 줄 아느냐? 어렵게 약속 잡아서 온 숙부와 너의 데뷔탕트를 도와줄 분들을 식사 한 끼 대접하지 않고 나가라 하는 것 자체가 귀족에 대한 심한 모욕이다!”

제 분을 못 이겨 고함지르는 찰스의 뒤에서 빈정거리는 소리가 들려왔다.

“어디서 푸딩이 짖나. 월월월.”

찰스가 머리끝까지 화가 나서 뒤돌아보았다.

이제 막 소작지를 돌아보다 왔는지 흙투성이인 이안이 속닥거렸다. 그간 벨라에게 빈정거리는 소리를 할 때는 문제될 것이 없었으나 지금은 상대가 달랐다.

찰스는 당장 이안의 턱이라도 날릴 기세였다.

"푸딩? 지금 이 몸을 푸딩이라 했나? 어딜 감히!"

벨라는 찰스가 이안을 때리려 한다면 몸이라도 날릴 생각이었다.

그 순간 큼직한 진흙투성이 개가 찰스를 덮쳤다.

"안 돼! 푸딩!"

벨라의 날카로운 비명이 허공을 갈랐다.

푸딩은 찰스의 어깨를 두 발로 눌러 자빠뜨렸다.

"푸디이잉!"

"이 더러운 걸레 뭉치 같은 놈이!"

찰스는 개가 자신을 공격하는 줄 알고 몸을 피하려다가 되려 턱을 푸딩의 머리에 들이받혔다.

"으악!"

"깨갱깨갱."

"나름 반갑다고 매달린 거예요! 공격하는 것 아니에요!"

벨라가 달려가서 보니 찰스의 고급 슈트는 푸딩의 진흙 앞발 공격으로 엉망이 되었고, 턱에 부딪쳐 놀란 푸딩이 그 자리서 오줌을 지리는 통에 그의 구두와 바짓단은 흥건했다.

죽겠다고 깽깽거리는 푸딩을 끌어안으며 이안이 속삭였다.

"나이스 푸딩! 밥값 제대로 했다."

"하아……, 미친다 내가."

벨라는 놀란 가슴을 추스르며 한숨을 내뱉었다.

어쩔 수 없이 찰스와 트리스탄, 벤자민이 하루 묵어 가기로 했다.

함께하는 저녁 식사는 체할 지경이었다.

"음식이 형편없군. 이런 질 낮은 음식을 먹인다니."

찰스는 졸지에 목욕하게 된 화풀이를 음식에 했다.

음식이 차갑네, 뜨겁네, 싱겁네, 짜네, 기타 등등…….

벨라는 더는 그 꼴이 보고 싶지 않아서 식사만 마친 후 일어서려 했다.

"하하……. 시장이 반찬이라 그런지 뭐든 속에 들어가면 포만감과 행복함을 느낍니다. 감사하며 먹고 있습니다."

트리스탄은 벨라에게 연신 눈짓을 하며 착한 인상을 주려고 했다.

벤자민은 무슨 꿍꿍이속인지 알 수 없었다.

프로스트 백작가의 후계자라는 말을 믿을 수가 없었다.

'후처 소생에, 재산 상속권이 없다고 하지 않았던가. 프로스트 백작가의 후계자만이 입을 수 있는 정복 차림이라 꺼림칙해. 혹시 사기 아닐까?'

다행히도 벤자민은 벨라와 그다지 시선을 마주치지도 않았고 말을 걸지도 않았다.

하지만 벨라에게 있어선 벤자민과 한자리에서 식사를 하

는 것조차 고문과도 같았다.

그의 얼굴을 보면 자꾸만 그를 죽이던 순간이 떠올라 저절로 손이 떨렸다.

'과거의 일이야. 지금 일어난 일이 아니야.'

벨라는 바짝 말라 가는 입술을 축이려고 연신 뱅쇼를 마셨다.

"벨라. 나와 함께 포르위네 성으로 가자니까, 끝까지 말을 듣지 않는구나. 언제까지 숙부의 정성을 무시할 거냐?"

벨라는 찰스 쪽을 쳐다보았다. 그러자 벤자민과 시선이 마주쳤다. 벤자민은 눈을 가늘게 뜨며 씨익 웃었다. 기분이 매우 나빴다. 벨라가 그를 찌를 때 마지막으로 짓던 그의 표정과도 겹쳐 보였다.

토할 것 같았다. 몸이 부들거려 도저히 앉아 있을 수가 없었다.

누가 뭐라 해도 상관없었다.

반사적으로 모든 것을 내버려 두고 도망치고 싶었다.

"벨라! 식사 중에 어딜 가는 거냐!"

찰스의 부름에도 불구하고 벨라는 정신없이 뛰어 제 방으로 달아났다.

"아가씨를 내버려 두십시오. 실어증에서 회복된 지 그리 오래되지 않았으므로 포르위네 이야기는 하지 마십시오. 금기어와도 같습니다."

루카스의 말에 찰스는 식탁을 두 손으로 내리쳤다.

"건방진 집사 따위가 뭐라는 거냐?"

"포르위네 성으로 돌아가실 겁니까? 그렇다면 배웅은 하지 않겠습니다. 하루 묵어 가실 거라면 이곳의 예법을 지켜 주십시오. 아가씨 앞에서 과거의 기억을 헤집으시는 것은 후견인으로서 허용하지 않겠습니다."

루카스는 지지 않고 말했다.

벨라는 불도 켜지 않고 피아노 앞에 앉아 있었다.

가슴에 비수가 꽂힌 듯 아팠다.

돌이켜 보건대, 어쩌면 트리스탄은 사춘기가 오기 전 살포시 지나가는 풋사랑 같은 것이 아니었나 싶었다. 당시엔 자각하지 못했지만 돌이켜 보니 연심도 있었던 것 같았다.

피아노처럼 벨라에게 있어 애증의 대상인 악기도 없었다. 트리스탄에게 배울 당시 다른 공부는 잘하지 않았어도 피아노만큼은 열심히 쳤다.

그땐 그랬다.

마치 지금 실연당한 듯 마음속이 복잡한 것을 보면 그랬던 것이 틀림없다.

잘 치든 못 치든 그는 늘 웃는 얼굴이었고 벨라에게 듣기 좋은 소리만 해 주었다.

열린 창으로 바람이 스쳐 갔다. 살랑이는 그 느낌에 고개를 돌려 보니 지난날의 트리스탄이 바로 옆에 앉아서 레슨을 해 주는 것만 같았다.

'아가씨는 손이 가늘고 길어서 마음만 먹으면 피아노를 능숙하게 칠 수 있어요.'

그는 벨라의 하얗고 긴 손가락을 칭찬해 주었다.

'자, 봐요. 손을 쫙 펼쳤을 때 닿을 수 있는 건반 수가 더 많을수록 좋은 피아니스트로서 유리한 조건을 가지는 거예요. 아가씨 자신을 믿어요.'

그의 칭찬이 받고 싶어서 열심히 피아노를 쳤던 어느 날, 그는 '엑설런트'를 외치며 노력의 보답으로 아름다운 선율을 연주해 줬다.

'처음엔 이렇게 서툴지만.'

그가 오른손 하나만으로 단조로운 선율을 연주했다.

'날이 갈수록 아가씨의 노력에 힘입어서.'

그가 왼손도 건반 위에 얹어서 화음을 맞추기 시작했다.

'이렇게 성숙해 가는 겁니다. 아름답게 아름답게…….'

그의 손놀림이 물 흐르듯 재빨라지면서 같은 선율이 풍부해지고 아름다운 여름날을 빛내 주는 듯했다.

그날, 바람에 살랑이던 그의 머리카락과 은은하게 섞여오던 꽃향기와 그의 선하고 아름다웠던 미소, 마법처럼 그를 동경하게 했던…….

'와아! 이 곡 제목이 뭐예요?'

벨라가 눈을 반짝이며 묻자 그가 한껏 환하게 웃었다.

'방금 생각나서 만든 노래입니다. 마음에 드시면 아가씨에게 바치지요. 노래 제목을 아름다운 벨라에게, 라고 지어서

바칠까요?'

벨라의 머리카락이 바람에 흔들거렸다.

벨라에게 또 다른 기억들이 자꾸만 꼬리를 이어 떠올랐다.

'트리스탄. 집사가 너무 싫어. 자꾸 나에게 강해져야 한다느니, 아르티드가의 가주로서 당당해야 한다느니 따위 소리를 하는데, 등 떠밀려서 앞으로 나아가는 것이 두려워.'

벨라는 그에게 솔직한 자신의 심정을 털어놓았었다.

'어른이 되면 수많은 어려움이 닥쳐올 거라는데 어른이 되고 싶지 않아. 시간이 그냥 멈춰 버렸으면 좋겠어. 강박적으로 새로워져야 한다, 대비해야 한다며 설교하는데, 그게 끔찍하고 싫어.'

속내를 다 보여 주며 그의 앞에서 눈물 지었다.

'내가 언제 아르티드가에 태어나고 싶어서 태어났어? 트리스탄은 내게 아무것도 기대하지 않잖아. 그래서 피아노 치면 마음이 편안해져.'

그에게 털어놓으며 속에 쌓인 슬픔이 터져 나왔다.

'건반을 틀리게 짚으면 어때. 박자 놓치면 어때. 다들 트리스탄처럼 못해도 괜찮다, 음악 자체를 즐기라고 권해 줬으면 좋겠어.'

벨라가 울먹이며 트리스탄에게 하소연했을 때 그는 웃으며 말했다.

'그들은 음악의 위대함을 모르는 사람들입니다. 잘하든 못하든 음악은 그저 마음을 열고 그 자체를 즐기는 겁니다. 최대한 이 순간에 집중하세요.'

트리스탄이 부드럽게 손을 잡으며 건네주었던 그 말.
'인생은 생각보다 짧아요. 중요한 것은 아가씨 마음의 평화입니다.'
트리스탄의 미소가 마음속에 각인되던 순간이었다.
'매 순간을 최대한 행복하고 즐겁게 누리시면 되는 겁니다. 이 저택의 그 누구도 당신의 혈통을 따라갈 사람이 없으니 자부심을 가지세요. 그들은 당신의 손아래 있는 사람들입니다. 최후의 승자는 아가씨가 될 것입니다.'
그 말이 얼마나 달콤하던가.
이 저택 안에서 홀로 외로운데 트리스탄만이 그 마음을 알아주는구나 싶어서 감격했었다.
벨라는 멍하니 피아노 건반만 바라보며 지난날들을 다시 생각해 보았다.
'아가씨 숨통 좀 트이게 해 주십시오. 이러다 아가씨 질식해 죽습니다.'
'공부 좀 하지 않으면 어떻고 밖으로 좀 놀러 가면 어떻습니까? 집사 당신의 강압적인 훈육 방식이 문제입니다.'
'오늘만 날이 아니듯 언젠가 하면 될 것을 오늘, 오늘 해 가면서 정해진 틀에 아가씨를 끼워 맞추려 하지 마시시오!'
사사건건 루카스의 말을 가로막고 탓하며 벨라를 감싸 주었다.
이제 와 생각해 보니 그것은 '이간질'이었다. 루카스가 매사에 잘못하고 있다고 느끼게끔.
과과광…….

굉음을 내며 피아노 소리가 빈 음악실을 채웠다.

벨라는 팔꿈치를 피아노 위에 얹으며 두 손바닥으로 얼굴을 가렸다.

루카스가 그리도 찰스 숙부의 끄나풀이라고 말해도 믿지 않고 오히려 트리스탄을 두둔했다.

그런데 이런 식으로 내 앞에 나타나다니.

벨라는 술집에서 연주하던 때, 한 술꾼이 한 말을 떠올렸다.

'북부 산간 지대의 구전 가요는 어떻게 알고 있지? 샴록 지역이 우리 제국에 편입된 지 그리 오래되지 않아서 그 구전 가요 아는 사람은 극히 드문데.'

그저 '아름다운 벨라에게'라는 곡을 추억 삼아 연주하던 벨라는 그 순간 진창으로 떨어진 기분이 들었다.

트리스탄은 벨라를 위해 꽤 많은 자작곡을 바쳤다. 그런데 그 곡들은 하나같이 그가 작곡한 곡이 아니라 원곡이 따로 존재했다.

자신이 그토록 마음 주며 따랐던 선생, 트리스탄. 그가 이제는 예절과 사교댄스를 가르치는 유명한 선생이라 한다. 심지어 그란첼 백작가에서 모셔 왔다니.

쓴웃음이 나왔다.

'나의 선생이 되기 전에 알리사 엘 그란첼 그 못된 불여우 같은 것의 스승이기도 했다니.'

벨라는 비밀 일기장을 펼쳤다.

그리고 자신이 과거의 일들이 기억날 때마다 적어 내려간 것들을 펼쳐 보았다.

열여섯 살이 되던 1월 하순. 큰 눈이 내린 다음 날 푸딩이 피를 토하고 문 앞에 죽어 있었다.

트리스탄 선생은 그다음 날 그리젤리에 왔다.

그리고 몇 주 후 벨라는 심한 복통을 일으켰다. 의사 말로는 식중독 같다는데 루카스는 확고하게 약물에 의한 중독 사고였다고 말했다.

열여섯 살의 여름, 정확한 시기는 기억이 잘 안 나지만 뒷산의 양치기 3인방이 절도 혐의로 쫓겨났고 양을 지키던 올슨도 죽었다. 양 떼는 깡그리 도둑맞았다. 9월에 수도에 가서 사교계에 데뷔했다가 알리사 엘 그란첼 일당에게 호되게 데어 데뷔를 망쳤다.

그해 겨울 어느 날. 벨라의 곁을 늘 지키던 하녀 데비 포시가 자살했다. 그것도 벨라의 방에서.

끊임없이 트리스탄은 루카스와 싸웠다. 당시의 벨라는 그들이 왜 싸우는지는 관심 없었다.

트리스탄이 그만두고 떠나갈까 봐서 얼마나 마음 졸이고 슬퍼했었는지.

그럴수록 루카스를 더욱더 미워할 수밖에 없었다.

그러나 과거로 돌아와 보니 트리스탄의 모든 행동이 수상쩍었다.

'과거에 있었던 그 수많은 사건의 원흉이었던 것일까?'

벨라는 머릿속이 복잡해서 멍하니 딴 곳을 바라보며 일기장에는 특정 구절만 동그라미를 반복해 덧그리고 있었다.

그것은 바로 화재. 빅터의 얼굴을 그렇게 만들어 버린 재앙. 열여섯 살의 겨울 어느 날.

'이 몹쓸 기억력.'

벨라는 깊은 한숨을 토해 냈다.

자꾸 떠올리려 애쓰자 구역질이 나고 눈앞이 까매지는 것만 같았다.

'참 편리한 기능을 가졌네.'

벨라는 고개를 치켜들고 눈을 지그시 감았다. 그리고 쏴아 하니 불어오는 숲속의 바람에 귀를 기울였다.

'과거의 나. 상처와 마주할 용기가 없었던 거야.'

가슴이 심하게 엇박자를 내며 뛰었다. 손끝이 부르르 떨렸다.

심호흡하려고 애썼다. 루카스가 보면 또 공황 발작을 일으켰다고 생각할까 봐 창가의 커튼을 움켜쥐고 휘청이지 않으려고 노력했다.

'가지 마! 트리스탄! 제발이야! 나를 두고 가지 마!'

'저는 더 이상 의심받을 수 없습니다. 그동안 아가씨와 함께할 수 있어서 기뻤습니다. 하지만 우리의 인연은 여기까지인가 봅니다. 그럼 안녕히.'

'안 돼, 가지 마! 부탁이야. 이렇게 애원할게. 날 버리고 가지 마! 응?'

'이 모든 것은 루카스 저자의 음모입니다. 제가 아가씨를 지키려고 하자 흉계를 꾸며 이간질하려는 겁니다. 아가씨. 루카스를 믿지 마세요. 저는 나가서 마리앤 이모님께 도움

을 요청하겠습니다. 그러니 아가씨. 후견인을 바꾸십시오.'

그가 그리젤리 저택을 영원히 떠나던 날의 기억이 떠올랐다.

당시에 그가 찰스 숙부를 의지하라 했다면 벨라도 그가 찰스의 하수인이라고 생각했을 텐데 그는 교묘하게도 찰스와 연관이 없는 척했었다.

'나 하나 때문에 많은 이의 삶이 망가졌다. 난파선 같은 삶. 바다의 흐름에 원치 않는 곳으로 떠밀려 가는 것만을 걱정했지, 왜 난파했는지, 다시 운항할 수 있는지 따위는 관심이 없었어.'

벨라는 입 안이 쓰디쓴 기분이 들었다.

'결국에는 한 남자를 살해하고, 루카스가 대신 죄 갚음을 하게 만들었지.'

폐로 삼켜지는 공기가 차디찬 그랑블루의 강물인 것만 같이 맵고 따가웠다.

'아직도 나는 그 강물 속을 추락 중인 것은 아닐까? 왜 신은 내게 이 순간을 되돌려 준 것일까……?'

벨라는 긴 부츠를 신고 승마복 차림으로 푸르른 비탈길을 걸어 올라가고 있었다. 벨라의 곁엔 푸딩이 천방지축으로 뛰며 따라오고 있었다.

뒤로 그녀의 경호원이 몇 발짝 떨어져서 따라왔다.

찰스와 그의 일행이 보기 싫어서 아침에 눈 뜨자마자 목장에 간다고 뛰쳐 나왔다.

하늘은 살짝 건드려도 푸른 물감이 뚝 떨어질 듯 새파랬으며 새하얀 구름이 뭉실뭉실 피어올라 이름 모를 풀꽃들과 함께 한 폭의 풍경화 속 모습이었다.

그리젤리 저택 뒤쪽 산은 양들을 방목하는 자리였다.

과거의 벨라는 그 목장을 무척이나 싫어했다. 멀리 떨어져 있는데도 가끔 그쪽에서 불어오는 바람에 양들의 악취가 날아올 때가 있었다.

하지만 지금은 목장에 가끔 나들이 가는 것이 소소한 낙이었다.

양치기 3인방이라고 불리는 노련한 양치기 폴, 행크, 토드.

그들은 똑같은 양 품종인데도 다른 목장의 양들보다 털이 곱고 풍성하게 자라게끔 키워서 다른 지역 양치기들이 그 비법을 눈독을 들이곤 했다.

벨라는 불어오는 바람에 머리카락을 귀 뒤로 넘겼다.

멀리서 컹컹하고 개 짖는 소리에 푸딩이 고개를 길게 빼 하울링하고 달려갔다.

"오, 아가씨, 오셨습니까? 이 누추한 곳에 또 방문해 주시다니. 길이 꽤 먼데 힘들지 않으십니까?"

폴의 말에 벨라는 웃으며 말했다.

"올슨이랑 친해지려면 이 방법밖에 없다면서. 어쩔 수 없지."

벨라는 앞치마를 걸치고 소매를 걷어붙였다. 값비싼 승마복이 더러워질까 봐 어찌할 줄 모르는 것은 양치기들이고 정작 벨라는 그다지 신경 쓰지 않았다.

"개밥 주실 때 움찔움찔하지 마시고요. 이 녀석들은 상대가 나를 겁내는지 아닌지 기가 막히게 눈치챕니다. 두려워하지 마세요."

행크는 벨라의 앞에 걸리적거리는 잡동사니를 치웠다.

"그래도 아직은 무서운 것이 사실인걸."

개밥이라 해도 특별한 것은 아니었다. 저택에서 쓰고 남은 고기 부산물이나 개들이 먹을 수 있는 곡물 찌끼들을 맨손으로 뒤섞었다.

폴이 말했다.

"개와 가장 빠르게 친해지는 방법은 밥을 주는 겁니다. 특히나 개밥 냄새가 배어 있으면 더 친숙하게 여깁니다."

벨라는 개밥을 한데 뒤섞다가 폴을 쳐다보며 말했다.

"개밥인 줄 알고 내 손을 물지도 몰라. 근데 꼭 이렇게 먹다 남은 것들만 줘? 생닭 같은 거 통째로 주는 편이 더 간단하지 않아?"

벨라의 말에 폴이 미소를 가득 띠며 말했다.

"아닙니다. 매일 잘 먹이는 것은 오히려 독이 됩니다. 그런 특별식은 칭찬받을 만한 일을 했을 때만 줘야지 충성심이 생깁니다."

"매일 잘해 주면 오히려 더 잘 따르는 거 아니야?"

벨라의 질문에 폴이 재밌는 질문이라는 듯 웃었다.

"개들에게는 서열이 중요합니다. 특히나 올슨처럼 머리 좋고 사나운 개는 더하죠."

폴은 중요한 정보라도 알려 주듯 속삭였다.

"매일 잘해 주면 자신의 서열이 위라서 잘해 주는 것으로 알고 부리는 사람 머리 꼭대기에 올라갑니다. 개를 부리는 것이 아니라 개를 모시게 되죠."

마치 사람처럼 개들이 자기 험담을 알아듣기라도 할까 봐 작게 말하는 모습에 벨라는 그저 웃었다.

"잘해 줄 때가 있으면 기를 팍 눌러 줘야 할 때도 있습니다. 주인의 말에 복종해야 자기가 좋아하는 일이 생긴다는 것을 체험하게끔 상은 특별한 날에만 줘야 합니다. 그래야 주인에게 고개를 숙입니다."

폴이 웃으면서 한마디 더 덧붙였다.

"사람과 사람 사이의 관계도 마찬가지입니다."

사람 이야기니까 큰 소리로 말해도 되는지 그는 다시 본래 목소리로 말했다.

"늘 잘해 주다가 어쩌다 한 번 소홀하게 하면 앙심을 품는데 늘 대수롭지 않게 대해 주다가 가끔 한 번씩 잘해 주면 오히려 잘해 준 것을 기억합니다."

그것이 포인트라는 듯 그는 강조의 몸짓을 취했다.

"언제 잘해 줄지 파악해서 적절한 순간에 잘해 주는 것이 훨씬 더 현명하게 사람을 부릴 수 있습니다. 하하."

벨라는 개밥을 섞다 말고 폴을 한참 바라보았다.

어쩌면. 과거의 자신도 미숙했지만, 그리젤리의 고용인들도 서툴렀던 것이 아니었을까.

벨라는 과거의 그들을 떠올렸다.

'내게 늘 과할 정도로 잘해 주려고 애썼지. 그 충성이 당연한 것으로 알았기에, 가끔 벌어지는 서운한 일들만을 기억했었지.'

느려졌던 벨라의 손이 다시 빨라졌다.

'끝을 보지 않았어도 그들의 진심을 알았더라면…….'

과거를 떠올리려 하면 구역질이 났다. 아직도 과거를 아파서 들여다보지 못하는 것처럼 거부감이 들었다. 폴은 그것이 개밥 냄새 때문이라 생각했는지 벨라를 의자에 앉혔다.

"이제 저희가 마무리하겠습니다. 쉬십시오, 아가씨."

벨라는 흐린 기억 속을 정신없이 되짚었다.

멍하니 있는데 무언가 축축하고 뜨끈한 것이 벨라의 손을 핥았다.

"첩첩첩첩……."

간지러움에 벨라는 "푸딩아, 그만해."라고 말하다가 깜짝 놀랐다.

벨라의 손을 핥고 있는 것은 올슨, 먼저 다가온 것은 생전 처음 있는 일이었다.

"꺅! 폴, 여기 좀 봐! 올슨이 내 손을 핥아!"

"축하드립니다. 이제 올슨이 아가씨도 양치기 무리의 일원으로 인정했나 봅니다. 그 녀석, 저희 아닌 다른 사람이 주는 음식은 아무리 그것이 생고기여도 안 먹거든요. 신중한 놈이라서요."

불현듯 벨라의 머릿속에 과거의 대화가 떠올랐다.

'올슨을 우리가 왜 죽입니까? 양몰이 개 중 우두머리인데

녀석이 없으면 양 무리를 제대로 몰 수 없다고요!'

'방금 당신이 말하지 않았습니까? 그 개는 일행이 주는 먹이 외엔 받아먹지 않는다고. 아무리 사냥꾼이 미끼로 독이 든 꿩을 주변에 놓는다 해도 다른 개도 아닌 올슨이 그것을 먹을 리가 없다고 직접 말씀하셨잖습니까? 그렇다면 내부자의 소행이라는 말인데 그날 밥을 준 것은 폴 당신 아닙니까?'

양치기 3인방은 과거에 양 떼를 도둑맞고 해고되었다.

'지금 웃고 있는 폴이 정말 범인이었을까. 이렇게 올슨을 아끼고 사랑하는데.'

그는 원래 이 지역에서 나고 자라 이 일을 할 뿐 루카스가 포르위네에서 데리고 나온 인력은 아니었다.

벨라가 과거에 빈털터리가 되어 그리젤리를 마지막으로 봤을 때는 그리젤리 저택이 공사 중이 아니라 양 떼를 방목하던 언덕이 비밀스레 공사 중이었다. 벤자민의 소유가 된 후라 그 이후로는 알 수가 없었다.

'과연 그것이 무엇이었을까?'

"아가씨! 이게 무슨 꼴인가요!"

낸시가 경악하며 따라왔다. 벨라는 웃으면서 손을 저었다.

"손님들이 아가씨의 모습을 보면 큰일 납니다!"

"아직도 있어? 저녁 식사 제공하고 잠자리 제공했으면 됐지, 아직도 왜 안 가고 있는 거야? 그 사람들 꼴도 보기 싫으니까 루카스한테 얼른 돌려보내라고 해."

"아가씨, 말처럼 그리 쉬운 일이 아니잖아요."

낸시의 말에 벨라는 짜증을 냈다.

"몰라! 목욕 준비 부탁해. 난 그게 더 중요해."

그러고는 다시 후회했다.

아무리 성가신 이들이 왔다고는 하지만 낸시에게 자꾸만 짜증을 부린 것이 미안했다.

잘해 주고 싶은데 마음은 여전히 어딘가 응석을 부리고 싶은 것은 아닌지 돌아보았다.

벨라는 거품 목욕을 하며 거품을 손바닥 위에 동그랗게 모은 뒤 '후' 하고 불어 날렸다. 혼자 그러고 노는 것이 얼마나 재미있는지.

몇 달 전, 루카스에게 거품 입욕제를 사 달라고 했는데 못 알아들었다.

비누란 귀족들만이 쓰는 사치품이었고, 대다수가 비누 자체를 구경하기 힘든 시대였다. 벨라는 과거의 기억 속에서 비누를 대량 생산해 만들던 상표를 찾아보라고 루카스에게 넌지시 말했을 뿐이었다.

처음에는 뜨악해하던 루카스가 어느 날부터 눈빛을 반짝이더니, 거품 입욕제를 만드는 데 성공했다면서 시제품을 들고 왔다. '거품만 나는 것이잖아? 빨래하게 브렌다에게 줘, 로즈메리 향이랑 라벤더 향이 좀 있었으면 좋겠네. 장미 향은 더할 나위 없고.'라는 말을 건넸더니 한 달쯤 후엔 벨라가 요구한 제품을 만들어서 가져왔던 것이었다.

그러더니 어느 순간 그것이 사업이 되었다. 가뜩이나 새로 시작한 사업에 신경 쓰이는 판에 성가신 이들이 끼어들자 짜증이 몇 배로 증폭된 것 같았다.

목욕을 마친 후에 욕실을 나오자마자 메이드장 브렌다가 다가와 말을 건넸다.

"찰스 님께서 데뷔탕트 선생과 파트너 이야기를 하자고 전하라십니다."

"아니, 루카스가 몇 번이고 거절한다고 말했는데 귓구멍이 막혔나!"

"아가씨께서 직접 말씀하시기 전까지는 인정할 수 없다고 하십니다."

"루카스, 찰스 숙부님을 불러 줘요."

벨라는 드레스를 고르며 이를 갈았다.

"굳이 그리하지 않으셔도 적당히 둘러대다가 오늘이나 내일쯤 돌려보낼 수 있을 겁니다."

루카스의 말을 들으며 벨라는 창밖으로 보이는 찰스의 모습에 치를 떨었다.

과거에도 찰스는 이곳에 들어왔을 때 포르위네 성에서 값진 물건들을 가져다가 어디다 숨겨 놓았는지 본다며 여기저기 들쑤시고 다녔다.

'지금도 똑같겠지. 연관 없다고 발뺌했던 두 인간, 트리스탄과 벤자민을 끌고 온 것도 예전 같으면 내가 쉽게 휘둘려서 원하는 대로 움직였지만, 지금은 이빨도 안 들어가니까

초조해진 거겠지.'

벨라는 다시 한번 자기 자신에게 최면을 걸듯 중얼거렸다.

'나는 그리젤리 사람들의 대장이야. 힘내자, 벨라.'

찰스는 그랜드 피아노가 놓인 음악 연주실을 휘휘 둘러보았다.

"아르티드가의 후계자가 이따위 형편없는 피아노에 형편없는 연습실이라니! 포르위네 성에 비하면 판잣집 수준인 이런 데서 무슨 소양을 쌓는단 말인가."

찰스의 말에 벨라는 짜증부터 났지만 애써 입가에 미소를 띠우며 말했다.

"그 엄청난 본성의 연습실에 걸맞은 춤 선생의 실력은 어떠한지 여기서 보고, 배울 점이 많다면 트리스탄 선생을 모시고 데뷔탕트 연습을 하겠어요. 자, 공개 수업을 보고 모두 판단해 주세요."

벨라는 마치 싫다고 말하면 가만두지 않을 테야 하는 듯 콧대를 세우고 눈은 새초롬하니 가늘게 떴다.

"벨라! 이게 무슨 짓이냐! 선생을 평가하여 배울지 말지 결정한다는 교만한 태도는 무엇이냐? 네 후견인이 널 이따위로 가르치더냐?"

찰스가 기분 나쁘다는 듯 하는 말에 벨라는 지지 않겠다는 듯 대꾸했다.

"숙부님께서 제 후견인을 먼저 깎아내리셨잖아요! 항상 저의 교육과 성장에 전념하고 있는 후견인께 숙부님이야말로 이게 무슨 무례이신가요! 제가 데뷔탕트에서 배워야 할 게 대체 뭔가요?"

"그렇게 눈 치켜뜨고 말대꾸하는 것부터 고쳐야겠구나. 마음에 드는 구석이 하나도 없어."

찰스는 고래고래 소리 지르며 삿대질을 해 댔다.

"고용인이란 것들이 주인을 모시는 것이 아니라 쥐고 흔들어 제멋대로 하니 아르티드가의 가주가 되어야 할 아이가 내뱉는 말이 다 천박한 말뿐이군."

그 말은 가볍게 무시하고 벨라는 트리스탄에게 물었다.

"트리스탄 선생님? 제 선생님이 되시면 무엇을 가르치시려고 하신 거죠? 말씀해 보세요."

"저…… 데뷔탕트 때 쓰일 춤곡이……."

트리스탄은 눈치를 보며 입을 뗐다. 하지만 벨라는 끝까지 듣지 않고 말했다.

"뭐부터 배울 거야? 왈츠? 마주르카? 폴로네이즈? 볼레로?"

벨라가 먼저 줄줄이 늘어놓자 트리스탄이 난감한 표정을 지었다.

"벨라 아가씨, 사교춤의 종류를 잘 알고 계신가 봅니다."

'알다마다. 과거의 삶에서 신물이 나게 추었지. 그거 잘 추면 시집 좋은 데에 가는 줄 알고.'

벨라는 시큰둥한 표정을 지었다.

"그래서 뭐부터 하려고? 빨리 말해. 모두의 앞에서 실력 있는 선생인지 검증해 보자고."

"왈츠부터 할까요? 왈츠의 기본 스텝은……."

트리스탄이 말을 꺼내기도 전에 벨라는 왈츠 기본자세를 하고 발로 왈츠 스텝을 밟으며 하나, 둘, 셋. 하나, 둘, 셋. 시범을 보였다.

"아……, 왈츠 기본자세는 이미 마스터하신 겁니까?"

트리스탄이 눈이 휘둥그레져서 벨라를 쳐다보았다.

"일곱 살 때 이미 뗐어."

나 홀랑 벗고 봉 춤도 춰 본 여자야. 이딴 거는 기본 중에서 기본이지. 하루에 무도회 세 탕도 뛰어 봤다고.

벨라는 속으로 투덜거렸으나 티 내지 않으려고 표정을 가다듬으며 트리스탄이 보는 앞에서 마주르카와 볼레로의 기본자세와 스텝도 번갈아 가며 취했다.

"다 알아. 그러니까 잡설은 그만두고 본론부터 가자고."

벨라는 쌀쌀맞은 목소리로 트리스탄에게 춤 시작 전에 하는 인사를 꾸벅 건넸다.

"언제 이렇게 다 배우셨습니까? 몰라뵈었습니다. 아가씨, 찰스 님 말로는 처음부터 기본기를 닦아야 한다고 말씀하셨습니다. 아가씨께서 이미 아는 내용일지라도 혹시 잘못된 습관이나 진행 방향이 있을 수 있으므로 처음부터 다시 배우는 기분으로 저와 함께 춤을 익혀 나가도록 합시다."

순간 찰스가 벤자민의 어깨를 밀어서 벨라의 손을 잡게 했다.

벤자민이 벨라의 손을 잡으려고 한 순간, 벨라는 저도 모르게 그의 손을 쳐 내고 트리스탄의 손을 잡았다.

"숙부님! 그…… 그쪽이 아니라 이쪽과 출 겁니다! 검증받는 자리니 선생의 춤 솜씨를 봐야 하지 않을까요?"

벨라는 찰스가 다시 벤자민을 권할까 봐 질겁을 하며 트리스탄의 손을 잡아끌었다.

거절당한 벤자민은 뭐가 그리 재밌는지 눈웃음을 가득 지으며 벨라를 훑어보았다. 그 시선조차 끈끈해서 기분이 불쾌했고 속이 메슥거렸다.

찰스는 시종일관 벤자민을 피하는 벨라의 시선에 고개를 갸웃거렸다.

트리스탄과 정중히 인사를 했다. 리아나 존스 선생이 피아노에 앉아 악보를 펼쳤다. 트리스탄은 태연하게 왈츠 기본자세를 취하며 왼손을 내밀어 벨라의 오른손을 마주 잡았다.

아무렇지 않은 척하는 그의 손에 진땀이 배어 있어서 잡는 촉감이 별로 좋지 않았다. 마치 뱀의 비늘을 만지는 듯 소름이 끼쳐서 저도 모르게 미간을 찡그렸다.

벨라의 손이 트리스탄의 어깨에 얹히고 트리스탄의 오른손이 벨라의 허리를 감싸 안았다.

'으……, 불쾌해.'

벨라는 리아나의 왈츠 연주에 맞춰 능숙하게 췄다. 트리스탄의 눈빛에 당황스러운 기색이 역력했다.

"춤 많이 춰 보셨습니까?"

"이 정도는 한 번 보고도 다 따라 하는 거 아냐?"

벨라는 퉁명스레 대꾸했다. 곱게 말해 주고 싶은 마음도 들지 않았다.

"그렇군요."

춤의 동작에 따라 벨라의 정수리가 트리스탄의 코에 닿을 둥 말 둥 스쳐 갔다.

"내가 더 배울 게 있어 보여?"

벨라의 말에 트리스탄은 발을 멈추었다.

"말해 봐. 내가 기본기부터 다시 배워야 하는지."

트리스탄이 대답하기를 망설였다.

"리아나 선생님, 마주르카 춤곡 부탁드릴게요."

벨라는 그녀가 피아노 연주를 시작하자 파트너 없이 제멋대로 혼자 몸을 움직여 마주르카를 추기 시작했다. 그 모습을 보자 트리스탄은 할 말을 잃었다.

"다른 것도 더 보여 줘? 내가 수도에서 사교계 데뷔 춤출 때 망신당할 거 같아?"

벨라는 가시가 돋친 말투로 툭툭 내뱉듯이 말했다.

"아닙니다. 이미 기본기를 튼튼하게 배워 놓으셨군요."

"보셨죠! 숙부님!"

벨라는 뒤돌아 찰스에게 말했다.

"춤을 언제 다 배웠지? 춤 선생 고용했다는 말은 듣지 못했는데."

찰스가 놀랍다는 듯 중얼거리자 벨라는 카랑카랑하게 소리 높였다.

"꼭 그 말씀은 저희 저택 내부에 저의 일거수일투족을 고자질하는 첩자가 있다는 것처럼 들리네요!"

"첩자라니, 말이 심하구나! 벨라. 숙부로서 조카의 일상에 대해 알 권리도 없단 말이냐? 바로 이게 문제다! 이렇게 어른에게 대한 예절이 엉망이니, 넌 가르침을 받아야 할 필요가 있다!"

벨라가 흥분해서 찰스에게 더 대들려는 순간 루카스의 손이 벨라의 어깨에 얹혀졌다.

"실례를 용서하십시오. 하지만 벨라 아가씨는 아직도 과거의 충격에서 벗어나지 못하신 상태라 포르위네를 자꾸만 언급하신 것 또한 실례입니다. 아가씨께서 포르위네에 대한 트라우마를 극복하실 때까지 기다려 주십시오. 낸시, 아가씨를 진정시켜 주시고 피터 브라운 박사님을 불러 주십시오. 찰스 님 이만 돌아가 주시겠습니까?"

루카스가 말하는 사이 낸시는 얼른 진정 효과가 있는 아로마 오일을 손수건에 발라 벨라의 코에 대 주었다.

벨라가 씩씩거리며 찰스에게 한마디 더 하려는데 낸시가 고개를 저었다. 벨라는 눈치 주는 바를 깨닫고 이마에 손을 얹으며 말했다.

"낸시. 어지러워. 숨 쉬기가 힘들어."

과거에 벨라는 루카스에게 혼나다 말고 자주 이런 말을 하며 픽 쓰러졌다. 그러면 루카스도 아무 말 하지 못했다.

그런데 똑같은 짓을 이번에는 루카스를 위해 하려니 뭔가 웃긴 기분이 들었다.

"어머, 아가씨, 기절하면 안 됩니다. 어떡해! 또 쇼크가 온 모양입니다."

낸시는 과거처럼 호들갑을 떨었다. 벨라를 그만 혼내게 하려고 장단 맞춰 주는 행동이었다.

"하하하핫!"
누군가가 크게 웃음을 터뜨렸다.
벤자민이었다.
"바쁜 사람 불러다 놓고 참 재밌는 모습을 보여 주시는군요."
팔짱 끼고 뒤로 물러나 있던 벤자민이 한 걸음 앞으로 나섰다.
"아르티드가의 찰스 님, 워낙 간곡히 부탁하셔서 한 번 따라와 봤습니다만 제가 할 일은 없군요. 이만 수도로 올라가 보겠습니다."
벤자민이 특유의 빼기는 듯한 태도로 말했다.
"프로스트 백작가는 그리 한가한 가문이 아니어서 말입니다. 가자마자 서명해야 할 서류도 쌓였고 추진하고 있던 사업도 한둘이 아니어서 말입니다."
벤자민이 뒤돌아서 나가려 하자 찰스가 당황해하며 그를 붙들었다.
"프로스트 영식, 그냥 가시면 어떡합니까?"
대체 무슨 일인지 그는 연신 고개를 조아리며 벤자민을 끌어들이려고 애썼다.
벨라가 기억하는 찰스와 벤자민의 관계는 갑을 관계였고 갑은 찰스였다. 그런데 지금 눈앞에 보이는 광경이란 상하 역전이었다.
벤자민은 벨라에게 다가와 인사를 하며 속삭였다.
"좀 더 이야기해 보고 싶었는데 아쉽군요."
그가 느릿하게 속삭였다.

"나의 꿈엔 항상 어떤 여인이 나타났었죠. 본래 이 자리엔 오지 않으려 했는데 꿈에서 본 여자가 당신인 걸 알고 호기심에 왔습니다만 꿈에서 본 모습과 닮은 듯도 하고 닮지 않은 것 같기도 합니다."

그의 한쪽 입꼬리가 쓰윽 올라갔다.

"나의 꿈속 결말은 항상 당신이 칼을 쥔 채 날 내려다보고 있습니다만, 그게 예지몽인지는 모르겠군요."

순간 벨라는 숨이 멎는 듯한 충격을 느꼈다. 그가 자신이 처했던 운명을 알고 하는 말인지 믿을 수 없었다.

"어쨌든, 당신의 데뷔탕트 무대, 눈여겨보겠습니다. 그럼 이만."

벤자민의 하늘색 눈동자가 가늘게 벨라를 바라보았다.

벨라는 마치 끔찍한 저주라도 들은 것처럼 그대로 얼어붙었다.

'뭐지? 벤자민도 과거를 기억하는 걸까?'

냉기가 스멀스멀 올라와 벨라의 등줄기를 얼려 버리는 듯한 착각이 들었다.

그리고 아찔한 현기증이 밀려와 바닥에 그대로 넘어지듯 주저앉고 말았다.

"아가씨, 몸은 어떠십니까?"

루카스가 살피러 오자 차가운 물수건을 머리에 얹고 있던 벨라가 황급히 침대에서 몸을 일으켰다.

"숙부님은?"

"방금 떠나셨습니다."

루카스가 커튼을 걷자 창밖 멀리 보이는 길로 마차가 일으키는 먼지가 희미하게 보였다.

"아가씨, 조금 더 누워 계세요."

낸시는 레몬을 띄운 냉수 한 컵을 벨라의 입가에 가져다 대었다.

"루카, 그냥 루카 선에서 거절하고 방문을 허락하지 말지 그랬어."

벨라는 저도 모르게 원망하는 듯한 말을 내뱉고 말았다.

"죄송합니다. 하지만 언젠가는 한 번 맞닥뜨려야 할 상황이었습니다. 그리고 아가씨께서는 상상 이상으로 잘 대처해 주셨습니다. 진심으로 감사드립니다."

루카스는 정중하게 고개를 끄덕였다.

마치 뉘앙스가 일부러 마주치게 했다는 것 같아서 벨라는 입술을 비죽 내밀었다.

"대놓고 내 재산을 빼앗아 가겠다고 말만 하지 않았지 언제나 내 목덜미를 노리고 있는 사람인데 왜 마주치게 한 거야?"

창가로 들어오는 빛을 받으며 루카스는 희미하게 눈웃음을 지었다. 그가 웃는 모습은 거의 본 적이 없었기에 이 타이밍에 그가 왜 미소 짓는지 알 수는 없었다.

"확신이 필요했습니다."

"확신?"

벨라는 그의 얼굴을 바라보았다.

"앞으로 있을지 모를 분란에 대한 확신을 얻었습니다. 현명하게 찰스 님을 막아 주신 점 감사합니다."

마치 루카스의 시험을 자기도 모르는 사이 통과한 것 같았다.

하지만 그것도 잠시, 벨라는 벤자민을 떠올리고 부르르 떨었다.

"루카, 혹시 프로스트가의 영식에 대해 알아볼 수 있어?"

"예지몽을 꾼다고 하는 프로스트가의 후계자 말씀이십니까?"

루카스의 대답에 벨라는 깜짝 놀랐다.

"엇? 아는 사람이야?"

"수도에서 유명세를 탄다는 말은 들었습니다."

루카스는 덤덤하게 말을 이어 나갔다.

"벤자민 엘 프로스트, 본래는 후처 소생에 가문의 후계자도 따로 있었다고 합니다만, 트리에뷔어 자작령을 놓고 로벨리에 남작가와 영지전을 벌일 때 유리한 조언을 해서 트리에뷔어 자작령을 차지하는 데 결정적인 역할을 하고 후계자 자리를 확정받았다고 합니다."

루카스의 말에 벨라의 가슴이 점점 더 철렁 내려앉았다.

"트리에뷔어 자작령에 대한 정보를 어디서 얻었느냐는 질문에 꿈에서 천사의 계시를 받았다고 대답한 일화가 유명합니다."

벤자민은 그가 겪었던 일을 기억하고 있음이 틀림없었다.

“지금은 그 꿈속 계시를 바탕으로 손댄 사업마다 흥해서 엄청난 돈을 끌어모으고 있다고 하죠.”

루카스가 지금 하고 있는 말들이 모두 그 증거였다.

“하지만 정황상 어딘가에서 자본을 끌어다가 공격적인 투자를 하는 것 같다는 세간의 총평입니다.”

오싹하니 소름이 돋았다. 벨라는 아무 말도 할 수 없었다.

신이 자신을 회귀시킨 이유가 고용인들을 행복하게 해 주라는 것이라면, 왜 그 몹쓸 놈에게도 축복을 주셨는지 이해할 수 없었다.

‘벨라. 어리석은 나의 갈색 토끼. 아직도 나를 그리워하고 있었나?’

서른 살에 마주친 벤자민 엘 프로스트의 모습이 눈앞에 선했다.

그는 여전히 호리호리하고 늘씬한 몸을 가지고 있었으나, 눈 밑은 탐욕으로 검고, 잘 다듬어진 콧수염은 느끼하기 이루 말할 수 없었다. 손가락마다 낀 알 굵은 반지들이 역겨워 보였다.

‘하하하. 그래서? 그 서류에 내가 대신 서명했나? 그 서류 읽을 줄이나 알았어? 글을 모른다는 것을 들킬까 봐 으스대면서 서명했잖아. 증인도 있는데 서류를 위조라도 했다는 건가?’

절규해 봐야 소용없다는 것을 알면서도 길거리를 떠도는 신세가 서글퍼서 옷자락을 붙들고 매달렸다. 비참했다.

'그야, 너처럼 멍청한 여자랑 결혼해 봐야 자식도 멍청할 것 아닌가? 네게서 쓸 만한 것이라고는 재산뿐이었어. 애교도 없고 잠자리도 형편없는 주제에 고개만 빳빳한데 누가 널 사랑해 주겠어?'

최소한 동정표라도 주길 바라고 말을 걸었던 걸까. 오기가 생겼다. 미안하다는 말 한마디만 듣고 싶었다. 그거면 모든 것을 용서할 수 있을 것 같았다.

'탓하려거든 멍청한 네 머리를 탓하고 잘라 버리고 싶거든 네 어리석은 손을 잘라 버려. 너 같은 것은 백 번 천 번 다시 태어나도 나와는 상대도 되지 않아.'

그가 이죽거리는 말은 모두 다 비수가 되어 내리꽂혔다.

'죽어서 억울함을 호소할 수야 있겠지. 하지만 그뿐이야. 뛰어내릴 용기조차 없잖아. 하하하. 죽겠다는 사람치고 진짜 죽으려는 사람 없더라.'

그의 비웃음에 질식할 것 같았다.

'관심 가져 줄 관객이나 있으면 다행이지. 그러니 꺼져.'

귀를 틀어막고 아악 소리를 지르고 싶었다.

'제발 그만! 그만!!'

그의 마지막 한마디가 결정타였다.

'나와 다시 시작하고 싶어? 나의 사랑이 그렇게 그리웠나? 나 아니면 사랑해 줄 사람이 없지?'

벨라는 비명을 지르며 저도 모르게 손에 있던 칼로 그를 찔렀다. 이성을 잃었다. 증오와 분노에 휩싸여 그 순간에는 눈이 뒤집혀 제가 뭘 하는지도 몰랐다.

그리고 정신이 들었을 때는 자신의 손이 피로 얼룩져 있었고, 발치 아래에서 그의 선혈이 흐르고 있었다.

그가 꿈틀했다. 그 모습에 놀라 엉겁결에 들고 있던 칼로 그의 목을 푹 내리찍었다.

그것이 벨라의 가장 끔찍한 악몽……, 반복해 후회했던 인생의 크디큰 과오였다.

벨라의 손이 부르르 떨렸다.

지금 자신의 손에는 흉기가 없지만, 아직도 발밑에 그의 뜨거운 피가 흘러내리는 것만 같았다.

'정신 차리자. 벨라……, 그건 과거야. 다시 되풀이되지 않을 거야.'

벨라는 이불 속에서 숨죽여 울었다.

"참참참참."

축축한 혀가 벨라의 눈물을 핥았다.

"저리 가, 푸딩."

벨라는 푸딩의 머리를 손으로 밀어냈다. 하지만 녀석의 축축하고 뜨끈한 혀가 계속해서 벨라의 얼굴을 집요하게 노렸다.

"아이 씨! 하지 말라니까!"

벨라는 울다 말고 짜증을 버럭 냈다.

그러나 푸딩은 저를 밀어내는 벨라의 손마저 살뜰하게 핥아 주었다.

"간지럽다고! 저리 가!"

발로 밀어도 녀석은 꿈쩍도 안 한다.

녀석의 혀가 벨라의 뺨을 타고 흐른 눈물을 쫓아가다가 결국 귀밑 목덜미까지 찹찹 핥는 통에 간지러워서 펄쩍 뛰었다.

"크킄! 하지 마! 큿! 아우! 미치겠네! 푸딩! 쫌!"

벨라는 양손으로 푸딩의 머리를 잡아 멀리 뒤로 밀었다. 그 와중에도 푸딩은 혀를 길게 내뺀 채 벨라의 눈물 한 방울이라도 더 핥아 주려고 안간힘이었다.

그 모양새가 얼마나 웃긴지 벨라는 울다 말고 그만 풉 하고 웃음을 터뜨리고 말았다.

"푸하하하!"

주인이 웃으니까 좋단다. 푸딩이 웡웡 짖으면서 꼬리 치고 폴짝 뛰었다.

벨라는 푸딩을 있는 힘껏 끌어안고 침대를 뒹굴었다. 녀석의 발 냄새마저 구수하니 좋았다.

혼자 세상에 남겨진 것 같은 순간에, 손을 뻗으면 이 뜨끈한 털 뭉치 녀석이 손에 잡힌다. 얼마나 고마운 일인가.

침대 밖으로 발을 내디디면 문밖에 대기하고 있던 낸시가 얼른 뛰어오겠지. 루카스는 어떻고. 모두 나를 위해 밤을 밝혀 줄 소중한 이 저택의 사람들.

자신에게 최면이라도 걸듯 "나는 혼자가 아니야! 나는 대장이야!"를 외치며 벨라는 녀석의 털에 얼굴을 파묻었다.

“와, 난 우리 대학 성벽에서 아래를 내려다보는 것이 제일 좋더라.”

모나스 판테온 대학의 재킷을 입은 대학생들이 성벽에 팔을 걸치고 떠들어 대고 있었다.

대학에 딱히 교복이 정해진 것은 아니었으나 제국 최고 대학의 학생임을 드러내 주는 재킷만큼은 너도 나도 특권처럼 입고 다녔다.

“누가 시골 촌놈 아니랄까 봐서 별것이 다 좋다. 응?”

다른 학생이 비웃음을 날리는데도 전혀 굴하지 않는 그 학생은 웃으며 말했다.

“여기 서 있으면 페테르니타스 궁전이랑 텔레포트 포인트 유적지가 한눈에 보이잖아.”

그는 눈을 찡긋하며 말했다.

“방학 때 고향에 내려가면 동네 꼬마들이 페테르니타스 궁전이 정말로 한 덩어리의 거대한 암벽을 마법으로 파쇄해서 만들었다는 말이 사실이냐고 묻는다고.”

그는 감탄사를 섞어 가며 말을 이어 갔다.

“벽돌 하나 없이 모든 방과 길이 하나의 암석 덩어리로 만들어져 있는 그 웅장함이란!”

“에이, 그 말을 믿냐? 신화시대 속의 전설이고, 누군가가 그럴싸하게 갖다 붙였겠지."

"야야, 그 궁전을 무슨 수로 사람이 짓겠냐? 게다가 텔레포트 유적지도 진짜로 마법사가 존재했으니까 만들어진 거겠지!"

"마법이 사라진 지가 언젠데 그따위 소리를 하는 거냐? 이젠 그런 이야기는 코흘리개도 안 믿어."

"아니야! 마나를 운용하는 방법을 잊어버려서 그럴 뿐이야! 애초에 고대어를 해독해서 마나를 쓸 수 없다면 마력석이 존재할 리도 없잖아!"

"자식, 순진하기는. 그런 거 믿을 시간에 원소 주기율표나 외워라. 세상은 연금술이 아니라 과학이 지배한다는 걸 잊지 마."

마침 황태자 칼리아스가 멀리서 모습을 드러내자 그중 하나가 칼리아스를 보며 말했다.

"다른 건 모르겠는데, 카나이브 황가만큼은 지금의 지식으로는 설명이 불가능하지. 신의 축복을 받은 황태자 전하 오신다. 비켜."

카나이브 황가의 신성함은 그 외모적 특이점에 힘입은 바가 많았다. 도저히 자연계에 존재할 리 없는 특이한 색상의 유전 형질은 어떤 때라도 사람들의 눈길을 끌어모았다.

먼발치에서 보는데도 여기까지 일렁이는 금색의 안광이나, 푸른 머리칼이 그러했다.

모나스 판테온 국립 대학은 제국이 자랑하는 최고의 교육기관이자, 대대로 황제가 국민을 평등하게 사랑하고 배려함을 과시하기 위해 자신의 자식들을 국민들의 자제들과 함께 수업을 듣게 하며 홍보 수단으로 삼는 곳이기도 했다.

황태자 칼리아스는 이제 막 군사학 개론 수업을 마치고 잠시 쉬는 시간에 호위단을 거느리고 분수 조각상 앞으로 걸어 나오던 참이었다.

그때, 분숫가에 흰옷의 숙녀 하나가 앉아 있다가 벌떡 일어나서 반가운 체를 하며 달려왔다.

"오라버니!"

혹시라도 자신을 모른 척 지나치기라도 할까 봐서 손을 크게 흔들며 칼리아스의 앞에 섰다.

"무슨 일이냐."

들고 있던 군사학 개론 책을 호위 기사 하나에게 건네준 칼리아스가 차가운 금색 눈동자로 클라라의 얼굴을 바라보았다.

"쉬는 시간이 짧다. 본론부터 빨리 말해. 다음 수업은 전쟁사인데 발표 수업이라 연습을 해 봐야 한다. 아까운 시간 허비하게 하지 마라."

클라라는 뒷짐을 지듯 손을 뒤로하고서 뜸 들이듯 미소 지을 뿐이었다. 칼리아스는 짜증 난다는 듯 미간을 찡그리며 말했다.

"부탁할 것 있으면 빨리 말해. 정말 바쁘다."

"오라버니. 내 부탁 듣고 화내면 안 돼요, 응?"

"알았다."

칼리아스의 무뚝뚝한 대답에 클라라는 보조개가 가득한

미소를 지으며 고개를 저었다.

"사소하다고 생각되어도 꼭 들어주기. 응?"

클라라는 세상을 모두 녹여 낼 듯 환한 미소를 지으며 두 뺨을 붉게 물들였다.

"본론을 빨리 말하라니까. 시간 없다."

화내는 모습에 클라라는 서둘러 말했다.

"오라버니. 나 요즘 귀족들 사이에서 유행한다는 장미 향 입욕제 좀 구해 주세요. 으응?"

그 말에 칼리아스의 표정에 불쾌감과 당혹감이 스쳐 갔다.

"장미 향 입욕제?"

"목욕물에 집어넣으면 욕조에 하얀 거품이 구름처럼 일어요. 거품 속에서 목욕하면 얼마나 기분이 좋은데. 장미 향은 또 어떻고. 따로 향수를 뿌리지 않아도 향이 배어나요."

그는 지금 제정신으로 하는 말인가 싶어 매섭게 쏘아보았다.

"시종에게 요구할 것이지 왜 내게 부탁하느냐. 비켜라."

그가 기분 나빠 하며 몇 걸음 걸어 나가자 클라라는 황급히 그 앞을 막아섰다.

"요즘 새로 나온 상품인데, 인기 폭발이라 구하기가 하늘의 별 따기야. 구하려고 별수를 다 써 봤는데 공장 앞에서 줄 서고 있다가 먼저 가져가는 수밖에 없대요."

클라라는 억울하다는 듯 눈물까지 글썽였다.

"이미 몇 차례 사람을 보내 봤는데 미친 귀족 영애들이 먼저 가져가는 게 임자라고 강제로 탈취해서 도망가 버렸대요."

혹시라도 오빠가 들어주지 않을까 봐 절절하게 속삭였다.

“오라버니가 직접 가면, 누가 감히 오라버니 앞에서 그런 추한 짓을 하겠어요? 그리고 오라버니를 누가 감히 공장 밖에 줄 서서 기다리라 하겠어요?”

칼리아스의 관심이 짜게 식어 가는 것을 눈치챈 클라라는 더욱 열심히 매달렸다.

“저 그것 좀 구해다 주세요. 제발. 응? 응?”

들을 가치도 없다는 듯 걸어가는 그에게 클라라가 눈물까지 방울방울 떨구면서 매달렸다.

“오라버니는 여자의 마음을 너무나 몰라. 거창한 거, 비싼 거 그런 거 다 소용없어요.”

칼리아스의 눈빛이 점점 싸늘해져 가는데도 클라라는 모른 척 열렬히 말했다.

“여자들은 이런 사소한 것에 감격해요. 제 소원 들어주시면 저도 나중에 오라버니 소원 무조건 하나 들어 드릴게. 응? 마음껏 쓸 양을 구해다 줘요.”

칼리아스가 뿌리치려 하자 손아귀에 힘을 주어 가며 그를 붙잡았다.

“일주일에 한 번, 한 달에 한 번 아껴 쓰는 건 정말 감질나서 못 견디겠어요~. 황녀도 못 구하는 것이 있다는 거, 처음으로 알았어요. 그러니 오라버니!! 응?”

클라라는 두 손을 모으고 그에게 애원했다.

그 모습에 칼리아스는 눈을 찡그렸다.

“자세부터 바로 해라. 제국의 황녀가 기품 없이 그게 무슨 꼴이냐.”

그러자 금세 클라라의 얼굴에 화색이 돌았다.

그리하여 칼리아스는 자의 반 타의 반으로 그 장안의 화제라는 장미 향 입욕제 공장을 방문하기 위해 아르티드 후작령에 속한 펜넬 지방의 상업 지구에 나왔다.

실은 예술가의 거리란 곳에 있다는 가게에 먼저 들렀다가 허탕을 치고 이 먼 곳까지 오게 되었던 셈이었다.

'설마 그래도 가게에 숨겨 둔 제품 한 개쯤은 있겠지.' 했는데 정말 황태자가 가도 물건이 없었다.

여자들이 그깟 것에 왜 열광인지 도저히 이해가 되지 않았다.

핑계는 입욕제 공장 시설 견학.

차마 일국의 황태자가 장미 향 입욕제가 필요하다고 말하긴 창피해서 견학을 먼저 하고, 가기 전에 샘플 몇 개만 달라 할 생각이었다.

기다리는 사람이 줄을 섰다는데, 어쩐지 새치기 같아 자존심이 허락하지 않았다. 클라라가 양이 적다 투덜거릴 것이 뻔하니 이후 빠른 배달을 당부하고 가면 될 일.

투덜거리며 마차에서 내린 칼리아스는 공장이 생각했던 것보다 거대한 규모여서 깜짝 놀랐다.

방적 공장을 본 적은 있었다.

증기 기관이 발전하고 방적기가 발달하면서 공장이 생기고 그 바람에 도산한 가내 수공업자들이 일거리를 찾아 방적 공장에 몰리면서 칼리아스의 기억 속에 공장이란 공기가 더럽고 빈민들이 우글거리는 곳이었다.

공장이라길래 그런 이미지를 떠올리면서 왔다가 분홍색 대문을 보니 상당히 의외였다.

그 앞에 정말로 귀부인들이 줄지어 서 있었다.

"어머, 랑가르 남작 부인, 여기서 뵙네요."

"코크란 자작 부인은 웬일이세요? 하녀를 시켜서 줄 서시지 왜 직접 오셨나요?"

"소문에, 하녀가 와도 안 주고 대기만 오래 시켜서, 귀부인들이 직접 와서 줄 서면 빨리 줘서 보낸다기에 염치 불구, 와서 줄 섰어요."

시키지도 않았는데 곁의 다른 귀부인이 끼어들어 말했다.

"창피함은 순간이지만 다른 분들이 웃돈 주고라도 사 가니까 줄만 잘 서도 괜찮은 용돈벌이가 된다더군요."

이런 대화가 본의 아니게 칼리아스의 귀에 들어왔다.

감히 일국의 황태자를 이런 자리에 내보낸 여동생 클라라가 원망스러웠다.

"그런데 저분 황태자 전하 아니십니까?"

이런 데에 황태자가 오리라고 상상도 못한 귀족들이 토끼눈이 되어 인사를 하며 뒤로 물러섰고, 황태자는 굳은 표정으로 대문으로 다가갔다.

그러자 밤갈색 머리의 소녀 하나가 종종걸음으로 달려 나왔다.

"존엄하신 이여, 이 누추한 곳을 방문하여 주시다니 영광입니다."

그는 다른 것은 모르겠고, 그녀의 눈웃음 짓는 보라색 눈매가 참 예쁘다는 생각을 했다.

"제 이름은 벨라입니다. 안으로 들어오시기 전에 앞치마와 장갑과 장화를 착용하여 주십시오. 우산은 시종장님께 드리면 되나요?"

황태자는 앞치마에 장갑에 장화를 두르고 우스꽝스러운 모자에 머리카락을 모두 쑤셔 넣은 소녀가 시종장에게 건네는 우산을 뜨악한 표정으로 바라보았다.

"이것을 꼭 써야 하느냐?"

촌스러운 우산과 앞치마 따위를 보며 황태자가 미간을 찡그렸다.

일할 것도 아닌데 자신더러 두르라니 마음에 들지 않았다.

"모두 황태자 전하의 안전을 위해서입니다. 공장에서는 안전이 제일이거든요."

공장의 원칙은 빠른 생산 속도 아닌가 하는 생각을 하며 황태자는 시선을 돌렸다.

애초에 공장 자체가 제품을 많이 만들기 위하여 설립되는 거고, 그만큼 본전을 빨리 많이 뽑기 위함인데 제품을 느릿느릿 뽑아내서 자신이 직접 여기까지 구하러 오게 하느냐고 비꼬고 싶은 마음을 꿀꺽 삼키며 황태자는 벨라의 뒤를 따랐다.

"나름 기밀 구역이지만, 전하께서는 이 나라의 황태자이시니 특별히 모시는 것이옵니다. 공장 내부가 궁금하시다는 언질을 받아 기다리고 있었습니다."

"주인은 어디 있는가?"

칼리아스의 말에 벨라가 웃으며 말했다.

"접니다."

칼리아스의 눈이 커졌다. 그 입욕제 공장의 사장이 눈앞의 앳된 숙녀라고 한다. 지금 장난하나 하는 생각이 먼저 그의 뇌리를 스쳤다. 당연히 경험 많고 배 나온 할아버지 사장을 떠올리고 있었다.

시종장이 앞치마와 장화를 내밀자 칼리아스는 그 촌스러운 것을 밀어냈다.

"이런 것은 일꾼들이나 입는 것이다. 나는 그저 시찰을 나왔을 뿐. 입지 않겠다."

"아닙니다. 꼭 입어야 합니다. 그렇지 않으면 들어갈 수 없습니다."

순간 칼리아스는 욱하니 짜증이 일었다. 여기 온 것도 쪽팔려 죽겠는데 사람들이 우스꽝스럽게 입은 자신을 쳐다볼 것 같았다.

"이딴 것을 입지 않으면 들어갈 수 없어? 감히 황태자에게 들어갈 수 있다 없다 말하는가?"

자신을 얕잡아 보지 않고서야 도저히 그럴 수가 없다. 그 누구든 자신의 뜻에 반하면 쉽게 베어 버리는 것이 황실의 위엄을 세우는 길이라 생각해 온 칼리아스였기에 더더욱 화가 치밀었다.

“황제 폐하의 칙서입니다. 이곳은 황제 폐하께서 국가 기간산업으로 지정하시어 전략적인 연구가 진행 중입니다.”

난데없는 남자 목소리가 끼어들었다.

“페로하트 국립 화학 공업 연구소와 제휴를 맺어 그에 따르는 비밀을 보장받은 것들입니다. 특허권을 인정하는 폐하의 친필 서명입니다. 확인 부탁드립니다.”

둘 사이에 나타난, 키가 훤칠하니 크고 단정한 검은 정장 차림의 남자는 사람을 꿰뚫어 보는 듯한 날카로운 눈매를 지니고 있어 함부로 범접하기 힘든 기운을 지니고 있었다.

그가 든 서류 안에 정말로 황제의 서명이 또렷하게 보였다. 순간 할 말을 잊은 칼리아스의 시선이 그 남자의 위아래를 훑었다. 그러자 그 남자는 자세를 바로 하더니 정중하게 묵례했다.

“인사가 늦었습니다. 저는 아르티드 후작가의 집사, 루카스 버틀러라고 합니다.”

“천연 소다를 구하는 게 여간 힘든 일이 아니라 비누는 예로부터 고귀한 사람들만이 쓰는 특별한 기호품이었습니다.”

루카스가 설명하지 않아도 비누가 비싸다는 것은 황태자도 잘 아는 사실이었다.

"하지만 최근에 한 과학자가 소다를 인공적으로 합성하는 것에 성공했다 하여 그를 초빙해 대량 생산하는 공정을 완성했습니다."

루카스의 설명은 계속 이어졌다.

"저희는 국가적 차원의 보건 위생 산업의 일환으로 황제 폐하께 그 공법을 바치고 대신 입욕제와 화장품 쪽으로 특허를 인정받았습니다."

그러니 아바마마께서 허락해 주셨겠지 하며 황태자는 심드렁한 표정을 지었다.

"현재 입욕제의 주문이 밀려 있는 것은 해당 시설을 보완 중이라 수작업에 의존하는 부분이 크기 때문에 그렇습니다. 그 점 양해 부탁드립니다."

루카스가 정중히 설명하며 공장 내부를 안내했다.

"그래서 이쪽 라인은 물을 통과시켜 유해 가스의 유출을 막고 있다……. 물에 녹는 성질을 이용했다니 흥미로운 일이군."

"해당 유해 물질에 오래 노출되면 보시다시피 이렇게 옷은 너덜너덜해지고 피부는 화상을 일으킵니다. 그래서 만에 하나 있을 위험을 방지하고자 작업복을 입습니다만, 전하께서는 약식으로 앞치마를 권해드린 겁니다."

루카스는 자세하게 설명해 주었다.

"흐른 물은 탱크에 모았다가 물에 녹은 성분을 걸러 내어 다시 재사용하고 있습니다."

공장을 대략적으로 둘러본 뒤 루카스는 사무실로 황태자

를 안내했다.

화장품이란 것이 어떻게 만들어지는지는 원래 알았다. 천연물 몇 가지를 뒤섞어 만들기도 하고, 이제 막 발전하기 시작한 화학 기술을 이용해 합성 물질로 만들기도 하는 것은 새롭지 않았다.

그런데 그까짓 입욕제 몇 개 만들자고 하기엔 공장이 지나치게 컸다.

'이런 비효율이 어디 있는가.'

돈 벌자고 하는 것이 공장인데 한눈에 봐도 돈벌이와 거리가 멀어 보였다.

칼리아스는 원래 그 자리가 자기 자리였다는 듯 다리를 꼬고 거만한 자세로 팔걸이에 팔을 얹었다. 그래도 전혀 위화감이 느껴지지 않는 것은 그의 특유의 포식자 같은 날카로운 분위기 때문일지도 몰랐다. 나이가 어림에도 불구하고 그가 풍기는 그 압박감이란 대단했다.

맞은편에 앉은 벨라와 눈이 마주친 칼리아스는 툭 던지듯 그 서늘한 미성을 내뱉었다.

"아르티드 영애. 그대가 이곳의 주인이라고 말하기 전까지 몰라본 건 사과하겠네. 차림새가 너무 평범하여서 말이지. 나의 기대를 벗어난 차림이었다고 변명해 두겠네. 나이도 어린 것 같은데, 보기 드물게 안목이 깊군."

칼리아스는 금속광택이 나는 그 차가운 시선으로 벨라를 뚫어지게 바라보았다.

"어떻게 화공업에 손댈 생각을 했나? 보통 그 나이 또래

다른 영애들은 드레스와 구두에 열을 올리던데."

벨라는 그의 시선이 부담스러워서 어색하게 웃으며 말했다.

"저도 평범한 다른 영애들과 마찬가지입니다. 목욕할 때 단순히 비누로 씻는다기보다 향기로운 물로 몸을 헹군다는 기분을 줄 세정제가 없나 하는 생각을 하다 보니 그만……."

'하, 거짓말. 과거에 저런 제품이 있어서 잘 팔렸다는 것을 아니까 그렇지. 그땐 대량 생산이 되어 흔했는데 그마저도 돈이 없어서 못 사서 한이 맺혔었지…….'

벨라는 혼자 수줍게 웃었다가 고개를 저었다.

'하지만, 단순히 그 때문만은 아니고, 황태자 전하께서 앞으로 겪을 일 때문에 미래를 대비해서 이 공장을 준비했는걸.'

벨라는 속으로 그런 생각을 하며 웃다가 이안과 시선이 마주쳤다.

이안이 벨라를 향해 미간을 찡그리자 벨라는 웃던 입을 다물었다. 이안은 다른 의미로 고개를 절레절레 저었다.

칼리아스는 입욕제를 구하는 게 목표이면서도 입욕제 이야기는 체면상 꺼내지도 못하고 공장을 둘러본 이야기나 꺼냈다.

말하다 보니 뭔가 자꾸 찜찜한 기분이 들었다. 자신의 상식과 맞지 않는 것들이 많이 눈에 띄었기 때문이었다.

소다를 만드는 데 환경을 오염시키는 물질이 나온다고 한다고 했을 땐, '환경 좀 오염되면 어때. 그래도 비 한 번 내리고 나면 세상이 저절로 깨끗해지는 거 아니었어?'라고 대수롭지 않게 생각했다.

하지만 이 공장 측에선 소다를 만들면서 주변 환경에 피해를 주지 않고자 그 독성 물질을 따로 걷어 내서 공장 다른 라인에서 그것을 다시 쓴다고 했다.

그러다 보니 온갖 화학 분야의 물질들을 생산해 내고 있는데, 장미 향 입욕제 하나 만들자고 판매 가격의 열 배를 쓰는 셈이었다.

이런 머저리 같은 일을 하는데 망하지 않고 공장이 잘 돌아간다는 말을 칼리아스는 이해할 수가 없었다.

화장품 만들려거든 화장품이나 만들 것이지 여기서 염산도 만들고 아세톤도 만들고 별 희한한 걸 다 만들어 물 한 방울도 외부에 배출하지 않고 안에서 다 소모한다고 한다.

'허…… 돈이 썩어 나는 모양이군. 입욕제 하나 만들기엔 지나치게 고비용이라 한 달 내로 망하지 않으면 다행인데?'

칼리아스는 기가 차서 혼잣말을 중얼거렸다.

'무언가 꿍꿍이가 있지 않고서는 입욕제 만든다고 아바마마께 공장 허가를 특별히 청해 일을 키우지는 않을 터.'

세상이 얼마나 냉정한데 한눈에 보아도 돈 낭비가 될 일을 벌였는지 이해 불가였다.

칼리아스는 벨라를 흘겨보았다가 루카스를 쳐다보았다.

과연 그 꿍꿍이를 가진 자가 눈앞에 방긋 웃고 있는 저 여자인지, 뒤에 서 있는 집사인지 얼굴만 봐서는 알 수 없었다.

한편 벨라는 식은땀이 나고 억지로 웃는 입가가 바르르 떨렸다.

황태자와 면담한다는 게 어디 흔한 일이던가. 흔히 찾아오지 않는 기회이니만큼 칼리아스에게 미래에 있을 일을 이야기해야 하는데 차마 입이 떨어지지 않았다.

루카스가 비누 특허권 문제로 직접 황제 폐하를 알현했을 때도 벨라는 황제에게 그 이야기를 하고 싶었다.

그런데 전혀 그 이야기를 할 틈이 없어서 그 금쪽같은 기회를 입 한 번 벙긋해 보지 못하고 날렸다. 미친 여자 취급받을까 봐 미래에 있을 일을 아무에게도 말하지 못했다.

심지어 루카스마저 믿어 주지 않을까 봐 번번이 말하려다가 알맞은 타이밍을 찾지 못하고 얼버무려야 했다.

그런데 꿈인지 생시인지 황태자가 직접 와 있다.

어떻게 해야 미친 여자 취급을 받지 않으면서 '당신이 곧 전쟁터에 나가 죽을 거다.'라고 이야기할 수 있을까.

'이 공장은 유사시에 화약도 만들 수 있어요. 황태자 전하께서 곧 총 맞아 죽을 운명이니 그 미래에 대비하려고 만들었어요. 단순한 비누 공장이 아니에요.'

그 말이 꺼내고 싶어서 입술이 바짝바짝 말랐다.

칼리아스가 의혹의 시선을 던지고 있는 줄도 모르고 벨라가 웃으며 대답했다.

"제 공장은 전천후 만능 공장입니다. 황태자 전하께서 원하시는 것은 언제든 만들어 낼 준비가 되어 있는 곳이기도 하고요."

칼리아스는 그 말에 허헛 하는 웃음소리를 내고 말았다.

"내가 원하는 것은 무엇이든 만들어 낼 준비가 되어 있는 공장? 상당히 고단수의 아첨이군."

칼리아스는 혀를 찼다.

"이렇게 돈을 허비해 가면서까지 나와 친분을 쌓고 싶다는 건가? 우스꽝스런 앞치마를 착용하지 않을 거면 못 들어간다고 큰소리치던 것과는 사뭇 다른데 말이지."

칼리아스의 말에 벨라는 당황했다.

"아닙니다. 절대로 그런 것은 아닙니다. 미래를 위해 투자한다고 생각하고 지은 것들입니다. 곧, 아니 언젠가는 황태자 전하께서도 적절한 투자였다고 칭찬하실 때가 올 거라는 취지에서 드린 말씀입니다."

칼리아스는 이 공장에 숨겨진 뭔가가 있는 듯한 찜찜함을 느끼며 루카스에게 다시 서류를 내밀었다.

"나는 내게 사탕발림하는 사람을 썩 좋아하지 않는다. 그런 사탕발림은 삼가도록."

"그런 뜻이 아닌데……."

벨라는 분위기가 이상하게 돌아가자 입술이 바짝바짝 타들어 가는 기분이 들었다.

'당신의 미래를 위해, 우리 아르티드가의 고용인들의 생존을 위해 이 공장을 지었어요.'라고 말해야 하는데 칼리아스가 사탕발림하지 말라고 말한다.

소문에 그는 자신의 위신을 떨어뜨리는 사람, 또는 두 번 세 번 똑같은 말을 하게 만드는 사람은 가차 없이 벤다고 했다. 황제 또는 황태자, 즉 페로하트의 존엄은 그리해도 된다고들 다들 믿었다.

그에게 잘 보이려고 하는 말이 아닌데, 황태자는 대체 무슨 까닭인지 처음 들어올 때부터 지금까지 시종일관 불편한 표정이었고 썩 기분 좋아 보이지 않았다.

'어쩌지……?'

칼리아스는 입욕제를 얻으러 왔다는 쪽팔림 때문에 기분이 나쁜 채로 이곳에 왔지만, 지금은 이 공장 자체가 찜찜해서 기분이 더 나빴다.

서류를 봐서는 그저 문어발식으로 지은 공장이고 입욕제 하나 만들자고 돈 낭비 중인 시설이었는데 무언가 그 내용이 묘하게 마음에 걸렸다.

지금으로서는 고비용이 드는 화학 물질들을 쉽게 대량 생산할 수 있는 시설을 추구하는 듯한데 화장품만 만들기엔 쓰잘머리 없었다.

'이해 불가.'

이상한 것은 나중에 훑어보기로 하고 칼리아스는 입욕제나 얼른 받아서 나가야겠다고 생각했다.

"대충 루카스 경의 설명을 들으니 왜 입욕제의 생산이 늦어지는지 이해했네. 좋은 구경 했고 이곳이 앞으로 무한한 발전 가능성을 지녔다는 것을 보고 배웠네."

마음에도 없는 말이지만 예의상 격식을 차려야 했다.

"견학시켜 주어 고맙다는 뜻을 전하고 싶네만 이곳에 대한 이해를 돕기 위해 입욕제 샘플이 있다면 간단히 한두 개만 주겠는가?"

칼리아스는 적당히 일어서려 했다.

“지금 보여 드린 공장 내부와 서류는 황제 폐하와 황태자 전하 두 분 외엔 보여 드린 적이 없습니다. 따라서 이 서류를 보신 것에 대해서는 함구해 주셨으면 합니다.”

루카스가 칼리아스에게 당부하며 고개를 정중히 숙였다.

그런데 자신을 쳐다보는 벨라의 눈빛이 이상하다.

보통은 자신에게 예쁘게 보이려고, 자신의 호감을 끌어내려고들 애쓰는데, 그녀의 표정은 무언가 초조해 보였고, 할 말이 매우 많은데 억지로 다물어 참고 있는 것 같았다.

“더 할 말 있으신가?”

칼리아스가 물었다. 그러자 그녀는 집사의 눈치를 살폈다. 그러더니 조용히 고개를 가로저었다.

‘주인이 집사의 눈치를 본다? 혹시 집사가 주인을 조종하고 있다는 소문이 사실인가?’

칼리아스는 잠시 눈을 날카롭게 빛내며 둘을 훑어보고는 몸을 일으켰다.

벨라는 로즈메리 향, 라벤더 향, 장미 향, 그리고 야심 차게 준비한 신상품 아이리스 향, 라일락 향의 입욕제까지 넣어서 만든 큰 선물 상자를 황태자에게 바쳤다.

“전하, 누추한 곳을 방문해 주셔서 감사의 의미로 선물을 준비해 봤습니다.”

황태자는 뜻 모를 험악한 표정으로 그 선물을 바라보았다. 벨라는 어색함에 눈웃음을 지었다.

천천히 그 입욕제를 하나 집어 향을 맡아 본 황태자는 좋다 싫다 말 한마디 없이 내려놓더니 말했다.

"고맙게 받도록 하지. 황제 폐하께는 견학으로 배운 바를 잘 말씀드리도록 하겠네. 시간이 늦은 것 같으니 이만 돌아가 보겠다."

그러자 벨라는 당황스러워하며 말했다.

"차라도 한 잔 드시고 가시지…… 아! 그러고 보니, 루카! 황태자 전하께 차도 한 잔 내어 드리지 않고 이게 무슨 실례야! 황태자 전하, 차라도 한 잔 드시고 가시옵소서."

우스꽝스러운 모자 속에 구겨 넣었던 그녀의 밤갈색 결 고운 곱슬머리가 물결치며 흘러나와 그녀의 몸짓에 따라 출렁거리며 윤기를 뽐내고 있다.

자신을 바라보는 반짝이는 보라색의 눈동자가 어쩐지 낯이 익었다.

언젠가 이 눈을 본 적이 있는 것도 같았다. 그게 언제였더라?

어쩐지 이 뜻 모를 기시감에 황태자는 그녀에게 소매를 잡히면서도 '어……? 뭐지?' 하는 묘한 기분에 휩싸였다.

기억 속 어딘가에 이런 장면이 있었던 것도 같았다.

'저와 함께 차라도 한잔하시옵소서, 전하.'

낭랑하던 목소리가 귓가에 울리는 것도 같았다.

'언젠가 봤어. 이 느낌을 알아……!'

황태자는 멍하니 그녀를 바라보다가 정신을 차렸다.

"이것 놔라. 감히 제국의 황태자에게 이게 무슨 무엄한 짓이냐!"

의외로 벨라는 순순히 황태자의 소매를 놓았다.

"죄송합니다, 전하. 옛 생각이 나서 차를 청해 보았습니다.

그냥 보내 드리기 아쉬워서요. 너무 언짢아하지 마세요."

황태자는 미간을 찡그리며 타는 듯 일렁거리는 금안으로 벨라를 노려보았다.

"감히 황태자의 소매를 잡아끌다니. 게다가 옛 생각이라니 대체……."

벨라는 눈가를 휘며 다정한 미소를 지었다.

"전하, 조금만 더 자라면 제 눈동자 색을 닮은 보랏빛 버베나 꽃다발을 들고 청혼하러 오실 거라더니 기억도 못 하시네요."

응?

황태자는 뜻밖의 말에 멍하니 서서 벨라를 바라보았다.

기억이 날 듯 말 듯…… 어쩐지 낯이 익은 것도 같고, 처음 보는 것도 같고…….

'버베나의 꽃말은 가정의 평화, 가족의 화합이래. 유모가 알려 줬어. 나중에 전하는 화목한 가정을 꾸려서 부인에게 사랑을 듬뿍 받으라고 그랬어. 나는 일찍 결혼할 거야. 그래서 자식도 많이, 아주 많이 낳아서 함께 뛰놀 거야.'

어린 날의 자신의 목소리가 머릿속에 울려오는 것만 같았다.

'그러니까 벨라. 나랑 결혼해 줘.'

'아직 어른이 되려면 키가 더 많이 커야 한다는데요?'

'걱정하지 마. 나는 앞으로 키가 쑥쑥 커서 금방 어른이 될 거거든. 그러니까 기다려. 내가 너의 눈동자 색을 닮은 보랏빛 버베나 꽃다발을 이만큼 커다랗게 만들어서 청혼하러 갈게.'

황태자의 동공이 크게 확대되었다.

'벨라. 그땐 나의 청혼을 받아 줘.'

어헉……!
황태자의 얼굴이 허옇게 질렸다.
떠올라 버렸다. 자신의 흑역사가.
처음 본 꼬마 아가씨에게 당차게 청혼을 한 뒤로 시종들이 자꾸만 놀려서 실수였다면서 기억 저편에 묻었던 쪽팔린 흑역사가……!!!
한 손으로 얼굴을 가린 황태자가 잠시 비틀거렸다.
"괜찮으십니까, 전하?"
벨라와 이안이 그런 황태자를 부축하려 하자 황태자는 얼굴을 가렸던 손을 쓰윽 내리며 눈썹을 찡그렸다.
"잠시 두통이 밀려와서 그랬다. 신경 쓰지 마라. 그리고 난 당신들을 오늘 처음 보았다."
속내가 들킬까 봐 오히려 버럭 하는 척했다.
"앞으로 잘 아는 척 실례하지 마라. 처음이니 무례를 용서하나 두 번은 자비를 베풀지 않는다. 이곳의 주인이 당신이라고 하니 단도직입적으로 묻겠다."
거기까지 말하다가 칼리아스는 심호흡했다.
'젠장! 견학을 가장해 장미 향 입욕제를 순서 무시하고 얻으러 왔다는 자체가 흑역사를 또 추가하는 짓이잖아!!'
어린 시절 비슷한 키에 유쾌한 소년은 자라서 다른 사람이라 해도 믿을 만큼 싸늘한 기운을 풍겼다.

신성한 외모라 칭송받는 만큼 연하늘빛 머리카락은 실제 보노라니 신기하기 이를 데 없었고, 빛이 들어오는 각도에 따라 불타는 듯 일렁이는 눈동자는 세상의 것이 아닌 듯했다.

하얗고 갸름한 얼굴형에 날카로운 인상을 풍기는 눈매. 그리고 조각상처럼 오뚝한 콧날과 굳게 다문 입술. 신의 축복을 받았다는 그 외양적인 모습은 군중 속에 섞여 있어도 단연코 한 번에 눈에 띌 만한 미형이었다.

예리하게 손질된 칼 같은 느낌을 풍기는 그는 그 자체로 일반인과는 사뭇 다른 공기를 온몸에 휘감고 있는 듯했다.

'아. 말 못해서 속 터져 죽는 것이 이런 것인가.'

벨라는 답답해서 가슴을 쿵쿵 쳤다.

임금님 귀는 당나귀 귀!

그의 손이 칼자루에 닿아 있는 것이 보였다. 언제라도 뭔가 거슬리면 스릉 베어 버리면 그만인 존재였다.

그는 뭐가 그리 급한지 빨리 돌아가겠다고만 하니 말 꺼낼 틈이 없었다.

게다가 루카스를 쳐다보았더니 아무 말도 하지 말라는 듯 고개를 저었다.

이 황금 같은 기회를 어쩌지 못해서 환장할 지경이었다.

황태자는 일행을 거느리고 다시 공장 밖으로 나갔다. 공장 문 근처에는 여전히 사람들이 개미 떼처럼 늘어서서 입욕제가 나오기만을 기다리고 서 있었다.

"식사는 됐고 나중에 황궁에 초대장이라도 보내지. 이름이 기억나지 않는데 뭐라 했지?"

황태자의 말에 벨라는 싱긋 웃으며 말했다.

"벨라입니다. 이사벨라 엘 아르티드입니다."

황태자는 손을 한 번 쓱 들어서 인사를 대신하고는 그대로 쌩하니 찬바람을 일으키며 멀어져 갔다.

'나중에 황궁에 초대장이라도 보내지.

벨라는 황태자의 말을 곱씹었다.

칼리아스는 모나스 판테온 대학에 등교할 때 예술가의 거리 옆길로 다녀서 그 존재를 몰랐다.

슬럼가가 멋지게 탈바꿈했다는 말은 들었지만, 딱히 관심이 없었다.

하지만 그 뒤로 슬금슬금 눈길이 가곤 했다.

처음 핑계는 아직도 벨라의 화장품 가게 앞에 줄 선 사람이 있을까 하는 것이었다.

장담했던 대로 곧 대량 생산이 가능해지면서 품절 현상도 풀렸고, 입욕제의 인기에 힘입어서 다른 유사 제품도 하나 둘 나왔기에 그 거품은 곧 꺼질 줄 알았다.

그런데 여전히 그 가게는 북새통이었다. 내놓는 신제품마다 히트를 쳐서 또 다른 줄이 생기곤 했다.

칼리아스는 자신이 본 벨라의 모습을 떠올렸다.

그저 헤헤거리고 웃는 벨라는 장사 수완과는 거리가 멀어 보였다.

심지어 그 공장도 어디서 원가를 회수하는지 이해 불가인데 여동생 클라라 황녀가 늘 자신에게 '신제품!'을 외치며 구해 달라 떼쓰는 걸 보면 망하지는 않는 모양이었다.

'헐!'

경영학 개론 수업에서 배운 내용을 아무리 곱씹어 보아도 벨라는 예외였다.

'구닥다리 강의밖에 못하는 교수를 갈아 치워 달라고 할까?'

칼리아스는 그녀의 성공기가 언제까지 지속될까 궁금했다.

마차가 벨라의 가게 앞에서 교통 혼잡으로 멈추어 섰다. 무심결에 창밖을 보다가 눈이 마주쳤다.

벨라였다.

어린 시절 왜 그녀를 보고 버베나 꽃으로 청혼한다 했는지 알 것도 같았다.

버베나는 꽤 수수해 보이는 꽃이었다. 그런데 무리 지어 피면 아름답다.

그 따뜻해 보이는 느낌을 사람들이 가정의 행복과 결부시켰을지도 모른다.

그녀라는 사람 하나만 놓고 보면 그다지 튀지 않았지만, 사람들 사이에서 그녀의 보랏빛 눈동자는 꽤나 오랫동안 뇌리에 남았다.

쳐다보려고 해서 시선이 마주친 것은 아니었으나 마주친

순간 칼리아스는 고개를 획 돌렸다.

어떤 여자든, 자신이 오랫동안 쳐다보고 있으면 꼭 염문이 돌았다.

칼리아스 자신은 그것이 굉장히 싫었다.

여자들이란 무엇으로든 그의 시선을 끌려고 애썼다. 그러한 것에 지칠 대로 지쳐 여자들과 한 공간에 있는 것조차 꺼려 했다.

칼리아스는 문득 자신의 어머니가 떠올랐다.

'잘 자라, 우리 아가. 너는 마음 따위 내어 주지 말아라. 꿈에서 다시 만나 안부를 전하자꾸나.'

마치 어딘가에 여행을 가는 듯한 모습으로 차려입은 어머니는 하얀 꽃송이가 가득 얹힌 챙 넓은 모자를 쓰고 어딘가 모르게 슬픈 모습으로 이제 막 낮잠이 들려 하는 칼리아스의 이마에 입맞춤을 해 주었다.

그것은, 처형당하기 전 어머니의 마지막 모습이었다. 칼리아스의 어머니는 자신을 끌어내려고 온 병사들에게 부탁했다.

'우리 아가가 낮잠 잘 시간이니 낮잠 자는 것만 보고 가게 해 주세요.'

아련한 눈빛으로 품에 안고 자장자장 노래를 불러 주던 어머니의 마지막 기억.

아이러니하게도 그것은 칼리아스에게 있어 가장 행복했던 기억이기도 했다.

잠들었다가 눈을 떠 보니 다시는 어머니의 존재를 볼 수 없었다.

마치 처음부터 세상에 없었던 사람처럼.

아직도 눈을 감으면 조용히 귓가에 속삭이며 잘 자라 노래를 불러 주고 부드러운 손으로 가슴을 토닥여 줄 것만 같다.

차가운 바람이 그의 머리카락을 흩뜨렸다.

신화의 시대가 까마득하게 먼 지금, 황태자 칼리아스가 가진 푸른 머리카락은 늘 발현되는 것이 아니고 가끔은 대를 걸러 나타나는 통에 그 형질을 타고나지 못한 자는 진짜 카나이브 혈통이 맞느냐는 논란이 일곤 했다.

갈색 머리를 타고난 현재의 황제 테오도르 알리크 엑세리온 카나이브는 늘 정통이냐 아니냐의 논란에 휘말리곤 했다.

그런 그에게 황태자 칼리아스 데릭 엡실로 카나이브의 존재는 가뭄의 단비처럼 반가운 존재였다.

본인은 조상의 형질을 타고나지 못하였으나 그의 아들은 선연한 물빛 머리카락에 금색 눈동자를 지녔으므로 태어남과 동시에 황태자의 지위를 확고히 하였고, 아비인 테오도르 역시 정통 카나이브 혈통임을 인정받을 수 있었다.

나면서부터 모든 이의 흠모를 받은 칼리아스에게는 모든 것이 다 있었으나 딱 한 가지가 없었다. 바로 남들이 다 가졌다는 어머니.

자세한 사항은 모른다. 아무도 칼리아스에게 대답해 주지 않았다. 다만 자신의 어머니는 사랑받는 아내가 아니었고, 황제의 사랑은 이미 다른 여자에게 가 있었다.

황실에 불미스러운 일이 있어 그 배후로 지목받아 어머니가 처형되었다는 것만은 어렴풋하게 알고 있었다.

그러나 이렇게 먼 숲으로부터 달콤한 꽃향기가 바람에 실려 오는 계절이면 그의 가슴속 한편에 묻어 둔 어머니의 자장가 소리가 되살아나곤 했다.

세상에서 가장 부러운 것은 엄마의 치마폭에서 뛰어노는 카이런, 클라라 남매의 단란한 한때였다.

하지만 아무리 신성한 혈통이라 해도 자신을 보호해 줄 외가 친척 하나 없이 살아남기 위해서는 감정을 드러내지 않아야 한다는 것을 누구보다도 더 잘 알고 있었다.

아버지 테오도르 황제는 늘 칼리아스에게 말했다.

'사람들은 황제의 머리카락 색만 관심이 있지 치세에는 그다지 관심이 없는 모양이다. 이러다 황위를 물려주기도 전에 언제 네 손에 끌어내려질지 모를 일이로군.'

자신을 바라보는 아버지의 시선이 얼마나 차가운지 모른다.

칼리아스는 아버지 앞에 서기만 하면 온몸이 오그라드는 것만 같았다.

움츠러들면 움츠러든다고 혼나고, 고개 숙이면 고개 숙인다고 혼나고, 공부를 못하면 못한다고 혼나고 공부를 잘하면 교만하다고 혼나고…….

그런 아버지가 카이런, 클라라에게만은 관대했다. 그리고 그들을 바라볼 땐 언제나 미소 지었다.

'아바마마. 왜 제게는 웃어 보이지 않으십니까?'

'너는 황제가 될 후계자여서 그런다. 너는 스스로 강해지

지 않으면 내가 내치지 않아도 세상이 내친다. 나에게조차 기대지 마라.'

황제의 말은 차가웠다.

'황제란 그런 자리다. 아무리 네가 나는 갖지 못한 금안에 푸른 머리칼을 지니고 났다 하여도 그것만으로 너의 목숨을 부지하기엔 모자라다. 너에게 작은 빈틈만 하나 있어도 네 아랫것들은 당장에 이빨을 드러내고 너의 목덜미를 물어뜯을 것이다.'

칼리아스는 시종장 보스워스 백작이 벨라에 대해 보고했던 내용을 떠올렸다.

일곱 살, 크리스마스 만찬을 마치고 돌아오는길에 괴한의 습격으로 어머니 즉사, 아르티드 후작 반신불수. 벨라 본인은 실어증과 거식증에 걸림.

열두 살 겨울, 아르티드 후작 독살. 이후 말문이 트이고 아르티드 후작의 유언에 따라 후견인이자 집사인 루카스 버틀러가 심복들만 거느리고 아르티드가의 별장인 그리젤리 저택으로 칩거. 이후 외부와의 접촉을 차단하고 가정 교사를 들여 고용인들에 의해 양육받는 중.

열여덟 살 성년이 되면 상속받을 유산이 막대해 고용인들이 어린 주인을 볼모로 삼아 전권을 휘두르는 중인데 정작 주인 자신은 항상 즐겁고 밝은 표정으로 돌아다니고 있어서 고용인들이 주인에게 엄청난 세뇌를 걸었다는 소문이 돌고 있음.

공교육을 받지 않아 검정고시를 쳐서 대학 입학 자격은 따냈으나 정작 입학 시험을 망쳐서 내년의 입학 시험 준비 중.

페로하트 제국은 여자에게도 교육의 기회는 평등하게 열려 있었다.

하지만 학자가 될 것 아닌 이상에 여자들은 대학 졸업까지 공부하기 힘들었다. 대부분의 귀족 여인들은 좋은 혼처가 우선이었고 학업은 따로 개인 강습을 취미로 받는다고 여기는 편이었다.

시종장이 구해 온 자료에 의하면 예술가의 거리를 조성한 숨은 공신이 바로 벨라 엘 아르티드였다.

예술가의 거리에서 가장 가격이 오를 만한 자리도 예상하고 선점해 놓은 것을 보면 장사 감각이 있는 것도 같은데 그 자리에 미술관을 세웠다고 한다.

근래에 가격이 엄청나게 폭등한 그림들도 그녀의 소유였지만, 팔지 않고 제국 시민들에게 무료로 공개했다.

칼리아스는 그녀에 대해 뭐라 꼬집어 말할 수 없는 이상한 생각이 들었다.

원래 대대로 아르티드가는 초대 가주의 유훈인, 정치에 뛰어들지 말라는 뜻을 받들어 관료를 거의 배출하지 않았다. 방계 일족이나 벼슬하면 모를까.

돈 많은 호구 집안, 또는 오지랖 쩌는 울보 집안이 그녀의 가문에 대한 별명이었다.

자신의 아버지로부터 끊임없이 되새김질하며 배워 온, '너에게 작은 빈틈만 하나 있어도 아랫것들은 당장에 이빨을 드러내고 너의 목덜미를 물어뜯을 것이다.'라는 가르침과 정면으로 위배되는 족속이 아닌가.

칼리아스는 한숨을 길게 내쉬며 오늘 있을 수업 내용이나 머릿속에 떠올렸다.

황태자이기에 수업 하나도 완벽하게 받아야 한다는 생각에 어깨가 벌써부터 긴장해 뻣뻣해지는 것만 같았다.

완벽한 황태자의 역할을 제대로 수행하지 못하면 목숨이 끝이라는 생각이 그를 힘들게 했다.

'걱정하지 마. 나는 앞으로 키가 쑥쑥 커서 금방 어른이 될 거거든. 그러니까 기다려. 너의 눈동자 색을 닮은 보랏빛 버베나 꽃다발을 커다랗게 만들어서 청혼하러 갈게. 벨라, 그땐 나의 청혼을 받아 줘.'

자꾸만 그때 자신이 한 말이, 그 순간이 머릿속을 맴돌았다.

겨우 일곱 살짜리 코흘리개들의 청혼 놀이였다.

누군가가 그 일을 언급하는 것만으로도 자신을 놀린다 생각하여 목을 베어 버려도 이상할 것 없었다.

감히 누가 황태자를 놀린단 말인가.

그런데 의아한 건 어린 시절의 자신이었다.

왜 그 수많은 여자를 놔두고 저 '오지랖 쩌는 울보'에게 청혼을 했단 말인가.

별로 뛰어난 것 하나 없어 보이는데 왜 그녀가 얻는 결과물들은 화려하고 하는 일마다 대성공이란 말인가.

칼리아스는 지금은 희미해진 기억, 크리스마스 만찬회 날을 떠올렸다.

아르티드 후작과 그 부인, 그리고 벨라.

칼리아스가 꿈꾸던 이상적인 가정의 모습이었다.

현명한 가장, 그런 남편을 늘 감탄의 눈길로 바라보는 아내, 둘 사이에서 웃음을 유발하는 귀여운 딸.

파티에 참석한 사람들은 후작 내외의 주변을 감싸고 연신 '고마워요', '감사해요'라고 말했다.

그해 후작 내외가 많은 돈을 기부해 수해 복구에 도움을 주었다고는 하나, 저렇게 손을 잡고 진심으로 반겨 하는 모습을 황제의 주변에서는 본 적이 없었다.

그 반짝임이 부러웠다. 그리고 그 반짝임은 그들의 딸에게도 이어졌다.

반짝반짝.

벨라는 그녀의 엄마를 닮아 나름 예쁘기는 하였으나 세기의 미인이라 할 정도는 아니었다. 하지만 인파에 파묻힌 모습이 정말로 예뻤다.

그래서 저절로 버베나 꽃을 떠올렸는지도 모른다.

예뻐?

칼리아스는 썩소를 띠었다.

어린 시절의 기억이라 감상적이 되었나 보다.

칼리아스는 그녀가 성년이 된 후에도 그 재산이 여전히 멀쩡할까 문득 궁금한 마음이 들었다.

지금까지야 후견인이 대신 관리해 주었다지만 더는 그럴 수 없을 테니까.

예술가의 거리를 벗어나며 그는 이 거리가 차라리 '벨라 거리'라고 해야 더 어울리겠다는 생각을 했다.

4. 창가의 바람

4. 창가의 바람

밝은 햇살이 창 안을 비춰 화장대 앞까지 드리웠다. 그 빛의 끝자락이 벨라의 머리카락을 금색으로 물들였다.

벨라는 낸시에게 머리를 맡긴 채 눈을 지그시 감고 있었다. 익숙한 손길이 매만져 주는 순간이 좋아서 눈을 감고 음미했다. 낸시가 쥔 빗이 훑어 나갈 때마다 파도가 부드럽게 머리를 쓰다듬는 기분이 든다.

이 평범한 일상의 소중함을 깨달았을 때는 망가질 대로 망가진 후였다.

이 사소한 순간으로 되돌아왔다는 것이 얼마나 아름다운가. 매일 아침 반복되는 일이지만 오롯이 눈을 감고 행복을 만끽하고 싶었다.

지금만 해도 그렇다. 낸시가 있는 곳 어디든 따뜻한 곳이었다. 꼭 그리젤리가 아니어도 말이다.

냈시가 머리를 묶으려고 하자 벨라는 눈썹을 늘어뜨렸다.
"조금만 더 빗겨 주면 안 될까?"
"충분히 빗었어요, 아가씨."
"냈시 손길이 기분 좋아서 그래."
"제 손길이 그렇게 좋으세요?"
"응. 너무 행복해. 세상을 다 가진 것 같은 기분이 들어."
벨라의 말에 냈시가 까르르 웃었다.
"아가씨도 참, 별 시시콜콜한 것으로 행복해하세요. 물론 그런 긍정적인 마음가짐은 바람직하지만요."
냈시는 성가시다 하지 않고 다시 정성껏 벨라의 머리카락을 빗겨 주었다.
'행복해. 행복해서 눈물이 날 것 같아.'
벨라는 콧방울까지 흘러내린 눈물을 쓰윽 닦아 냈다.
"아가씨, 시간이 많이 지체되었습니다. 어서 수업을……."
문밖에서 루카스의 재촉하는 목소리가 들렸다.

벨라는 후다닥 책상에 앉았다.
"수업을 시작해도 되겠습니까?"
빅터가 옆에서 책을 들고 서 있다가 물었다.
"네. 지금 시작해요. 숙제 여기 있어요. 공장이랑 마차에서 급하게 하느라 글씨가 삐뚠 것은 봐주세요."
벨라는 멋쩍어하며 혀를 내밀려다가 뒤에 있는 루카스의 눈치를 보고 도로 쏙 집어넣었다.
"아가씨. 계속 이런 식으로 공부하셔도 괜찮겠습니까?"

루카의 질문에 벨라는 주변을 둘러보았다.

"뭐 어때서요."

"매일 공장도 살피고, 급히 돌아와 공부하시니 제가 마음이 편하지 않습니다."

루카스의 말에 벨라는 싱긋 웃었다.

"그거 칭찬으로 생각해도 되는 거죠? 신난다!"

빅터가 씨익 웃으며 옆에서 수업 준비를 하며 거들었다.

"충분히 칭찬 들을 만하십니다. 아가씨 머리는 평균 이하인 것이 아쉽지만 최선을 다하는 모습만큼은 최고입니다."

벨라는 그 말에 버럭 했다.

"머리 나쁘다고 강조하는 거예요?"

"머리가 좋지 않은 것은 사실 아닙니까? 하나를 알려드리면 두 개를 깨닫기는커녕 전날 배운 것까지 다 까먹잖습니까? 제가 가르친 학생 중에 제일 머리가 나쁜 분이십니다."

벨라는 울먹이는 시늉을 했다.

"빅터 선생님 미워! 오늘은 열 개 가르치면 다섯 개는 기억할 테니까 두고 봐요! 보란 듯이 대학 입학 시험에 통과할 거야!"

그 말에 빅터는 큰 소리로 웃었다.

"긍정과 노력의 자세. 그 점이 아가씨의 가장 큰 장점입니다."

벨라는 빅터를 향해 눈을 흘겼다.

"선생님. 이제 와서 수습해도 늦었다고요. 이미 맘 상했어요. 빨리 진도나 나가요."

하하하 웃으며 빅터는 오늘 수업 진도 나가야 할 책을 벨라 곁에 앉아 소리 내 읽기 시작했다.

빅터는 뭐든 직설적으로 말하는 성격이어서 과거에는 늘 상처받았다.

조금만 더 돌려서 말해 주고 조금만 더 칭찬하며 가르쳐 주지 왜 그리 적나라하게 지적하며 가르치는지.

회귀 전이라면 그리젤리 저택 곳곳에 붙은 그녀의 엉터리 작법 숙제를 보는 것만으로도 울었을 것이었다.

그러나 그 끝을 보지 않았나.

공부하기 싫다고 가출하고, 수업 시간에 반항만 하는데도 가르치길 포기하지 않고 끝까지 애썼다.

저택에 불이 나 벨라가 자다가 타죽을 뻔했던 그날, 자기 얼굴이 화상을 입어 일그러지는 줄도 모르고 달려와 그녀를 구해 주고 자신은 쓰러졌지 않았나.

처음엔 적응하기 힘들었지만, 그것이 그의 본래 성격이라 받아들인 후엔 수업 시간이 그리 힘들지 않았다.

오히려 그는 뒤끝이 없는 화통한 성격이었기에 벨라의 실수를 마음에 담아 두지 않았다.

벨라는 그를 볼 때마다 화상에 그 흉하게 일그러졌던 얼굴이 떠올라 공부를 게을리할 수 없었다.

게다가 어느 정도 기초가 생기자 슬슬 배움의 재미도 느끼고 있었다.

그때 똑똑 문 두들기는 소리가 들렸다.

"벨라, 수업은 다 끝났니? 이제는 들어가 봐도 되니?"

마리앤의 목소리였다. 벨라는 콧방귀를 픽 뀌었다.

"널 만나려고 얼마나 기다린 줄 아니? 공장에 가면 네가 '저택에 갔다' 그러고 저택에 가면 '공장에 갔다' 하고. 오랫동안 헛걸음했는데, 이모가 우리 조카 얼굴 좀 보자 응?"

만나기를 거부해도 줄기차게 쫓아오는 이모 마리앤이었다.

"귀족들 얼굴을 익혀 놔야 해. 너처럼 격식 높은 집안의 영애는 그에 걸맞은 수준의 귀족과 결혼해야 한단다. 그런 사람들을 어디서 만나 보겠니. 사교계에 가야 만나지."

마리앤의 걱정이 가득한 목소리라니!

"넌 너무 늦었어. 그러니 이모가 꼭 도와주고 싶단다. 벨라야. 내 말 듣고 있어?"

과거의 삶에서 마리앤은 자신이 시키는 대로 해야만 사교계에 들어갈 수 있는 것처럼 굴었다.

그에 벨라는 사교계는 가자마자 사람들을 확 휘어잡을 정도의 화술과 매력을 발휘하지 않으면 도태되는 곳인 줄 알았다. 그들이 사용하는 예절이란 이름의 암호를 제대로 해독하지 못하면 탈락하는 은밀한 비밀 집단처럼 여겼다.

'돈 받고 준남작 작위도 거래되는 와중에 귀족이 무어 그리 특별해? 앞으로 벌어질 세상에서 그깟 사교계쯤은!'

이젠 더 속지 않는다.

"들어오세요. 이모."

마리앤은 문을 열자마자 언제 얼굴을 찌푸렸냐는 듯 환하게 웃으며 두 팔을 벌리고 달려와 벨라를 덥석 끌어안았다.

"어머나! 벨라. 너를 보니 먼저 세상을 떠난 우리 애나벨이 앉아 있는 줄 알았다. 어쩜 커 갈수록 애나벨의 이목구비를 닮아 가니?"

예전엔 그 말을 들으면 가슴이 저릿저릿해져 왔다.

하지만 지금은 가식적인 표정과 마음에도 없는 공치사가 눈에 빤히 보여서 벨라는 새침하니 눈을 내리깔았다.

"이모가 안타까워서 뛰어왔단다. 귀족 아가씨가 사교계 데뷔를 하지 않으면……."

벨라는 쌀쌀맞은 목소리로 대꾸했다.

"데뷔하지 않으면 무슨 불이익이 있길래요?"

"데뷔해야 좋은 집안에서 혼처 자리도 나오고 귀족 사회란 게 폐쇄적이다 보니 교류의 중요성이……."

"결혼만 하면 그다음은 해피 엔딩이에요?"

마리앤이 당황해하는 모습을 보며 벨라는 웃었다.

"평생 혼자 살아도 충분히 행복하게 살 수 있어요."

과거에는 하지 못한 말. 이 말을 마리앤에게 하려고 벨라는 그녀를 저택 안으로 들였다.

"어머! 얘가 큰일 날 소리를 하네! 네가 생각하는 것만큼 귀족 사회가 호락호락한 게 아니란다. 너는 고아라서 언제든 널 노리는 늑대 같은 인간들을 물리칠 힘이 없어."

마리앤의 말을 들은 벨라는 속으로 너털웃음을 터뜨렸다.

"네게 부모님이 안 계시니 얼마나 불리하니? 귀족 사회에 들어가 네 가치를 자리매김해서 그만큼 너의 격에 맞는 혼처를……."

마리앤은 정말 큰 일이라는 투로 혀를 차며 말했다.

'고아인데 뭘? 그래서 내가 약하다고? 남들에게 기대야만

살아남을 수 있다고? 어쩌자고 나는 이런 궤변에 쉽게 속았던 걸까?'

벨라는 만담을 듣는 기분으로 그 헛소리를 감상했다.

"벨라, 어렵게 구한 초대장인데 우리……."

마리앤이 품에서 소중하다는 듯 초대장을 꺼내다가 멈칫했다.

벨라는 화장대 서랍 안에서 금박으로 장식된 화려한 초대장을 하나 꺼냈다.

"갈까 말까 하다가, 이모님께서 하도 강권하시니 경험 삼아 한 번쯤은 가 볼게요. 그럼 됐죠?"

누가 봐도 그 초대장은 황실에서 보낸 것이었다.

벨라는 무심히 들여다보는 척 초대장 안을 활짝 펼쳤다.

거기엔 황태자 칼리아스의 직인이 찍혀 있었다.

마리앤은 벨라의 초대장을 힐끔 쳐다보고는 자신의 초대장을 황급히 품에 넣었다.

"이모, 저 지금 바쁜데……. 이 수업 빨리 끝내고 다음 수업 들어야 하거든요."

벨라의 노골적인 축객령에 마리앤은 투덜거리며 밖으로 홱 나가 버렸다.

그러잖아도 이 초대에는 응할 생각이었다. 사교계에 데뷔하고 싶어서가 아니라 보고 싶은 사람이 있어서였다.

'베아트리체 엘 롬바르트.'

롬바르트 백작가의 셋째 딸이자 실질적인 장녀, 몰락한 귀족 영애들만 모여서 고급 창부 일을 하던 클럽 '하데스'에

몸담았던 시절 사귄 유일한 친구.

지난 삶에서 단 하나뿐이었던 그 친구가 보고 싶었다.

베아트리체는 반드시 승전 연회에 참석할 거니까.

'이곳에 끌려오기 전 마지막으로 페테르니타스 궁전 정원에서 불꽃이 밤하늘을 아름답게 수놓는 것을 바라보았어.'

그 친구의 목소리가 아직도 귓가에 생생했다.

화창한 햇볕 아래 경비병들이 무기를 늘어놓고 손질하고 있었다. 그 창고 옆 계단에 머리를 말괄량이처럼 양 갈래로 다닥다닥 땋은 벨라가 턱을 괸 채 앉아서 그들이 하는 작업을 바라보았다.

벨라는 머지않은 미래에 있을 오르티우스 요새 쟁탈전, 소위 디노르센 전투라고 하는 것을 떠올렸다.

'황태자가 끌고 간 군대가 몰살을 당한다.'

지난번에 황태자에게 본론을 꺼내 보지 못하고 돌려보낸 후로 다음번엔 반드시 말할 생각으로 만나면 할 말을 구상하고 있었다.

머릿속에 떠올리려고 애썼으나 여전히 단편적인 기억밖에 나지 않았다.

[구식 총을 들고 구시대 전법을 내세워 전투에 임한 황태자

휘하 페로하트의 병사들이 신식 총을 들고 나타난 플란네르군에게 궤멸한다.]

워낙 세상일에 관심이 없어서 술집 손님들이 그 이야기를 술안주 삼아 격분할 때도 그런 게 있나 보다 하고 흘려들었다.

그러나 이제는 더 이상 남의 이야기가 아니었다. 당장 라울린과 이안이 죽을 수도 있는 일이었다.

그런데 무엇이 구식 총이고 무엇이 신식 총인지 벨라는 도통 알지 못했다.

'플란네르가 작정하고 극비리에 개량한 신형 무기를 내가 어떻게 알아? 눈앞에 보이는 총들도 뭔지 모르겠는데.'

그래서 이안과 라울린에게도 그것에 관련된 이야기를 할 수가 없었다.

'빛나는 대제국 페로하트가 황태자 칼리아스 죽음을 기점으로 몰락한다고 하면 웃겠지?'

벨라는 침울한 기분에 고개를 숙였다.

'지금까지 이렇게 잘나가는데 갑자기 주변 영토들을 잃고 쇠퇴해 가는 이야기를 누가 믿겠어.'

앞으로 펼쳐질 세상을 떠올렸다.

'기차, 전화, 기계, 대량의 공산품 등 온통 낯선 것들로 세상이 가득 찰 텐데 그것을 본 적이 없는 사람들이 어찌 받아들일까? 미쳤다고 하겠지?'

벨라는 그것을 설명할 자신이 없었다.

공부 열심히 한다고 했는데 아직도 자신의 학식이 모자란 모양이었다.

벨라는 고개를 저으며 씁쓸하게 웃었다.

이안은 모자를 고쳐 쓰며 영지를 둘러보러 나가다 말고 벨라를 보고 멈춰 섰다.

"아가씨, 무엇을 보고 계십니까?"

"무기 손질하는 거 구경해."

벨라는 시큰둥하니 대답했다.

"아가씨께서 무기는 갑자기 왜 관심을 가지시는 겁니까?"

"그냥. 신기해서."

이안은 입가를 실룩샐룩하며 말했다.

"하하. 구경은 좋으나 설마하니 아가씨도 라울린에게 관심이 생겨서 그러시는 것은 아니시죠?"

이안의 노파심에 벨라는 코를 찡그렸다.

"으웩."

벨라의 반응에 이안이 그제야 얼굴을 활짝 폈다.

"녀석은 바람둥이입니다. 친하게 지내셔서 좋을 것 없습니다. 그냥 저택만 잘 지키면 됩니다. 푸딩이처럼."

"쓸데없는 걱정 하면 화낸다? 영지 보러 갈 거면 얼른 가! 해 떨어지기 전에 다 돌고 와야 할 거 아냐?"

벨라의 핀잔에 라울린이 말 안장을 닦다가 웃었다.

"이런. 우리 어리고 연약하신 영애께서 나의 거부할 수 없는 매력에 빠져들까 봐 걱정하는 건가?"

그 말에 이안이 한쪽 눈썹을 확 치켜세우며 버럭 화를 냈다.

"야! 농담이라도 그런 헛소리 하면 내 손에 죽는다?"

이안의 말에 라울린이 재밌다는 듯이 웃었다.

"나는 가만히 있는데 여자들이 날 따르는 걸 나보고 어쩌라고. 오는 여자 안 막고 가는 여자 안 막는 것을."

"저 기름 처발라 먹은 놈! 감히 아가씨한테 그런 불경한 농담을!"

이안이 홱 돌아서 바로 라울린의 멱살을 잡으려 했다. 분명 웃으며 여유롭게 서 있던 그였으나 이안이 덤벼든 순간에는 어느샌가 한 발짝 옆으로 비껴 나가 있었다.

"이게 오냐오냐하니까……!"

열 받은 이안이 한 대 치려고 달려들다가 정신을 차려 보니 라울린이 가볍게 그의 팔을 꺾어 등 뒤로 넘기고 옴짝달싹 못하게 제압해 버린 후였다.

벨라의 눈이 동그래졌다.

"와! 라울린 대단해!"

라울린은 한 걸음도 움직이지 않았건만 이안은 등 뒤로 꺾인 팔이 아파서 이것 풀라며 얼굴이 새빨개져서 씩씩거렸다.

라울린은 그 특유의 하얀 이가 고스란히 드러나는 시원스러운 웃음을 지었다.

"여자만 꼬시러 다니는 줄 아시기에 이 정도는 경비단장이면 기본 중의 기본이라고 말씀드리겠습니다."

그 와중에도 흥분한 이안이 라울린의 다리라도 걷어찰 요량으로 발길질을 하려다가 그대로 라울린에게 무릎을 걷어차이고 아파하며 풀썩 주저앉았다.

"이거 놔! 에이 씨—"

이안의 비속어 사용에 라울린이 느긋한 웃음을 지어 보이며 놀리듯 말했다.

"고귀하신 아가씨 앞에서는 그런 상스러운 화법은 쓰지 말아야 할 것 아닌가. 바람둥이가 아가씨를 잘 모시지 못할까 봐 걱정하기 전에, 자네의 사방 분간 못 하고 나오는 언어부터 순화할 걱정을 해야지."

그 말을 하며 라울린이 단단히 잡았던 이안의 팔을 놓아주었다.

이안은 얼굴이 홍시처럼 붉어진 채, 늘어진 옷깃을 바로 하고는 땅바닥에 떨어진 모자를 주워 먼지를 털었다.

"너 이따가 두고 봐! 술값은 네가 내! 어림없을 줄 알아!"

"바쁘시다면서? 가던 길이나 가. 아가씨에 대한 염려는 붙들어 매고."

라울린은 어깨를 으쓱하며 말을 이어 갔다.

"아무리 내가 이 죽일 놈의 인기를 주체 못 할지라도 공과 사는 구분하니 날 좀 믿어 봐."

이안은 가운뎃손가락이나 들어 올리며 욕일 게 분명한 말을 구시렁대고는, 쿵쿵거리는 발걸음으로 정문을 향해 걸어갔다.

"저래 봬도 이따가 저와 술 한잔하기로 선약이 되어 있으니 걱정하지 마십시오."

라울린은 눈웃음을 지었다.

"평소에는 친하게 지냅니다만 아가씨 이야기만 나오면 저 녀석이 설레발을 칩니다."

그는 못 말린다는 듯 고개를 절레절레 저었다.

"경비단장이 아가씨 근처에 있어야 아가씨를 지킬 것 아닙니까? 저 녀석은 제가 아가씨 가까이 가는 것조차 싫어해서 잘 지내다가도 꼭 아가씨 이야기만 나오면 저러더군요. 장난 좀 쳤습니다."

라울린이 멀어져 가는 이안을 힐끔 바라보며 웃었다.

객관적으로 말해서 라울린은 잘생긴 편에 속했다. 운동으로 다져진 탄탄한 몸매에 벌꿀색 금발, 그윽한 보라색 눈. 햇볕에 그을려 건강하게 태운 피부, 언제나 자신만만해 보이는 표정.

특히나 어깨가 넓고 곧아서 그 어깨가 주는 듬직해 보이는 뒤태만 보고도 뿅 가서 쫓아다니는 아가씨도 꽤 되었다.

'마리앤 이모가 라울린을 미친개쯤으로 알아서 그에 대한 선입견이 컸어. 그런데 생각해 보니 이모는 싫다면서도 그에게 관심은 참 많았지 않나?'

여전히 한 번에 여자 서넛은 만나고 다니는 문어발의 달인으로 보이지만 그래도 경비단장씩이나 하는 만큼 실력은 있었다.

"아가씨, 그런데 수업이 없습니까? 이대로 저희 무기 손질하는 것만 계속 바라보실 겁니까?"

라울린의 말에 벨라는 심드렁하니 대답했다.

"빅터 선생님 일주일 동안 휴가 냈어. 뒷산에서 고고학적 연구 대상을 찾았다나? 그런데 오늘 왜 무기 창고의 무기를 전부 다 꺼내 놓는 거야?"

벨라의 말에 라울린은 웃으며 대답했다.

"무기는 언제나 바로 꺼내 쓸 수 있게 정비해 둬야 합니다. 그렇지 않으면 녹슬어서 위급할 때 바로 대처하지 못합니다."

벨라는 병사들이 무기를 닦는 모습을 바라보다가 호기심이 생긴다는 듯 계단에서 일어나 걸어 내려왔다.

"종류가 굉장히 많네. 이걸 전부 다 쓰는 거야?"

"아르티드가의 역사가 오래된 만큼, 선대로부터 쓰였던 것들이 쌓여서 그렇습니다. 이 중에는 박물관에 가야 할 그런 무기들도 있죠. 하지만 사용 여부를 떠나 항상 닦고 조이고 기름칠해 둬야 합니다."

라울린의 말에 벨라는 의아한 표정을 지었다. 그녀의 생각을 읽기라도 한 듯 그는 먼저 설명해 주었다.

"한 번 녹슬기 시작하면 금방 망가집니다."

벨라는 가까이 다가가 무기를 하나하나 바라보다가 말했다.

"총이네?"

벨라가 그것을 집어 들자 라울린이 얼른 그것을 벨라의 손에서 가져왔다.

"아가씨, 총이란 물건은 항상 장전되어 있다고 생각하십시오. 화약이 남아 있을 수도 있고, 운 나쁘면 장전되어 있던 총알이 튀어나와 오발 사고가 날 수 있습니다. 총구를 조심하십시오."

벨라는 라울린이 총을 집어 든 김에 정성껏 닦는 모습을 보며 말했다.

"우리 저택에도 총이 있었어?"

"당연합니다. 적들이 총을 들고 쳐들어오지 않으리란 법이 어디 있습니까? 포르위네 성에 가면 더 많은 양의 화기류들이 있지만, 이곳에도 기본적인 양은 충분히 구비되어 있습니다."

라울린의 말에 벨라는 고개를 갸웃했다.

"총이 이렇게 많은데 왜 칼을 차고 다녀?"

벨라의 말에 라울린은 재밌다는 듯 웃었다.

"그야, 저는 총을 쓰는 것에 그다지 거부감이 없는데, 연세가 좀 있으신 분들은 검술이라는 환상에 젖어서 총보다는 검을 신성시합니다."

벨라가 또다시 의아한 표정을 짓자 속내를 읽기라도 한 듯 라울린은 설명을 덧붙였다.

"총은 누구나 쉽게 쏠 수 있지만, 검술은 평생을 수련해야 하는 것이라나요?"

벨라는 그 말에 미간을 찡그렸다. 그 모습에 라울린은 미소를 지었다.

"어차피 사람 죽이는 일인데 총으로 쏘든 검으로 베든 별 차이 없건만 기사도를 숭상하는 이들은 총으로 승리하는 것을 부끄럽다고 생각하는 이상한 고정 관념이 있습니다."

라울린은 재빠른 솜씨로 총을 분해해 안을 깨끗하게 청소하고 다시 순식간에 조립해서 원래대로 만들어 놓았다. 차례로 손질하는 능숙한 솜씨에 벨라는 그를 물끄러미 바라보았다.

"기사도 말하는 거야? 기사도란 말하고는 다른 건가? 검술 숭배?"

벨라의 말에 라울린이 하하 웃으며 말했다.

"저는 비천한 평민 출신이어서 그런지 고귀하신 귀족 출신 기사들의 검술에 대한 드높은 자긍심 따위는 잘 모릅니다."

그는 잘 손질한 것을 내려놓고 다시 낡은 총을 집어 들어 분해했다.

"아르티드가는 마도사의 후예라서 그런지 대대로 전해져 내려오는 집안의 검술이라든가 가주에게 물려주는 보검 같은 것이 없어서 그다지 새로운 문물에 거부감이 없는데……."

순식간에 그는 또 손질을 마치고 다른 것을 집어 들었다. 말하면서도 손은 쉼 없었다.

"유서 깊은 무예가 집안의 귀족들은 가문의 검술에 대한 자긍심이 하늘을 찌릅니다. 아르티드가니까 그나마 이렇게 총기를 종류별로 갖춰 놓았죠."

"우리 가문이 마도사의 후예라고?"

벨라는 눈을 크게 떴다.

"이런. 제이크 할아범이나 루카스가 한 번도 집안 내력에 대해 말해 주지 않던가요?"

라울린은 빠르게 총을 분해해 닦고 다시 조립하는 과정에 빈틈이나 실수 하나 없었다.

"그런 말 들은 적 없어. 라울린, 좀 더 말해 줘!"

벨라의 말에 라울린이 씨익 미소를 지으며 장난꾸러기 같은 표정을 지었다.

"이런. 맨입으로 말씀드리기가 아쉬운데……."

"응?"

"이따가 우리 저택 남자들 몇몇과 술 한 잔씩 할 건데 그 값을 조금이라도 보태 주시면 생각해 보지요."

"알았어! 한 잔이 아니라 열 잔이라도 줄 테니까 말해 봐 빨리!"

벨라의 재촉에 라울린은 곁눈질하더니 짓궂은 표정으로 입을 열었다.

"아르티드가의 시조 되시는 분이 유명한 마도사였습니다."

벨라는 귀를 의심했다.

"가보가 다른 가문처럼 검이 아니라 지팡이라죠? 그것도 마정석이 박혀 있는 것으로요."

"정말?"

벨라의 눈이 왕방울만 해졌다.

"시조께서는 그 마력이 대단하셔서 특기가 텔레포트 마법이었다죠?"

벨라로선 놀라울 뿐이었다.

"공간을 자유로이 이동했고 텔레포트 포인트를 이용하면 군대 규모의 대인원도 한꺼번에 옮겼다고 합니다. 수도의 왕궁 근처엔 텔레포트 유적지 흔적이 남아 있다죠."

벨라는 라울린의 입에서 나오는 말 한마디 한마디가 놀라울 뿐이었다.

"일설에 의하면 시간도 거스르셨다던걸요."

라울린의 청보라색 눈이 빛났다.

"워낙 오래전 이야기이니 믿거나 말거나입니다만. 그 신기한 능력은 대를 거듭할수록 사라져 지금은 마정석을 쓰기는커녕 마법을 부릴 줄 아는 사람조차 없다고 들었습니다."

"와! 그런 이야기 처음 들어봐! 그 지팡이도 그러면 지금은 전설 속으로 사라진 거야? 신기하다!"

벨라의 눈이 반짝거렸다.

"그런 지팡이 있으면 혹시 나도 마법을 쓸 수 있을까? 어디 가서 찾아봐야 하지? 뒷산에라도 묻어 뒀나?"

벨라의 흥분에 들뜬 말에 라울린이 대답했다.

"루카스에게 물어보세요. 루카스가 가지고 있을걸요?"

"엣?"

벨라는 화들짝 놀랐다.

"설마하니 가보를 다 잃어버릴까. 잘 보관하고 있는 거로 압니다."

벨라는 너무나 놀라워서 그저 눈만 떴다 감았다 할 뿐이었다.

"그런데 아마 일반 지팡이나 그거나 그게 그거일걸요? 아가씨의 선대조 분들이 그거 한번 써 보겠다고 가산 탕진해 가면서 방법을 알아봤는데 한 번도 작동해 본 적이 없다고 하니 말입니다. 집안마다 하나씩 전해져 내려오는 전설이겠죠."

라울린의 이어지는 대답에 벨라는 잠시 가만히 침묵 속에 있다가 총기로 시선을 돌렸다.

"이건 구닥다리 총이지, 그렇지?"

"넵. 당연히 아주 오래된 구식 총입니다."

라울린의 대답에 벨라는 그 옆의 총을 가리켰다.
“이건 신형이야? 무기 창고에 최신형 총도 갖춰 놓았나?”
라울린이 눈웃음을 지었다.
“아가씨, 총 전문가라도 되시게요?”
라울린은 주변에 나온 총을 모두 가리켰다.
“여기 있는 것들은 모두 전장식 소총이라 불리는 구형들입니다. 후장식 소총이라 불리는 것이 신형입니다.”
“정말, 신형은 하나도 없어?”
“개발된 지 얼마 되지 않아서 보기 힘들기도 하지만, 전장식에 비해 사거리가 짧고 육탄전에 약하다는 평이 있어서 이곳에 아직 후장식 소총은 갖춰 두지 않았습니다.”
라울린은 그리 말하며 덧붙였다.
“제 방에 사적 용도로 사 놓은 것은 있습니다.”
벨라는 그 말이 끝나자마자 벌떡 일어나 버럭 소리쳤다.
“안 돼! 당장 후장식 소총인가 뭔가 하는 거 사들여!”

“총이 그리 궁금하다고 하시니 사격 훈련 겸 시범을 보여드리겠습니다.”
라울린은 그들의 체력 단련장이 있는 숲으로 벨라를 데리고 와서 한편에 간이 테이블을 세우고 그 위에 총을 종류별로 늘어놓았다. 그러고는 뒤돌아서 쩌렁쩌렁한 소리로 누군

가를 불렀다.

"미키! 나머지 녀석들 데리고 내가 다른 명령할 때까지 체력 단련 체조 A번부터 Z번까지 반복하고 있어! 몇 번 반복했는지 센다! 땡땡이치는 놈 발견 즉시 두 배 세 배로 빠르게 다시 시킨다! 실시!"

그러고는 라울린은 자신이 쭉 늘어놓은 온갖 총을 골라보더니 그중 하나를 들었다.

"아가씨, 총이란 총알을 쏘는 겁니다. 그렇죠?"

벨라는 고개를 끄덕끄덕했다.

"그 총알이 발사되어 나가는 원리는 화약의 폭발력으로부터 시작되었습니다."

라울린은 궤짝 하나를 열었다.

"여기 이건 핸드 캐넌이라 불리는 종류인데 사람이 혼자 들고 다니는 소형 대포쯤으로 생각하시면 됩니다. 이게 최초의 총이라고 불리죠."

벨라는 라울린이 보여 주는, 막대같이 긴 끝에 더 굵은 포신이 달린 물건을 들여다보았다.

"크기도 크기지만 일단 총포, 여기 총알이 나가는 구멍이 10밀리미터 이하인 것을 총이라고 합니다. 이해되시죠?"

총이든 대포든 알게 뭐람. 벨라는 그리 생각하며 고개를 다시 끄덕였다.

라울린의 설명이 이어졌다.

"이런 것은 뒤에 심지가 달려 있고 도화선에 불씨를 손으로 붙여 줘서 화약이 폭발하게 해야 하다 보니 시간도 오래 걸리고 불편한 점이 한두 가지가 아니었습니다."

양초처럼 심지가 달린 총이 궤짝의 맨 밑바닥에 녹슬 대로 녹슨 채 처박혀 있었다.

"심지어 비 오는 날에는 불붙지도 않죠. 그래서 손 대신 S자 모양으로 생긴, 아, 이겁니다. 이 총이 간단하니 이것으로 설명하죠."

라울린은 앞선 것만큼이나 녹슬어 형태가 엉망이 된 것을 꺼냈다.

"이 S형으로 생긴 장치가 불씨를 잡아 주는 역할을 하고 용수철과 방아쇠를 써서 탄환이 탕! 하고 발사되게 만든 것이 화승총(머스킷)입니다."

벨라는 라울린이 보여 주는 매우 낡은 구닥다리 총을 들여다보았다.

"보세요. 개량했다 해도 편리성과는 거리가 멀죠."

어쩐지 라울린이 보여 주는 그 총은 속에 화약을 넣는 것도 어려워 보였다.

"보시다시피 이 총구 앞으로 화약을 쑤셔 넣고 탄약을 장전하는 데에 시간이 오래 걸린단 말입니다."

라울린이 그 총은 쓸모없다는 듯 휙 던졌다.

"아무리 백전 노병이라 해도 2~30초는 거뜬히 잡아먹으니 그 전에 기마병이 달려오면 목이 날아가는 거죠."

그는 밑바닥에서 꾸역꾸역 총들을 꺼냈다.

보여 줘도 벨라는 분간을 할 수 없어서 그저 고개만 끄덕이고 있었다. 그 사실을 벌써 눈치챈 듯 라울린은 씨익 웃으며 설명을 건너뛰었다.

"말은 어려운데 별 내용은 아니고 비 올 때 점화 안 되는 것이라든가 여러 문제를 개량하다 보니 결국 강선이 있고 없고에 따라 머스킷에서 라이플(소총)로 발전했습니다."

라이플이 뭔가 하고 들여다본 벨라는 그나마 라이플은 한 두 번 본 적이 있다는 생각에 고개를 끄덕였다.

"만든 사람의 이름을 따서 이런저런 기종이 있지만, 원리는 똑같습니다. 전장식 소총이 무엇이고 후장식 소총이 무엇이냐고 물으셨죠?"

라울린은 총알을 손으로 가리켰다.

"총알을 넣는 방향을 말합니다."

라울린은 라이플 총을 들어 총구멍 쪽과 방아쇠가 있는 뒷면을 번갈아 손으로 짚었다.

"쉽게 말해 총알을 총구에서 넣으면 전장식, 총알을 뒤에서 넣으면 후장식 소총이라 합니다."

"총알을 앞에서 넣든 뒤에서 넣든 무슨 차이인데?"

벨라의 말에 라울린은 비교적 가장 새것 같아 보이는 총을 집어 들었다.

"이 총은 전장식 소총인데 이렇게 화약과 탄환을 차례로 집어넣고 긴 막대로 쑤셔서 안에 깊숙이 집어넣은 후 자세를 이렇게 해서 목표물을 겨누고 쏘는 거죠."

라울린은 벨라에게 설명하며 전장식 소총에 탄환을 장전하는 모습을 시범 보인 후 70미터쯤 먼 곳에 떨어진 곳에 있는 나무에 있는 솔방울을 겨누었다.

탕! 하는 날카로운 파열음과 함께 멀어서 작은 점으로밖에 보이지 않는 무언가가 풀숲으로 풀썩거리며 떨어졌다.

"와아아, 라울린! 사격도 잘하는구나?"

라울린은 으스대는 듯한 몸짓으로 웃으며 말했다.

"제가 못하는 것이 뭐 있겠습니까. 하하."

"이 총을 들고 땅굴 같은 데에 숨어서 총 쏘면 사냥 못할 짐승이 없겠네."

벨라의 말에 라울린은 고개를 저었다.

"이 총은 들고 다니면서 쏠 수 없습니다. 특히나 엎드려서 쏠 수 없습니다."

벨라는 아! 하는 외마디 감탄사를 내지르며 볼이 상기된 채 소리쳤다.

"그럼 후장식 소총은 자유로이 들고 다니면서 쏠 수도 있고 엎드리거나 기면서도 쏠 수 있다는 거네?"

벨라의 머릿속에 옛 기억이 떠올랐다. 자신이 들었던, 황태자와 그의 군대를 궤멸시켜 버린 플란네르의 사수들이 사용했다는 것이 바로 후장식 소총일 것이었다.

총알을 뒤에서 집어넣고 방아쇠를 건 후 '탕!' 하고 쏘는 간편한 그것!

이제야 전체 그림이 그려지기 시작했다. 그리고 과거의 기억 하나도 선명하게 떠올랐다.

술에 진탕 취한 몰락 귀족이 옛 영화를 그리워하며 창부들을 상대로 자신이 예전에 얼마나 잘나갔는지 신물 나게 넋두리해 댔다.

'나는 이렇게 잘나신 몸인데 세상을 잘못 타고나서 이렇게 망했지.'

'그렇게 잘난 놈이 왜 탈영병 딱지는 붙였나? 차라리 황태자 전하와 함께 죽음을 택했다면 덜 망신스러웠을 텐데.'

'그때 황태자 전하는 전장의 제일 앞에 서서 군사들을 독려하며 용맹스레 나아가셨지. 하지만 적들이 슬금슬금 뒤로 후퇴하는 것은 함정이었다고.'

울분에 가득 찬 목소리가 떨려 왔다.

'참호를 파고 숨어 있던 플란네르의 병사들이 일제히 총을 난사하지 않겠나. 그때 제국이 자랑하는 수많은 젊은 인재들이 불의의 기습에 명을 달리했고 난 그때 지옥을 보았어.'

황태자와 병사들이 사용한 것은 구식의 전장식 소총.

황태자와 페로하트군은 3열 종대로 늘어서서 총을 쏘고, 창검술에 능한 자들이 적이 가까이 오지 못하게 막는 구닥다리 전법으로 나섰다. 그러나 신형 소총으로 무장한 플란네르 병사들에게 순식간에 궤멸을 당했다.

그날의 일에 대해 계속 같은 말만 중얼거리던 그자가 돼지 멱 따는 소리로 엉엉 울었다.

'더러운 플란네르의 돼지들! 개나 소나 그딴 불 뿜는 막대기를 손에 쥐고 몇십 년의 검술을 익힌 우리의 정예 부대를 해치우다니!'

탁자를 주먹으로 쾅 내리치는 소리가 났다.

'우리의 빛나는 무예가 이제 막 징집되어 총을 처음 들어

보는 초보들에게 짓밟혔다는 것이 더 분하다!'
그는 통곡하듯 외쳤다.
'정정당당하게 일대일로 검술 대결을 해야 했다! 그것은 무인의 도리가 아니란 말이다!'

벨라는 기억을 곱씹으며 코웃음을 쳤다.
'무인의 도 좋아하네.'
왠지 씁쓸한 생각이 들었다.
'상대를 죽이려고 하는 짓인데.'
벨라는 마른침을 삼켰다.
'초보가 일주일 연습해 총을 능숙하게 쓰든, 숙련자가 몇십 년 동안 연습해 검을 능숙하게 쓰든 간에 죽이고 보면 되는 일.'
벨라는 전쟁으로 죽은 사람들을 떠올렸다.
'어차피 사람 죽인 일에서 누가 도리를 따지고 미학을 따진단 말인가.'
벨라는 라울린을 바라보았다.
"그렇게 장점이 많은 후장식 소총을 왜 안 쓰는데?"
벨라가 진지하게 질문하자 라울린은 피식 웃고는 헛기침을 하여 목소리를 가다듬은 후 말했다.
"단점이 더 많습니다. 첫째로 사거리가 50미터도 안 됩니다."
"응?"
"아까 제가 솔방울을 떨어뜨리는 것을 보셨죠?"
벨라는 라울린이 가리키는 곳을 쳐다보았다.

"응. 봤어."

"대략 여기서 거기까지 70미터는 됩니다. 손꼽히는 명사수는 80미터 정도의 거리에 있는 물체도 맞힌다고 하죠."

라울린이 가리킨 곳의 솔방울은 작아서 과녁을 맞히기 어려워 보였다.

"후장식 소총은 사거리가 50미터를 넘지 않습니다. 가까이 오기 전에 이미 전장식 소총 사격수에게 죽습니다."

라울린의 말에 벨라는 미간을 찡그렸다.

"참호를 파고 숨어 있다가 쏘거나 포복해서 풀숲에 엎드려 있다가 쏘면 되는 거잖아."

벨라의 말에 라울린은 기가 찬다는 듯 고개를 젓히고 크게 웃었다.

"진지하게 말하는데 왜 웃어!"

벨라의 눈초리에 그가 웃음을 간신히 멈추며 말했다.

"유서 깊은 가문은 그 가문마다 고유의 가보와 특기가 있습니다."

라울린은 웃음기를 지우고 진지한 표정을 지었다.

"아가씨께서도 아시다시피 슈르츠 공작가의 가주 레오폴드 엘 슈르츠 님께서는 슈르츠식 검법의 달인이시죠."

벨라는 고모할머니 슈르츠 공작 부인의 맏아들 레오폴드를 떠올렸다.

"알레바인 공작가에도 알레바인식 검법이 있고, 티프리스 후작가에도 티프리스식 검법이 있습니다."

라울린은 총 손질하던 것을 내려놓고 일어섰다.

"각자의 고유 검법은 약간씩 다르나 공통점이 있죠. 눈이 쫓아가지 못할 정도로 재빠르게 검식을 시전한다는 것입니다만."

라울린은 허리춤의 칼집에서 장검을 쓰윽 뽑아 들더니 앞으로 걸어가서는 자신의 발아래에 신발 끝으로 그어 크게 엑스 자로 땅바닥에 표시해 두었다.

"여기까지가 50미터 정도 될 겁니다. 이곳에 후장식 소총을 들고 매복한 적군이 있다고 칩시다."

라울린은 그곳에서 벨라 쪽으로 다시 걸어왔다.

"제국을 지탱하는 세 가문의 검법은 다른 가문의 이에게 전수를 안 합니다. 하지만……."

라울린은 어깨를 으쓱했다.

"몇몇 가지 검식은 제가 어깨너머로 보고 흉내나마 낼 수 있습니다. 가까운 슈르츠가의 검식을 보시겠습니까?"

라울린은 그 말이 떨어지자마자 빠른 몸놀림으로 분신이 여러 개 존재하는 듯 몸의 그림자 잔영을 남기며 미끄러지듯이 움직였다.

눈 한 번 깜빡할 사이였다. 엑스 자 표시된 지점까지 내달려 예리한 몸짓으로 허공을 갈랐다.

"우와."

벨라는 입을 헤 벌린 채 서 있다가 정신을 차리고는 손뼉을 쳤다.

"순간 이동이라도 한 줄 알았어! 라울린! 정말 어깨너머로 보고 흉내 낸 것 맞아?"

“저 월급 도둑 아니라니까 그러십니까. 아가씨의 경비단장이 허세로 뽑힌 거로 생각하십니까?”

라울린이 뻐기듯 말하며 검을 칼집에 쓱 집어넣었다.

“아까 하던 말을 이어서 하자면, 후장식 소총은 엎드려 이동 중에 사격할 수 있다는 장점이 있습니다.”

라울린은 눈썹을 찡그렸다.

“하지만 사거리가 비교적 짧은 탓에 전장식 소총을 가진 적에게 다가가기도 전에 사살당하거나, 혹여 운 좋게 50미터 이내로 다가갔다 하더라도 이렇게 제국의 기둥이라 불리는 가문의 검법 앞에서 무용지물이 됩니다.”

벨라는 그의 말을 집중해서 들었다.

“게다가 전장식 소총에는 총신에 긴 검날을 붙일 수가 있죠.”

라울린은 총신에 끼우는 검날을 끼워 보였다.

“일반 병사들도 근접하게 다가가 창병의 역할을 할 수 있다는 점도 장점 중 하나지요.”

벨라는 라울린의 말을 곱씹어 보다가 말했다.

“그럼, 기술이 발전해서 후장식 소총을 개량해서 사거리를 늘리면 후장식 소총이 더 유리하겠네.”

그 말에도 라울린은 고개를 저었다.

“모르시는 말씀.”

라울린은 다시 눈썹을 찡그렸다.

“사거리야 어찌어찌해서 간신히 늘린다고 칩시다. 그러나 치명적인 문제점이 하나 더 있습니다.

벨라는 그의 말에 귀를 쫑긋했다.

“후장식 소총의 장점은 총알이 탄두와 탄환 일체형이라는 겁니다.”

라울린은 땅에서 작은 조약돌을 하나 주워 총 뒷부분에서 총알을 장전하는 시늉을 했다.

“그래서 앞으로 넣을 필요 없이 뒤에서 탄환 한 발을 장전하면 되지요. 속도도 전장식에 비교할 수 없이 빠릅니다.”

라울린이 말하는 장점에 벨라는 잠시 숨을 멈췄다.

“전문적으로 설명하자면 길지만 쉽게 말하자면 종이로 겉을 감싸고 있는 형태입니다.”

라울린은 조약돌을 무언가로 감싸는 척하며 벨라에게 내밀어 보였다.

“처음 몇 발은 쏠 만하나 쏠수록 총신이 과열됩니다.”

라울린은 뜨거워지는 부위를 손으로 짚어 보였다.

“속에 공이치기 부속에 의해 탄피가 쉽게 찢어지기도 하고, 약실이 밀폐되지 않기 때문에 속에 있던 과열된 가스가 밖으로 새어 나온다는 단점이 있습니다.”

벨라의 눈이 반짝거렸다.

“엎드려서 이런 자세로 있는데 총을 쐈더니 가스가 샜다……. 무슨 일이 벌어지겠습니까?”

라울린이 총 쏘는 시늉을 하며 벨라를 바라보았다.

“화상?”

벨라는 반신반의하며 대답했다.

라울린이 정답이라는 듯 엄지를 척 들어 올렸다.

“몇 발 쏘고 나면 사수 얼굴이 뜨거운 가스에 봉변을 당합니다.”

뜨거운 가스가 나오는 양 라울린은 얼굴을 손바닥으로 훑는 시늉을 했다.

“이래도 후장식 소총을 쏘겠습니까?”

라울린이 말하다 말고 뒤돌아보며 “헤이! 미키! 너 이 자식! 감독 똑바로 한다 못한다? 저스틴은 2배속 빠르기로 체력 단련 체조 실시! 모리스는 3배속 빠르기로 실시! 딜런! 너 이 새퀴는 10배속으로 해야 정신 차릴 거냐?”라고 소리 질렀다.

벨라는 할 말을 잃고 멍하니 서 있다가 정신이 번쩍 들었다.

“아냐. 라울린!”

라울린이 부하들 쪽을 쳐다보고 있다가 고개를 돌렸다.

벨라는 두 주먹을 꼭 쥔 채 비장한 표정으로 말했다.

“기술이란 발전하면 그만인 거야.”

벨라의 입술이 바르르 떨렸다.

“우리가 방심하는 사이 누군가는 그 모든 단점을 보완해서 후장식 소총을 개량하고 있을지 몰라.”

벨라의 눈빛이 날카롭게 반짝였다.

“라울린. 우리는 미래를 대비해야 해.”

벨라의 말에 그는 눈을 크게 뜨고 그녀의 얼굴을 바라보았다.

“라울린, 시대가 변하고 있는데 우리가 가만히 있으면 안 돼.”

벨라는 주먹을 꼭 쥐었다.

“후장식 소총이 후지다고 말하기 전에, 그 단점을 보완하면 무슨 끔찍한 위력을 가질지 생각해 봐."

지난 생을 보고 왔기에, 벨라는 저도 모르게 무릎이 덜덜 떨려 왔다.

"우리는 항상 미래를 대비하는 마음으로 새로운 것을 빨리 받아들여야 해!"

"아가씨……. 버틀러 경이 말씀하시길…… 아니다."

라울린은 벨라의 눈동자를 들여다보고 있다가 말꼬리를 돌리며 순간 미소를 띠었다.

"그러잖아도 후장식 소총에 대해 개인적으로 연구는 해보고 있었습니다만 단점을 보완할 만한 아이디어가 쉽게 떠오르지는 않더군요."

벨라는 라울린의 말에 눈을 반짝거렸다.

"실은, 취미 삼아서 가끔 총을 개조해 보고 있습니다. 하지만 제가 제작 전문가는 아니어서요."

라울린은 속내를 들킨 듯 멋쩍어했다.

"개조에도 한계가 있어 전문 기술자를 알아보고 있던 참입니다."

라울린의 말에 벨라는 "꺅!" 하고 기뻐하며 펄쩍 뛰었다.

"아니, 그게 아가씨께서 그렇게 기뻐하실 일입니까?"

라울린의 말에 벨라는 정신없이 고개를 끄덕였다.

"아가씨께서 총기류에 이렇게 관심이 많으실 줄은 몰랐습니다."

그날부터 벨라는 라울린을 귀찮게 하며 사격술을 가르쳐 달라고 졸랐다. 처음에는 농담하지 말라며 웃던 라울린이었으나 벨라가 진지하게 매일같이 조르자 난감한 표정을 지었다.

"아가씨, 빅터 선생이 숙제 내준 것부터 하셔야죠. 이런 건 저희에게 맡기십시오."

라울린은 벨라가 포기하게 하려고 애썼다.

"사격은 장난처럼 할 수 있는 것이 아닙니다."

라울린의 말에 벨라는 미간을 찡그리며 굳은 의지를 보였다.

"나도 장난 아니야! 진지하게 부탁할게. 나에게 사격술을 가르쳐 줘."

라울린은 팔짱을 낀 채 뭔가 생각하는 눈치더니 말했다.

"루카스가 허락하면요. 그냥은 안 됩니다."

"치! 그런 게 어디 있어!"

벨라가 버럭 소리를 질렀으나 라울린은 벨라의 등을 떠밀어 저택으로 들여보냈다.

"아가씨는 미성년자. 보호자의 허락을 받아야만 가능합니다."

라울린은 질색을 하며 말했다.

"특히나 오발 시 돌이킬 수 없는 참사가 벌어질 만한 흉기입니다."

그는 단호한 목소리로 말했다.

"따라서 저는 괜히 책임져야 할 일 만들고 싶지 않습니다. 루카스의 허가. 그것이 제 조건입니다."

벨라는 저택 안으로 등 떠밀려 강제로 안에 발을 디뎠고 그대로 현관문이 닫혔다.

"아가씨, 다녀오셨습니까?"

루카스가 현관 쪽에 바른 자세로 서 있다가 정중히 고개를 숙여 벨라에게 인사했다.

벨라는 루카스의 얼굴을 보자마자 다리에 힘이 풀려 털썩 주저앉았다.

'차라리 내가 사격술을 독학으로 깨우치고 말지. 저 인간을 무슨 수로 설득을 해?'

"어디 편찮으신 데라도? 피터 브라운 씨를 바로 부르겠습니다."

벨라는 루카스가 다가와 일으켜 주려는 것을 손을 저어 만류했다.

"아파서 그러는 거 아니야. 누가 나더러 짚더미에서 바늘 찾으라고 해서 좌절하는 중이야."

"찾으십시오. 언젠가는 나올 겁니다."

태연한 얼굴로 대답하는 루카스를 보고 벨라는 췻 하고 코웃음을 치고 말았다.

"아냐. 절대로 안 나올 거야."

"시작도 해 보지 않고 어떻게 확신합니까?"

벨라는 그의 진지한 파랗고 갈색빛을 띠는 눈을 쳐다보다가 고개를 절레절레 저었다.

"세상엔 시작해 봤자 절대로 안 되는 일도 있는 법이야."

루카스는 벨라의 낙담한 표정을 물끄러미 바라보더니 단호한 목소리로 말했다.

"세상에 불가능하다고 믿는 것 자체가 불가능한 겁니다. 간절하면 통하는 일이란 것이 있곤 하죠."

그러나 여전히 벨라는 기운 없는 얼굴로 축 늘어져 있었다.

"대체 그게 뭡니까? 시작도 하기 전에 포기해야 하는 일이란 것이!"

'오호……! 루카스가 정색하는 것이 뭔가 가망이 있어 보이는 듯?'

벨라는 천연덕스럽게 그 자리에 털썩 쓰러지듯 드러누웠다.

"누울 자리를 보고 다리를 뻗는 법이랬어."

일부러 못나 보이게 눈썹을 늘어뜨렸다.

"시작해도, 노력해도 안 될 일이야. 나는 안 돼. 나란 사람은 절대로 못 할 일이야. 애초에 글렀어."

자포자기하는 벨라의 모습에 루카스의 눈썹이 꿈틀하는 것이 보였다.

벨라는 속으로 웃음이 나오기 시작했다.

루카스의 저 표정은 무언가 매우 마음에 들지 않을 때 짓는 표정이었다. 저런 표정을 지으면 꼭 벨라의 마음을 돌리기 위해 입에서 불을 뿜듯 잔소리해 댔다.

공부하기 싫다고 드러누웠을 때나, 마리앤 이모를 당장 만나게 해 달라고 방방 뛸 때 나오던 바로 그 표정.

"그게 대체 뭐라고 시작도 하지 않고 포기하십니까? 뭡니까? 그것이!"

벨라는 속으로 '빙고!'를 외쳤다.

"말씀해 보십시오."

루카스의 목소리에 힘이 들어갔다.

"안 돼. 난 못할 거야. 나는 여자라서 힘이 모자라서 못할 게 뻔하고, 나는 어려서 시도도 할 수 없을 거야."

벨라의 머릿속이 재빨리 돌아갔다.

"최첨단의 과학적 지식이 필요한 일인데 난 멍청하니까 그런 건 하려고 해도 안 돼."

그녀는 '멍청하니까'라는 단어를 한 자씩 힘주어 발음했다.

"처음부터 자격이 안 돼서 못할 거야. 절대로."

루카스의 표정이 굳어 가는 것이 보였다.

벨라는 이럴 때 그의 염장을 지르는 가장 강력한 말을 알고 있었다.

"아. 나란 인간은 왜 이렇게 못나게 태어났을까. 바보 머저리 같아."

벨라는 땅이 꺼져라 한숨을 늘어지게 쉬었다.

"난 할 줄 아는 게 아무것도 없으니 그냥 밥이나 축내고 시키는 거나 하고 순순히 살아가야지. 어휴."

루카스가 한 손으로 얼굴을 가리고 고개를 숙이면 게임 끝이었다. 정말 머리끝까지 화가 난 것이니까.

루카스는 고개를 숙이고 잠시 침묵하더니 얼굴을 가렸던 손을 떼고 심호흡을 하며 말했다.

"누가 그런 한심한 생각을 아가씨께 불어넣었습니까?"
루카스의 언성이 높아졌다.
"아가씨가 무엇이 모자라서요! 당장 말씀하십시오. 제가 안 되는 것을 되게 해 보이겠습니다."
그가 드디어 떡밥을 물었다. 환호성을 지르기 전에 벨라는 신중히 처리하기로 마음먹었다. 이제 겨우 떡밥을 문 정도로 그가 위험한 일을 허락할 리가 없었다. 확실하게 쐐기를 박아 줘야 했다.
벨라는 눈물을 쥐어짜 두 눈 가득 파르르하게 머금었다. 푸딩이 밥 달라고 불쌍한 척할 때처럼 눈을 크게 떠서 루카스를 올려다보며 어린아이 떼쓸 때처럼 어깨를 흔들었다.
"아냐. 루카스는 분명히 나는 할 수 없을 거라고 말할 일이야. 그러니 포기할게."
벨라는 최대한 눈을 크게 떠 눈 밑에 주름까지 지는 것을 느꼈다.
"내가 무슨 그런 일을 할 수 있겠어."
루카스가 버럭 소리를 질렀다.
"제가 할 수 있다고 말하면 어쩌실 겁니까! 할 수 있습니다!"
그가 버럭 소리질렀다.
"아가씨는 할 수 있습니다! 무엇이든 하실 수 있는 분이십니다."
"정말이야? 나 기분 좋아지라고 하는 말은 아니고?"
벨라는 청승을 떨며 루카스를 비실비실한 표정으로 쳐다보았다.

"제가 할 수 있다고 보장합니다! 아가씨는 무엇이든 하실 수 있습니다."

벨라는 그가 확실하게 낚시질에 걸리자 신났다. 벌떡 일어나 그가 정상적인 판단을 하기 전에 얼른 그의 손목을 끌고 후다닥 달려 나왔다.

"내가 할 수 있다고 루카스가 대신 말해 줘. 알았지?"

루카스는 영문도 모르고 벨라에게 질질 끌리듯이 끌려 나와 라울린이 있는 곳까지 뜀박질을 강요당했다.

"어? 무슨 일이지?"

라울린은 근무 일지를 들여다보고 있다가 느닷없이 들이닥친 벨라와 루카스 때문에 벤치에서 일어났다.

벨라는 헐떡거리며 가쁜 숨을 내뱉고는 루카스의 등을 떠밀었다.

"루카스, 여기서 라울린에게 말해 줘. 나는 무엇이든 할 수 있다고."

얼떨떨한 루카스가 상황 파악을 못 하고 서 있다가 벨라가 "얼른!"이라고 재촉하자 마지못해 말했다.

"네……. 아가씨는 무엇이든 하실 수 있는 분입니다."

벨라는 급하게 라울린에게 말했다.

"봐! 루카스가 분명히 말했어. 나는 무엇이든 할 수 있다고!"

라울린은 어안이 벙벙해서 눈만 크게 뜨고 눈치만 보다가 떨떠름한 목소리로 대답했다.

"아, 그렇습니까?"

"루카스가 자기 입으로 직접 말했잖아! 그러니까 오늘부터 당장 시작이야! 루카스가 보증했어. 나는 할 수 있다고 분명히 말했어!"

무언가 낚인 듯한 기분에 루카스가 눈을 갸름하게 뜨며 벨라와 라울린을 번갈아 가며 쳐다보았다.

"무슨 일입니까?"

벨라는 방방 뛰며 신난 목소리로 말했다.

"라울린이 나한테 사격술 가르쳐 준댔어. 루카스가 난 할 수 있다고 했잖아!"

헉……!

루카스가 아찔한지 잠시 휘청하더니 이내 평정심을 되찾으며 말했다.

"안 됩니다. 총은 흉기입니다. 인명 살상이 가능한 일을 아가씨께서 배우시게 놔둘 수 없습니다."

"그렇게 안 봤는데. 아까는 내가 무엇이든 할 수 있다고 말해 놓고 이제 와 한 입으로 두말하네? 루카스 겉 다르고 속 다르구나?"

루카스는 이마에 한 손을 다시 얹고 눈을 질끈 감은 채 어금니를 악물었다. 그의 들썩이는 어깨가 그의 번뇌를 그대로 반영하고 있었다.

"루카스. 나는 강해지고 싶어서 라울린에게 사격술을 배우겠다고 말했어. 라울린은 루카스가 허락하면 가르쳐 준다고 말했고."

벨라의 눈빛은 그 어느 때보다 진지했다.

"내가 곧 아르티드라면서. 나를 보면서 사람들이 아르티드 가문을 생각할 텐데 루카스는 내가 나약한 후계자로 자라기를 바라는 거야? 정말로 나를 아낀다면 내가 내 발로 설 수 있게 등 뒤를 지켜 주는 것이 진정한 보호 아닐까?"

루카스는 조용히 벨라의 말을 듣고 있다가 한참 만에 입을 열었다.

"벨라 님. 말처럼 사격술 배우기가 쉽지 않습니다. 단순히 총만 쏘면 끝나는 것이 아니라 총을 쏠 때 오는 반동의 충격을 견뎌 낼 만큼 기초 체력이 튼튼해야 합니다."

그 말에 벨라는 주먹을 꼭 쥔 채 다짐하듯 말했다.

"튼튼해질게!"

루카스는 벨라에게 차분한 목소리로 말했다.

"기초 체력이 뒷받침하지 않는 한 사격술은 배우나 마나입니다."

"기초 체력도 단련할 거야! 라울린을 선생님 삼아서 기초 체력도 올리고, 호신술도 사격술도 배울 테야!"

벨라는 절절한 눈빛을 루카스에게 보냈다.

"그래서 아르티드 가문에 걸맞은 강한 가주가 되고 싶어! 그러니 사격술 배우는 거 허락해 줘!"

벨라의 열망에 가득한 눈을 말없이 바라보고 서 있던 루카스는 침묵 끝에 무거운 입을 열었다.

"라울린. 아가씨를 잘 부탁해."

"꺅!"

벨라가 공중으로 펄쩍 솟아올랐다.

"대신 이 점은 각오해. 아가씨가 다리가 부러지면 네 다리를 부러뜨릴 거고, 아가씨에게 흉터가 남으면 네게도 똑같은 흉터 남겨 줄 테니. 알아서 해."

루카스는 무표정한 얼굴로 그런 말들을 라울린에게 툭 던지고는 아무 일 없었다는 듯 저택으로 다시 돌아갔다.

"앞으로 많은 가르침 부탁드립니다. 라울린 선생님!"

벨라는 신이 나서 허리를 숙여 90도로 인사를 했고 라울린은 휘청거리며 뒤로 물러섰다.

"하아……. 신이시여. 왜 제게 이런 시련을."

라울린은 악몽이라도 꾸는 듯 두 손으로 머리를 감싸 쥐고 절망에 젖었다.

그 뒤로 벨라는 매일 두 시간씩 기초 체력 훈련과 사격의 기초를 라울린에게 배웠다.

집사 루카스는 만사 다 제쳐 두고 벨라가 훈련하는 모습을 지켜보며 라울린이 무엇을 가르치나 매의 눈으로 감시를 했고, 벨라가 넘어지기라도 하면 이안이 어디선가 바람과 같은 속도로 달려와 라울린의 멱살을 쥐고 흔들어 대는 나날이 이어졌다.

과하게 운동을 해서 벨라가 근육통에 밤새 끙끙 앓기라도 하면 당장 낸시가 달려와 라울린의 등짝에 불꽃 스매싱을 아로새겨 주었고, 벨라가 코피라도 흘리면 라울린은 식사가 반으로 줄어들어도 주방장 샐리에게 따질 수도 없었다.

단지 벨라를 가르칠 뿐인데 라울린은 그리젤리 저택의 모든 이를 적으로 삼은 것 같은 압박감에 슬슬 기며 살아야 했다.

"쓸데없는 말을 해서 사격술을 배우고 싶게 만든 내가 죄인이다."

그는 술만 퍼마시면 그런 레퍼토리로 허구한 날 주정을 했다는 후문이 들려왔다. 그러거나 말거나 벨라는 매일 조금씩 몸이 튼튼해져 갔다.

벨라는 화약과 탄환을 소총의 앞에 넣고 막대로 잘 쑤셔 넣었다.

아직 라울린은 후장식 소총에 대해 수소문 중이었고 성능이 개선된 후장식 소총의 정보는 오리무중이었다.

벨라는 장전된 소총의 개머리판을 견착하고 라울린에게 배운 대로 다리와 손의 자세를 안정적으로 잡았다. 그러고는 멀리 보이는 표적의 중앙을 겨누었다.

누가 뭐래도 표정만큼은 명사수감이었다.

타앙!

날카로운 파열음과 함께 탄환이 발사되며 반동이 벨라의 몸에 전달되어 왔다.

표적 중앙 언저리에 탄흔이 남아 있는 것을 보고 벨라의 입가에 만족한 미소가 피어올랐다.

그리고 소총을 내려놓은 후, 기마병들이 주로 쓰는 권총을 집어 들고 장전했다. 두 손을 모아 쥐고 표적을 향해 겨누었더니 자세를 똑바로 하려고 애써도 총구 끝이 미세하게 떨리는 것을 어쩌지 못했다.

소총처럼 견고한 자세를 취할 수가 없어서 한참을 과녁 정중앙을 겨누려고 애쓰다가 한숨을 푹 쉬고는 라울린이 따로 표시해 둔 선 앞으로 나아갔다.

표적에서 15미터 앞을 표시한 자리였다.

라울린은 실전에서 권총의 교전 거리는 10~15미터 정도 된다고 하였다.

벨라는 그곳에서 표적을 겨누었다. 매우 진지하고 심각하게 입술을 깨물며 방아쇠를 당겼다.

타앙!

15미터 앞인데도 표적의 정중앙을 미묘하게 비껴 나갔다.

벨라는 미간을 찡그리며 또 다른 표시선을 보았다. 라울린이 초보자용으로 설정해 준 5미터 지점이었다.

"확실히 권총은 어렵네……. 개머리판이 있고 없고 차이가 이렇게 크구나. 연습을 많이 해야겠다."

벨라는 혼잣말을 중얼거리다가 주변을 둘러보았다.

어쩐지 숲 너머 저택 출입구에서 시끌시끌한 고성이 오가는 듯했다.

그 고성의 주인공이 라울린인 것 같아서 귀가 더욱 솔깃했다.

자타공인 바람둥이 라울린이 그렇게 소리를 지르는 때는 드물었기 때문이다. 누가 무슨 말을 하든 언제나 유들유들

한 태도로 농담 따먹기나 했는데 오늘따라 그의 목소리에 당혹감이 가득한 듯 느껴졌다.

"당장 돌아가십시오!"

벨라는 호기심이 일어 슬그머니 밖으로 나갔다. 이미 그리젤리 저택 입구에 구경꾼들이 웅성거리고 있었다.

다들 이 상황이 신기했던 모양이었다. 사람들의 시선이 느껴지자 식은땀마저 흘리던 라울린이 뒤를 돌아보았다가 벨라의 얼굴을 발견하고 구세주라도 만난 듯 반가워하며 그녀에게 다가왔다.

"벨라 아가씨, 결정을 내려 주십시오."

"라울린, 무슨 일인데 그래?"

벨라는 그의 얼굴 뒤로 보이는 풍경을 힐끔 엿보았다.

그곳에는 신입 견습 기사가 한 손에는 짐이 든 자루를 어깨에 메고, 다른 한 손에는 추천장과 발령장을 들고 서 있었다.

마치 지푸라기라도 뒤집어쓴 듯 부스스한 아마빛 머리카락은 짧고 덥수룩했으며, 햇볕에 오랫동안 그을려 거칠어진 피부 위로 주근깨가 점점이 박혀 있어 마치 산골 오지에서 갓 상경한 듯한 그 기사는 어색한 미소를 띠고 있었다. 어딜 봐서 여자랴 싶은 그 외모.

순간 벨라는 깨달았다.

'여기사 캐시!'

디노르센 전투에서 희생된 그리젤리 저택 출신 전사자 세 명 중 기억하지 못하고 있었던 한 명이었다.

그렇게 떠올리려 애쓸 땐 떠오르지 않더니 벨라는 캐시의 얼굴을 보자마자 단박에 그 당시의 상황이 떠올랐다.

과거에 이안과 라울린이 국가의 부름에 응해 군대를 끌고 출병해야 했을 때, 라울린은 부상자는 못 데려간다며 오히려 어깨를 다친 이안을 데려가고 캐시는 저택에 감금해 두고 출발해 버렸다.

아마도 이안의 부상 사실을 캐시의 부상으로 둔갑시켜서 보고했던 걸까. 그런데 예상을 벗어나 캐시는 의무를 다한다며 탈출극을 감행해 기어코 뒤따라갔던 거였다.

라울린과 본진에서 합류하지는 못했는지 디노르센에서 황태자와 함께 이안과 라울린은 먼저 전사했고 그 후속 전투에서 캐시 역시 장렬하게 전사했다고 전해 들었다.

게다가 전사 통지서 세 장이 그리젤리에 전달되었을 때, 국방 장관 하이아드 백작이 직접 나타나 그 전사 통지서를 받아 갔기에 이안과 라울린의 추도식은 포르위네에서, 캐시의 추도식은 하이아드 백작의 저택에서 따로 이루어졌다.

그녀의 얼굴을 보자 물밀듯 밀려오는 기억에 벨라는 멍하니 서 있다가 라울린의 고함 소리에 제정신을 차렸다.

“저는 경비단원을 추천받았지 견습 기사를 수련시켜 준다고 한 적 없습니다.”

라울린의 얼굴이 그렇게 빨개진 것은 처음 보는 일이었다.

“더더구나 제 경비대에는 남자 단원만 있을 뿐, 여기사인 줄 알았다면 애초에 에이든 카스웰 단장님께 거절 의사를 분명하게 했을 겁니다.”

이 중에서 벨라가 실권자인 듯한 분위기에 잠시 눈치를

살피던 캐시가 벨라 앞에 추천장을 내밀었다.

"저는 에이든 카스웰 단장님의 추천장을 받고 왔습니다. 이곳에서 실무 경험을 하지 않으면 정식 기사가 될 수 없습니다."

그녀의 목소리는 긴장해서 떨리고 있었다.

"여기서 여자라는 이유만으로 퇴짜 맞아야 할 이유는 없습니다. 실력으로 추천장을 받았고, 실무 경험을 마쳐야 합니다."

애써 남자처럼 굵게 말하려 하고 있지만, 타고난 미성은 숨길 수가 없었다.

"그러니까 계약 위반이란 겁니다. 벨라 아가씨! 남자라고 속여서 이곳에 온 이자를 빨리 돌려보내십시오!"

라울린이 목청을 높였다.

벨라는 캐시가 내미는 추천장을 받아 들었다. 분명히 에이든 카스웰의 친필 서명이 되어 있었다. 소속은 포르위네 본성. 3년 정도의 견습 기간을 이곳에서 치르도록 권하는 문장이 쓰여 있었다.

"본성에는 견습 기사 자리가 꽉 찼습니다. 결원이 잘 생기지 않는 자리인데 저더러 돌아가라 하면 이대로 대기하다 썩으라는 겁니까? 절대로 돌아가지 못합니다."

"본문에는 켄 로우리라는 이름으로 되어 있어서 남자인 줄 알고 받아들인 겁니다."

라울린이 버럭 소리를 질렀다.

"절대로 이곳에 여성 기사단원을 들일 수는 없습니다. 이 자체로 허위 추천장을 받아 온 겁니다."

소리 지른 것과는 달리 어딘가 나사가 빠진 듯 그는 허둥대고 있었다.

벨라는 씨익 입꼬리를 끌어 올렸다.

'재밌게 되었네…….'

어쩌면 과거에도 봤을 장면이었는지 모른다. 그러나 도통 다른 사람들 일에 관심이 없던 지난날엔 이러한 모습이 전혀 기억에 남아 있지 않았다.

캐시가 왜 이곳을 자원해서 들어왔는지, 왜 라울린이 저토록 멀리하려고 하는지…….

서로 사이가 나빠 늘 투닥거리던 것은 기억하고 있었다. 과거에 경비단원들과 가까울 일도 없었다. 바람둥이라는 이유로 라울린에 대한 인상도 좋지 않았다. 그런 그가 무슨 이유로 캐시와 자주 다퉜는지도 전혀 모른다.

하지만 한 가지는 안다.

라울린을 혼자 보내지 않겠다며 필사적으로 감금된 방에서 달아나 사지까지 따라갔던 캐시의 열정…….

캐시에게 왜 그리 절실한 일이었는지 이젠 관심 있게 들여다보는 것도 좋을 것 같았다.

'죽음을 각오하고 따른다는 것이 어떤 의미인지 이제는 누구보다도 더 잘 알고 있으니까.'

벨라는 마른침을 삼켰다.

"라울린, 실망이야. 여자라서 안 되고 여자라서 기회를 주지 않는다는 것은 라울린답지 않은데?"

이 상황이 왜 이리 재미난지 모르겠다는 생각이 들었다.

"날 가르치기 힘들다고 여성 기사 초빙해 오고 싶다고 노래 부르지 않았어? 딱 좋은걸?"

벨라가 킥킥거리며 내뱉은 말에 라울린의 안색이 창백해졌다.

"당신이 캐시인가요? 캐서린 엘 하이아드 견습 기사님?"

그녀의 이름이 불리자 보고 있던 병사들이 수군거렸다.

"켄 로우리가 본명이 아니었던 거야?"

"하이아드 가문? 혹시 국방 장관 하이아드 백작의 혈족?"

수군거리는 목소리들을 뒤로하고 벨라가 손을 내밀었다.

"앗! 제 본명을 어찌 아셨습니까? 이분이 아르티드가의 가주이신 이사벨라 엘 아르티드 님이십니까?"

캐시는 놀라워하며 눈을 크게 떴다가 이내 한쪽 무릎을 꿇고 벨라의 손등에 가벼운 키스를 했다.

"성별도 가문도 잊은 지 오래입니다. 이력서에 적힌 이름 그대로 켄 로우리라고 부르셔도 됩니다."

"모든 것을 버리고 이곳에 오셨으니, 당신이 기사단 내에서 얼마나 활약하는지 앞으로 지켜보겠어요."

벨라는 보랏빛 눈동자에 장난기를 가득 담은 채 진지한 표정으로 답인사를 했다.

구경꾼들은 여전히 수군거렸고 라울린은 당장 기절이라도 할 것처럼 얼굴이 창백해진 채 인파를 헤치고 사라져 갔다.

벨라는 캐시의 시선이 라울린의 뒷모습에 꽂혀 있는 것을 보고 '둘 사이에 무언가 있다.' 하는 생각을 했다.

과거의 기억 속에 라울린과 캐시가 한자리에 있는 것을 본 적이 거의 없었다. 라울린이 의식적으로 피해 다녔던 것인지도 모른다.

캐시라도 적극적으로 라울린에게 무언가 호소했다면 모르겠지만, 캐시 역시 기사 수련에만 충실했을 뿐, 별다른 내색을 하지 않았다. 그리하여 라울린이 그녀를 두고 전장에 갔을 때 필사의 탈출을 하여 따라갔던 것은 벨라에게도 의외였다.

'라울린이 이전에 사귀던 여자일까?'

사귀다 헤어진 여자와도 농담 따먹기를 하며 잘 지내던 라울린이었기에 역시나 이상했다. 라울린이라면 사귀다 헤어진 여성이 떼거리로 몰려와도 웃으며 넘길 것 같았기 때문이었다.

"벨라 아가씨!"

벨라는 웃고 있다가 귀에 익은 목소리에 고개를 돌렸다. 그 중후한 목소리의 주인공은 빅터였다.

"선생님! 웬일이세요? 이번 주 내내 뒷산에만 올라갔다 하면 내려오질 않으시고 숙제만 잔뜩 내주시더니 오늘은 일찍 내려오셨네요?"

벨라는 머쓱한 표정을 지으며 미소 지었다.

"아직 내주신 숙제도 다 못 했는데."

"루카스 경과 함께 아가씨께 드릴 말씀이 있습니다."

빅터의 그런 심각한 얼굴은 처음 보는 것이었다. 과거에 벨라가 가출했을 때도 이런 표정은 아니었다.

서재에 빅터와 루카스와 벨라 세 사람만 남았다.

"말씀하세요. 무슨 일이길래 그렇게 심각하세요? 혹시 또 제 작문 숙제에 철자법이 틀렸나요?"

벨라의 말에 빅터는 벽돌을 하나 꺼냈다.

"이게 뭐예요?"

벨라는 호기심에 벽돌을 집어 들었다. 이리저리 둘러보아도 매우 낡고 더러운 벽돌이었다.

빅터는 어디선가 들통을 가져오더니 그 벽돌을 물에 담갔다.

순간 그 더러운 벽돌은 선명한 문양을 드러내었다.

"엇? 이게 무언가요?"

빅터는 품에서 낡은 책 한 권을 꺼내어 펼쳐 들었다.

그것은 제국 초기 시절의 제단을 그린 그림이었다.

옆에 있던 루카스는 책을 받아 들고 유심히 살펴보았다.

"지금은 원형이 많이 사라져서 그렇지, 수도에 남아 있는 텔레포트 유적지의 모습은 이러했다고 합니다. 그런데 여기 이 문양 보입니까?"

빅터의 말에 벨라는 그가 가리키는 제단의 벽돌을 보았다.

"이것이 마력석을 놓는 자리입니다. 어떻습니까?"

루카스는 턱을 괴고 깊은 생각에 빠져들었다.

"이게 어때서요?"

벨라의 말에 빅터는 답답하다는 듯 말했다.

"여기 이 귀퉁이! 이 귀퉁이 문양을 보십시오!"

"아!"

벨라는 빅터가 가리킨 부분에 작게 그려진 문양을 보고 들통 안에 담긴 벽돌의 문양을 바라보았다.

"양치기들이 양 떼에게 물 먹이는 샘이 있습니다. 그 샘 밑동에 괴여진 벽돌 중 하나인데 아무래도 이 근처에 텔레포트 유적지가 남아 있을 확률이 높습니다."

빅터의 목소리가 들뜨기 시작했다.

"이곳은 대대로 아르티드가의 초대 가주가 즐겨 찾던 장소이고, 이런 텔레포트 유적지를 움직일 만한 대마법사는 그리 흔치 않았습니다."

벨라는 자신의 조상이 언급되자 귀가 쫑긋해졌다.

"이런 벽돌이 나왔다 함은 이 근처에 커다란 유적이 숨겨져 있을 가능성이 있다는 겁니다."

빅터가 흥분해서 외쳤다.

"유적?"

"네! 유적 말입니다! 고고학적으로 획기적인 유적 말입니다!"

"그래서 그동안 선생님께서 숙제만 내주시고 뒷산에서 내려오질 않으셨던 거군요? 다른 것들도 많이 발견하셨나요?"

그 말에 빅터는 잠시 침묵했다. 표정을 보아하니 아무것도 발견하지 못한 모양이었다.

"그래도 무언가 확신하시는 바가 있으신가요. 제게 보여주신 것을 보면."

벨라의 말에 빅터가 주먹을 불끈 쥐었다.

"아무래도 파 봤으면 싶은 곳이 있어서 말입니다. 그래서 벨라 아가씨와 버틀러 경의 허락을 받고 파헤쳐 보고 싶습니다."

"어딘데요?"

벨라의 말에 빅터가 눈빛을 반짝이며 외쳤다.

"양치기들의 숙소 밑입니다."

"아……!"

벨라가 위임장 때문에 그리젤리에서 쫓겨나던 날.

땅바닥에 내동댕이쳐진 채 내 재산 돌려 달라고 울부짖는데 웬 인부들이 다가왔다. 사람들은 벨라에겐 관심이 없고 그리젤리 저택을 철거하고 양 떼를 방목했던 황량한 뒷산에 펜스를 둘러 일반인이 접근하지 못하게 했었다.

'그것이 유적지 발굴을 위함이었다면?'

과거에도 빅터 선생님은 일주일간 뒷산에 올라가 내려오지 않았던 때가 있었다.

'그때도 역시나 유물의 흔적을 발견했을까? 혹시라도 그 사실을 벤자민이 알았을까?'

"이것은 세기의 발견이 될지도 모릅니다. 모나스 판테온 대학에 고고학 교수이신 필립 엘 그라코 남작께 서신을 보내서……."

빅터는 여전히 흥분한 채로 감격에 벅차올라 횡설수설하고 있었다.

그 말을 듣자 벨라는 불길한 생각이 들었다.

'과거의 그때에도 빅터 선생님은 다른 연구자에게 이 사실을 알리고 공동 발굴하려고 했을까?'

벨라는 과거의 시간을 현재의 시간과 비교해 보았다. 과거의 시간에서 빅터 선생은 뒷산에 자주 갔던 시기가 좀 더 빨랐다.

하지만 그것은 그 당시엔 벨라가 공부를 게을리하여 남아도는 시간이 넘쳐 났었고 지금은 그녀를 열심히 가르치느라 남는 시간이 별로 없었다.

큰맘 먹고 수업을 빼지 않는 한 뒷산에 갈 일이 없었다.

'열여섯 살이 된 지금은 상황을 누군가에게 일러바칠 트리스탄 선생도 없으니 과거와 시간상 차이가 난 거겠지?'라고 속으로 중얼거렸다.

"……그분이라면 고대어에 정통하셔서 해석에 큰 도움이……."

빅터는 외부 연구자를 초빙하자고 제안하고 있었다.

루카스라면 그 사실을 알았어도 제삼자에게 비밀을 흘리지 않았겠지만 외부 연구자라면 다를 수도 있겠다는 생각이 머릿속을 스쳤다.

벨라는 기억을 더듬었다. 그리젤리에서 쫓겨나지 않으려고 발악하다가 벤자민에 의해 강제로 정신 병원에 끌려갔었다.

'정신 병원에서 탈출한 이후 이모를 찾아갔을 때 이모가 뭐랬더라?'

벨라는 루카스에게 물었다.

"루카스, 우리 가문에 마력석이 몇 개 남아 있어요?"

느닷없는 질문에 빅터의 책을 읽고 있던 루카스가 고개를 들었다.

"본성에 25개, 그리젤리에 8개 남아 있습니다."

'이모가 마력석이 그렇게 많이 있었으면 미리 말을 하지 그랬느냐고 했지, 아마도.'

고대의 마법의 몇 안 되는 증거품 중에 마력석이란 것이 있었다.

벨라의 재산을 벤자민이 멋대로 처분하면서 마력석을 그리도 많이 팔았다고 기억하고 있었다.

'원래부터 저택에 마력석이 그리 많았다면 루카스가 저리 대답할 리가 없지.'

생각이 거기에 미친 벨라는 미간을 찡그렸다.

"마력석, 많이 비싼가요?"

벨라의 말에 루카스가 대답했다.

"과거에는 여러 용도로 쓰였다지만 지금은 성직자가 치유의 엘릭실을 만드는 정도로나 쓰이다 보니 고가이긴 한데 거래는 거의 되지 않습니다."

"왜 비싼 거죠?"

벨라의 질문에 루카스는 느닷없다는 듯 잠시 쳐다보다가 차분하게 말했다.

"마물들을 죽여야만 얻을 수 있는 것이었습니다. 지금은 마법도, 마물도 없는 시대이니 소모되었으면 소모되었지 더 구해지지 못할 물건입니다."

벨라는 루카스의 말을 들으며 점점 더 진지한 표정을 지었다.

"후작님께서 패혈증에 걸리셨을 때에도 마력석이 있어 치료할 수 있었습니다. 날이 갈수록 가격은 더 오를 겁니다."

벨라는 입술을 깨물었다.

'빅터 선생님이 발견한 유적지에 마력석이 많이 있고, 외부 연구자가 그 비밀을 벤자민에게 알려 줬다면 얼추 시기가 맞아떨어지는데. 그 일이 저택에 난 화재의 이유였을까? 아니면 내가 모르는 또 다른 일이 있었던 걸까?'

생각이 거기까지 미친 벨라는 굳은 표정으로 말했다.

"루카스, 제 생각에는, 빅터 선생님께서 발견한 이 벽돌은 비밀에 부쳐 두는 것이 좋을 것 같아요."

벨라는 착 가라앉은 목소리로 말을 이어 갔다.

"가뜩이나 찰스 숙부나 마리앤 이모가 호시탐탐 재산을 노리는데, 그리젤리 저택 뒷산에서 뭐라도 큰 게 발견되면 우리를 가만둘 것 같지가 않아요."

벨라의 말에 빅터의 눈빛이 팍 사그라들었다.

"하지만 이것은 고고학적으로……."

"빅터 선생님, 사람을 어디까지 믿으세요?"

"네?"

벨라의 뜬금없는 말에 빅터는 어리둥절했다.

"제 생각엔 그 고고학 교수님이란 분도, 발굴에 참여할 인부들도 과연 믿을 만한 사람인지 확인한 후에 발굴해도 늦지 않을 것 같은데요?"

이 와중에 똑똑똑 문 두들기는 소리가 들려왔다. 브렌다였다.

"마리앤 이모님께서 오셨습니다. 응접실에서 기다리시라고 말씀드릴까요?"

"오늘따라 뜻밖의 손님이 이어지네? 무슨 날인가?"

벨라는 혼자 중얼거렸다.

별로 반기지도 않는데 줄기차게 방문하는 마리앤이었다.

세상에 털어서 먼지 안 나는 사람이 어디 있겠느냐마는 마리앤을 털면 뭔가 잔뜩 나올 것 같았다. 그것도 구린내 나는 먼지가.

과거의 마리앤을 떠올리면 치가 떨렸다.

'벨라, 아직 네겐 기회가 있단다. 사교계에서 부자 신랑감을 구하면 돼. 사교계의 아름다운 꽃이 되렴. 그래서 다시 부를 거머쥐어라.'

마리앤은 벨라에게 사채업자를 소개 시켜 줘 가며 머리부터 발끝까지 화려하게 꾸미라 하였다.

'이모! 제발 도와줘요! 이모가 빚을 내서라도 잘 차려입어야 기회가 생긴다며 절 충동질하셨잖아요!'

마지막으로 마리앤에게 통사정하러 갔다가 사채업자에게 붙들려 질질 끌려 나가던 날이 지금도 생생하게 기억이 났다.

'이모! 저 사람들이 절 끌고 가려고 해요! 이모! 제발! 제바알!'

험상궂은 남자들이 저항하는 벨라의 팔을 결박하고 그녀의 머리채를 틀어쥐었다. 벨라는 필사의 힘을 다했으나 장정 여럿의 힘을 당해 낼 수는 없었다.

바로 눈앞에서 그 난리가 나고 있는데도 마리앤은 눈앞에 아무것도 보이지 않는 척 태연하게 자신을 찾아온 손님을 맞이했다. 오히려 손님이 당황해서 자꾸 뒤돌아보려 했다.

'신경 쓰지 마세요. 저랑 상관없는 일이에요. 그러니까 누가 감당하지도 못할 사채를 빌려 쓰래?'

그 손님이 웃으며 한 말이 더 가관이었다.

'여전하시군. 그 사채 소개해 준 사람이 당신일 텐데. 여전히 사채 소개해 주고 사례비 받는 재미가 쏠쏠한 모양이지?'

'어머, 누가 들으면 오해하겠네. 급전이 필요한 사람은 돈을 구해서 좋은 거고, 저는 그저 우리 밀리 아빠 장사에 도움이 되면 혹시 나중에 밀리에게도 도움이 될까 봐서 그런 것뿐이지 별 뜻 없어요.'

'후후. 그런다고 그 집에서 밀리가 자기네 혈육이라고 인정해 줄 리도 없잖나.'

'흥. 그건 두고 볼 일이에요. 남의 일에 신경 끄세요. 리처드.'

그리고 냉정하게 문을 닫았다.

당신은 그런 사람.

벨라는 마리앤을 흘겨보았다. 밀리라 했던가. 자기 딸은 어디에 숨겨 두고 벨라에게 소개해 주지도 않았다. 마리앤과 그다지 친해지고 싶은 생각은 없었으나 한 가지만은 알고 싶었다.

'그래도 한때 간이라도 빼 줄 듯 아꼈던 조카였는데 사채업자에게 끌려가는 나를 그런 눈빛으로 바라보며 즐거워하였나.'

자신을 마지막으로 바라보던 마리앤의 눈빛이 지금도 섬

찟하게 느껴졌다.

그것은 분명 고소하다는 눈빛이었다.

'모진 말보다 당신의 그 싸늘한 눈빛이 내 가슴에 비수로 와서 박혔어.'

벨라는 마리앤의 눈을 똑바로 쳐다보았다.

'왜 나를 그렇게 미워했어? 나를 파멸의 길로 이끌면서 왜 그렇게 신나 했어? 대체 왜?'

마리앤은 벨라의 곁에 앉아서 원래 자주 왔던 친척인 것처럼 루카스에게 차와 다과를 가져다 달라, 등받이 쿠션을 달라, 여기 커튼 색이 이상하다, 다른 것으로 달아라, 요즘은 이런 게 유행한다더라 하면서 혼자 수많은 이야기를 하고 깔깔거렸다.

누가 보면 살가운 이모와 조카 사이로 보일 것이었다.

역겨웠다.

"아, 참. 내 정신 좀 봐. 벨라, 이런 목걸이 스타일 좋아하니?"

마리앤은 자신의 목에 건 화려한 목걸이를 풀어 벨라의 목에 걸어 주었다.

"어머! 역시 젊음은 무엇도 이길 수 없구나! 어쩜, 원래부터 네 목걸이인 듯 이렇게 잘 어울리다니! 벨라야, 그건 너 가지렴. 너무 잘 어울려서 나보다는 네가 하는 것이 좋겠어."

벨라는 억지로 미소를 지었다. 마리앤은 늘 그런 식이었다.

그러더니 하녀 데비가 벨라의 세탁물을 가져와 옷장에 정리하는 모습을 보고는 벌떡 일어나 "이런 건 내가 정리해 줘야지." 하면서 태연스레 벨라의 옷장을 들여다보았다.

마리앤이 손대는 것이 썩 마음에 들지 않아 벨라는 다른 화제를 꺼냈다.

"이모, 사교계에 대해 제가 잘 몰라서……. 무엇을 기억해야 하나요? 주의할 점 같은 것 알려 주세요."

벨라의 말에 마리앤은 호들갑을 떨며 벨라가 걸터앉은 베드 소파 옆에 앉았다.

"알려 주다마다. 어디 한두 가지겠니. 네 옷을 정리해서 옷장에 걸다 보니 생각났는데 설마 이런 옷으로 승전 연회에 참석하려는 것은 아니겠지?"

"안 돼요? 저는 저 정도면 충분하다고 생각했는데?"

벨라가 대답하자마자 마리앤은 큰일이라도 난 것처럼 인상을 쓰며 호들갑을 떨었다.

"어머 어머! 세상에! 누가 마당에서 바비큐 파티나 할 때 입는 옷을 입고 승전 연회에 간대니? 이럴 줄 알았어! 하! 정말 큰일 날 뻔했네!"

마리앤은 기회를 잡은 듯 눈빛을 반짝였다.

"내가 오지 않았으면 어찌할 뻔했니? 드레스부터 맞춰야 하는데! 어머나! 한 달밖에 남지 않았는데 드레스숍마다 예약이 밀려 있을 건데 어찌한다니!"

마리앤은 마침 좋은 생각이 났다는 듯 손뼉을 쳤다.

"당장 내가 잘 아는 드레스숍에 가자꾸나. 그래서 새 옷부터 맞추자. 이걸 어떡해!"

마리앤이 당장 벨라의 손을 잡아 벌떡 일으키려 했다. 벨라는 미적거리며 미간을 찡그렸다.

"어딜 가시려고요?"

"수도로 가자꾸나. 내가 잘 아는 드레스숍이 수도에 있어. 당장 내 마차를 타고 벨라시아 저택으로 가자. 가서 머물면서 수도 구경도 좀 하고, 사교계 데뷔 전에 미리 예행연습도 하고……."

"슈르츠가의 영식하고 댄스 예행연습 약속이 정해져 있어서 빨리 가면 실례일 텐데요? 아는 숍에 드레스 맞춰 둔 것도 있고요."

"얘가! 이렇게 한가한 소리 할 때가 아니란다! 한 달 만에 최신 유행을 반영한 드레스를 만들어 준다는 숍이 어디 있겠니!"

새빨간 거짓말이 빤히 보였다.

"내가 아는 숍에 가서 내 인맥으로 통사정해야 몰래 순서를 당겨서라도 네 옷을 만들어 줄 거란다. 얼른 가자꾸나. 한시가 급해!"

마리안의 호들갑에 벨라는 속으로 콧방귀를 뀌었다.

마리앤은 입술에 침도 안 바르고 정말 안타깝다는 듯 말하는데 차라리 연극배우를 했으면 대성했을 거란 생각이 들었다.

'2주 만에 드레스는커녕 3일 만에도 급조해서 만들어 주는 숍이 얼마나 많은 줄이나 알아?'

벨라는 기가 막혔다.

'돈만 후하게 주면 원하는 디자인이라며 별의별 요구를 집어넣어도 그 돈이 탐나서 무슨 짓이라도 다 할걸?'

왠지 안 봐도 뻔할 듯싶었다.

'나에게 사교계 데뷔식의 비참한 기억을 안겨 준 그 촌스러운 드레스 가게로 날 끌고 가려는 거 다 알아. 거기 주인에게는 소개료로 얼마를 뜯어먹었던 거야? 알고 보니 그 원단 싸구려던데.'

벨라는 갸름하게 실눈을 뜨고 마리앤을 훑어보았다.

"안 돼요! 화장품 사업에, 공부에, 운동에 우리 아가씨 피곤하신데 쉬지도 못하게 어딜 데리고 간다는 거예요!"

낸시가 두 눈을 치뜬 채 둘 사이에 난입해 마리앤을 밀쳐냈다.

"어멋! 유모 주제에 어딜 참견이야! 내가 참견 안 하게 생겼어?"

마리앤은 눈을 부릅떴다.

"아가씨를 모실 거면 제대로 모시란 말이야! 일당만 축내지 말고! 세상에, 승전 연회에 초대받으면 뭘 해! 제대로 입고 참석할 드레스 하나 준비 안 해 뒀는데!"

마리앤은 카랑카랑한 목소리로 따지며 낸시의 어깨를 밀쳤다.

"준비하지 않기는 뭘 안 해요. 마담 플로라의 드레스숍에서…… 읍."

벨라는 낸시의 입을 급하게 틀어막으며 둘을 뜯어말렸다.

"드레스는 많으면 많을수록 좋지. 이모, 오늘은 제가 힘들어서 쉬어야겠고 며칠 내로 출발할 테니까 벨라시아 저택에서 만나서 드레스를 맞추도록 해요."

마리앤과 낸시가 서로 지지 않고 째려보며 입을 삐죽거리는 것을 간신히 떼어 놓고서 낸시를 한적한 곳으로 끌고 갔다.

"낸시. 내가 필요해서 일부러 친한 척하느라 장단 맞춰 주는 거니까, 낸시가 참아. 응?"

벨라는 낸시의 손을 다정히 잡았다.

"마침 예술가의 거리에 있는 화장품 가게 본점에도 겸사겸사 가 보려고."

벨라는 차분하게 말을 이어 갔다.

"마리앤 이모님이 질긴 거 알잖아? 지금까지 피한다고 피했는데 너무 질겨. 그래서 이참에 어쩌나 보려고. 나한테도 생각이 있으니까 지켜봐 주겠어?"

벨라는 눈웃음을 지으며 낸시를 끌어안고 낸시의 뺨에 뽀뽀해 주었다.

"난 항상 낸시 편인 거 알지?"

그 뽀뽀 한 방이면 언제나 스르르 풀어지는 낸시였다.

"아가씨도 참……. 제가 눈치가 백 단인데 어쩐지 이상하다 싶었어요. 걱정하지 마세요. 오호홋!"

벨라는 먼저 벨라시아 저택에서 기다리겠다며 신나게 나가는 마리앤에게 손 흔들어 보였다.

'과거에 당신이 살아오며 저지른 수많은 더러운 짓들을 뉘우쳐야 해.'

벨라의 눈동자가 일렁거렸다.

'나를 사채업자에게 소개해 주고 사채의 늪에 빠지게 했듯 다른 여자들도 얼마나 팔아넘기고 수수료를 챙겼을까.'

저런 사람에게 마음 주고 아파했던 지난날이 주마등처럼 스쳐 갔다.

'당신이 그런 짓을 더 이상 못 하게 해야 해. 설득해서든, 저지른 죗값대로 콩밥을 먹게 하든 간에.'

벨라는 이를 갈며 마리앤이 떠나가는 모습을 지켜보다가 서랍에서 초대장을 꺼냈다.

수많은 일 때문에 바쁘지만, 그 일들만큼이나 이번 승전 연회도 중요했다.

'왜냐면 베아트리체 엘 롬바르트를 만나야 하니까.'

벨라는 초대장을 바라보며 그녀의 얼굴을 떠올렸다.

'……그날은 내 생애 최고의 날이자 최악의 날이었어. 아름다운 불꽃놀이를 보았고, 그토록 동경하던 황태자 전하를 가까이서 바라볼 수 있었지.'

베아트리체의 눈동자는 아련하게 빛나고 있었다.

'정말 감격적이었어. 나는 밤이 새벽으로 물들어 가는 것을 지켜보면서 내가 사랑하는 것들을 눈에 모두 담아 두었어.'

그녀의 얼굴에 쓸쓸한 미소가 스쳐 갔다.

'그리고 그다음 날엔 사채업자들에게 넘겨져서 이곳에 다다르게 되었지. 바로 너처럼.'

그렇게 말하는 베아트리체의 얼굴엔 미소 지었어도 슬픔이 가득했다.

벨라는 그리움에 눈을 지그시 감았다.

사채업자들에 의해 고급 술집 하데스로 팔려 와서 당장에라도 죽고 싶었던 그 순간에 그녀가 내밀어 준 천사 같던 손을 떠올렸다.

'사채업이란 얼마나 악랄한 것인가.'

벨라는 자신이나 베아트리체 이외에 얼굴도 모르는 수많은 사람이 어떻게 사채에 발 묶여서 신세를 망쳤는가를 생각하며 입술을 깨물었다.

"자, 여기 주목! 일정이 앞당겨져서 내일 벨라 아가씨께서 수도로 출발하신다! 오늘 훈련은 여기까지! 각자 할 일 마무리 짓고 푹 쉬도록!"

중무장하고 장애물을 빠른 속도로 왔다 갔다 하는 훈련을 하던 병사들은 라울린의 말에 그대로 털썩 주저앉아서 '살았다'를 외쳤다.

다들 탈진해서 일어나질 못하고 앓는 소리를 하며 더러는 드러눕기까지 했다.

"이곳은 비교적 한적해 보이는데 평상시에도 실전처럼 습격에 대비한 훈련을 고강도로 진행합니까?"

캐시의 말에 물을 벌컥벌컥 마시고 있던 모리스는 입가를 쓰윽 닦았다.

"아직 신참이라 모르는 모양인데, 그 말이 라울린 대장 귀에 들어가면 당장에 '대가리 박아!' 소리 나오니까 조심하라고."

"아……."

캐시의 미묘한 표정 변화를 재밌어하며 모리스는 말을 이었다.

"여기가 한적해 보이지? 그런데 아가씨께서 놀라실까 봐 쉬쉬하고는 있지만 실은 암살 시도가 네 번이나 있었어."

모리스는 극비 사항을 이야기한다는 듯 목소리를 낮췄다.

"그중 한 번은 제법 저택 안까지 발을 디뎠던 모양이야. 그날 마침 휴가 간 이들도 있었고, 나머지는 마을 축제 때문에 술에 거하게 취해 있었지. 워낙 라울린 대장이 일당백이라 혼자서라도 그들을 막았기 망정이지 정말 큰일 날 뻔했어."

모리스는 고개를 절레절레 저었다.

"그 뒤로 저래. 틈만 나면 우리를 가만 못 둬서 안달이지. 그러니까 오늘 같은 훈련쯤은 기본이라고 생각해."

"네에…… 그렇군요. 그래서 라울린 대장 같은 분이 이런 한적한 곳에 계셨던 거네요."

"호오, 라울린 대장을 알아? 초면이라면서?"

모리스의 말에 캐시는 말끝을 얼버무렸다.

"아, 워낙 유명하신 분이라 포르위네 성에서 훈련받는 동안 익히 들었습니다. 그래서……."

"무슨 일로 대장의 미움을 샀는지는 모르겠지만, 뒤끝 있는 성격은 아니니까 걱정하지 마. 아마도 본성의 카스웰 기사단장님하고의 문제 때문에 괜히 네게 퉁명스레 구는 걸 거야."

모리스는 주변을 휙 둘러보고는 다시 말을 이어 갔다.

"그나저나, 우리 대장 잘생겼지? 여자들은 대장한테 사족을 못 쓰더라. 그런데 우리 대장 바람둥이니까 정식 기사가 될 때까지 눈길도 주지 마라."

캐시는 자신이 라울린을 티 나게 바라보았나 싶어 살짝 뜨끔했다. 그래도 눈길이 저절로 가는 것은 어쩔 수 없었다.

그저 가까이서 바라볼 수만 있으면 좋겠다고 생각했는데 막상 가까이에 있으니 정신을 차릴 수가 없었다.

'라울린, 내가 얼마나 그리워했는 줄 알아요?'

야속하게도 그는 캐시를 거의 투명 인간 취급하고 있었다.

'당신이 내게 냉정하면 냉정할수록 실은 그만큼 더 나를 의식하고 있다는 것, 잘 알고 있어요. 실은 아직 나를 잊지 못한 거죠? 그렇죠?'

무심하게 스쳐 가는 그의 옆모습을 보며 캐시는 하고 싶은 말을 꿀꺽 삼켰다.

벨라시아 저택에 여장을 채 풀기도 전에 마리앤이 재촉하여 드레스숍부터 가게 되었다. 루카스와 마부는 밖에 세워 두고 마리앤과 벨라만이 그 숍에 들어갈 수 있었다.

딱 봐도 별 볼 일 없는 드레스숍. 예전에 그 나방 날개 같은 옷을 만들어 줬던 촌스러운 마담이 호들갑을 떨며 그들을 맞이했다.

"이모, 점심 먹고 느지막이 나오면 안 돼요? 이렇게 서둘러 나올 필요가 있어요?"

벨라는 썩 내키지 않는 얼굴로 발걸음을 내디뎠다.

"어머 얘는, 여기 엄청 유명한 데라 예약하지 않으면 들어오지도 못해. 그나마 아침 일찍이니까 시간 빼서 이렇게 방문한 거지."

마리앤은 한쪽 눈을 찡긋했다.

"안 그랬으면 일감 밀려서 이곳 구경도 못 해. 이모가 어련히 알아서 했을까 봐?"

마리앤은 벨라에게 소파에 앉으라고 권했다. 숍 마담과 점원이 굽실거리며 마실거리와 간식과 쿠션을 가지고 왔다. 이 집 간식거리를 먹고 배탈이 났던 옛 기억에 벨라는 쿠키를 살짝 입에 대는 시늉만 했다.

"음, 이건 원래 물컹거리나요? 향도 독특하네요. 튀김 기름 향이 나요. 말랑한데 막 부스러지네요? 특이한 쿠키인데 이 쿠키는 이름이 뭔가요?"

벨라는 옆에 놓인 주스도 들어 올렸다.

"와. 위층하고 아래층하고 두 개의 층이 분명하네요. 건더기가 따로 분리되는 특이한 주스라니."

벨라는 보란 듯이 주스 잔을 흔들어 보였다.

"역시 디자인하는 곳이어서 그런지 이런 주스 하나에도 특별함을 담았군요. 그런데 검은 것은 씨앗인가요?"

마리앤은 날파리가 빠진 주스를 보며 기겁해서는 얼른 의상실 마담의 옆구리를 푹 찔렀다.

"어머 어머! 이거 브릭에서 유명한 쿠키숍에서 공수해 오는 거란다. 그리고 이 주스는 열대 지방에서만 구할 수 있는 특별한 과일로 짠 주스야."

마리앤은 오히려 서운한 척했다.

"여기에서만 맛볼 수 있는 특별 간식인데 정성을 몰라 줘도 너무한다."

마리앤은 그렇게 말하면서 주스는 차마 용기가 안 나는지 내려놓고, 맛있는 척 쿠키를 먹었다가 뻑뻑해서 한 입 먹고는 쓰레기통에 퉤 뱉었다.

"몸에 좋은 게 원래 맛이 없다지. 네가 이해해."

마리앤은 그리 말하며 숍 마담을 무섭게 노려보았다.

"하암. 죄송해요. 자꾸 하품을 해 버렸네요. 여태 마차 타고 달려와서 피곤하던 참이라서요. 이모, 그냥 이 사람들 이따가 오후에 벨라시아 저택으로 자 들고 출장 나오라고 하면 안 되나요?"

벨라는 늘어지게 하품하는 척을 했다.

"얘, 이 사람들 예약 밀려서 바쁘다니까? 그래서 서둘러 온 거라는데 출장을 어떻게 오니?"

마리앤이 손사래를 치자 벨라는 턱을 괴고 있다가 말했다.

"마담 루크레치아가 운영하는 가게에서는 예약하면 바로 그 집으로 출장 나가서 치수 재고 간다던데요."

벨라는 숍 마담을 힐끔 쳐다보았다.

"마담 슈엘라의 가게는 출장 나가서 아예 눈썰미만으로 입체 패턴을 떠서 데리고 간 모델에게 입혀 놓고 고르게 해 준다는데."

벨라는 지루한 표정을 지어 보였다.

"그냥 그쪽으로 하면 안 되나요? 원래 둘 중 한 군데서 하려고 했는데 마담 플로라가 그간 후원해 줘서 고맙다고 굳이 선물한다잖아요."

마담 루크레치아나 마담 슈엘라나 황실에서 예약해서 드레스를 받아 간다는, 제국 내 어깨를 나란히 하는 톱 투급 의상실이었다.

"어머 어머! 얘, 여기 마담 좀 믿어 봐. 그치?"

마리앤은 숍 마담과 점원에게 영업 좀 제대로 해 보라고 인상을 썼다.

벨라는 순진한 척 입을 가리고 호호호 웃었다.

"그렇긴 한데 마담 플로라가 워낙 공짜로 맞춰 준다고 한……."

"싼 게 비지떡이란다. 그렇죠, 마담? 우리 마담이 얼마나 일 하나는 확실한데."

그제야 마담과 점원이 벨라에게 아첨을 늘어놓으며 무슨 스타일이 어울린다며 품평하기 시작했다. 그러고는 부리나케 샘플을 가지고 왔다.

"그렇긴 하지만, 마담 플로라가 최고급 원단을 아낌없이 쓸 테니 꼭 함께 작업하자 간곡히 부탁하셔서……."

벨라의 투덜거림에 마리앤이 호들갑을 떨었다.

"부티끄가 옷을 잘 만들어야지! 최고급 원단이면 뭐 해! 실력은 여기 이 마담 언니가 훨씬 더 좋아!"

마리앤이 둘러대는 말에 벨라는 속으로 피식 웃었다.

"이모, 똑같은 디자인도 원단에 따라 다르게 보이잖아요.

여기도 그런 원단이 있는지 모르겠어요."

눈치를 보던 점원이 급하게 쿠키를 사러 밖으로 뛰쳐나갔고 마담은 과일을 사 오라 다른 직원에게 심부름을 보냈다.

그러고는 웃으며 벨라의 눈치를 보기 시작했다.

"저희 가게 원단도 좋은 것이 많습니다."

"마담 플로라는 이번에 바다 건너 세상의 끝에 있는 나라에서 구해 온 진귀한 실크로 옷을 만들어 준다고 했어요. 천사의 실크라 했나? 그 정성을 마다할 수가 없어서요."

마담의 표정이 절망으로 물들어 갔다.

천사의 실크 제품이면 최고 중에서도 최상급의 원단이었다.

"여긴 그 원단 없어요?"

벨라의 물음에 마담은 꿀 먹은 듯 입을 열지 못했다.

"음. 선물 받는 옷도 그런 재질인데 돈 주고 사는 옷이 그것보다 이하이면 곤란하겠는데요?"

벨라는 고개를 가로젓고는 유유히 밖으로 걸어 나갔다.

"벨라! 네가 그러고 가면 내 입장이 뭐가 되니?"

마리앤이 뒤따라 달려오는 것을 보며 벨라가 한마디 던졌다.

"이모, 디자인 샘플 보셨죠? 시골도 아니고 수도인데 저렇게 장사하면 장사가 되겠어요? 마침 마담 플로라 숍에 가서 옷 찾아와야 하는데 같이 가셔서 봐 주시겠어요?"

벨라의 말에 마리앤은 뭐라 말하지는 못하고 혼자 씨근덕거리며 마차에 탔다.

"그간 후원해 주신 것에 대한 감사의 뜻을 담아 만든 제

야심작입니다."

마담 플로라가 직접 나와 자신이 만든 옷을 꺼내 보였다. 벨라의 밤고동색 짙은 머리카락 색에 어울리는 그 드레스는 연한 연둣빛인데 채도를 낮춘 은은한 베이지색도 머금고 있었다. 그 색 자체로는 눈에 확 띄지는 않았다.

"흥. 수수하고 흔해 빠졌네. 완두콩밭에서 놀다 나온 것 같은 옷인걸."

마리앤이 투덜거리며 말했다. 그러나 벨라는 연신 예쁘다를 연발하며 점원들의 도움을 받아 옷을 갈아입으러 들어갔다. 그사이 마담 플로라는 다시 또 인사를 했다.

"루카스 버틀러 경, 정말 감사합니다. 사실 아르티드 후작령에서 처음 숍을 열 때만 해도 크게 욕심이 없었다면 거짓말이겠지만 이렇게 순탄한 길을 걸으며 발전하리라고 기대하지 못했습니다."

마담 플로라는 진심으로 환하게 웃었다.

"그리젤리뿐만 아니라 포르위네 성과 벨라시아 사람들 옷 전체를 저희가 만든 것도 영광이지만 저의 재능을 후원해 주셔서 수도에 분점도 내게 도와주셔서 감사합니다."

마담 플로라는 가슴에 손을 얹고 연신 고개를 꾸벅였다.

"덕분에 입소문을 타고 알음알음 알려지기 시작해 이젠 제법 장사가 잘됩니다. 모두 벨라 아가씨와 버틀러 경 덕분입니다."

루카스는 정중히 맞인사를 하며 말했다.

"아가씨의 눈에 띈 것 자체가 마담의 능력입니다. 저희는 그것을 조금 보탰을 뿐입니다."

곧 벨라가 드레스를 입고 나왔다.

'흡…….'

루카스가 깜짝 놀라 벨라를 바라보았다.

물결치는 밤갈색 머리카락을 길게 늘어뜨린 벨라가 가슴이 파인 연두색 드레스를 입고 나왔다. 그냥 볼 때는 평범한 완두콩 색이지만, 노르스름한 광택이 돌아 벨라의 하얀 피부와 짙은 머리카락 색에 대비를 이루어 벨라를 환히 돋보이게 했다.

그 드레스로 인해 가슴이 강조되고, 허리가 더 잘록해 보였다. 치맛단의 주름이 마치 우아한 튤립 한 송이가 연둣빛 보드라운 잎 사이로 수줍게 꽃잎을 드러내 보이는 것처럼 보이게 했다.

게다가 눈에 띌락 말락 하게 곳곳에 박힌 금실 자수가 고풍스러운 아름다움을 더해 주었다.

풍성한 치맛단을 직원이 가지런히 정돈하여 펼쳐 주었다. 그 사이로 보이는 새하얀 레이스가 청순하면서도 아찔한 아름다움을 풍겼다.

이 아름다운 드레스가 궁극적으로 강조하는 것은 벨라의 자수정빛 눈동자였다.

색의 대비를 통해 벨라의 눈매로 시선이 집중되는 신비스러운 드레스였다.

벨라는 거울 속에 비치는 자신의 모습이 만족스러웠다. 과거의 나방 날개 같은 싸구려 원단의 드레스가 떠오르면서 저절로 풋 하고 웃음이 터져 나왔다. 그 미소 속에 살짝 드러나는 하얀 치아가 귀엽게 빛났다.

마담 플로라는 꿈꾸는 듯한 눈빛으로 두 손을 기도하듯 맞잡더니 감탄사를 퍼부었다.

"상상했던 것 이상으로 잘 어울리셔요. 벨라 아가씨."

스스로 생각하기에도 눈부셨다.

보송보송한 피부. 앳된 얼굴. 이제 갓 피어나는 꽃봉오리 같은 아름다움.

이 아름다웠던 시절을 슬픔으로 가득 차 보냈던 지난날이 문득 슬퍼서 코끝이 찡했으나 자신이 너무나 아름다워서 웃었다.

"아가씨, 우세요?"

마담 플로라가 놀라서 손수건을 들고 다가왔다.

"마음에 무척 들어서 눈물 났어요. 이 옷은 감동적이에요."

플로라는 벨라를 끌어안고 토닥여 주었다.

"그 어떤 미사여구보다 아가씨의 눈물이 제게 최고의 영광이네요. 제 드레스를 입어 주신 것도 감사한데 마음에 들어 눈물을 흘려 주시다니. 제가 평생 들을 수 있는 찬사보다 더 감동적입니다."

벨라는 눈물을 닦아 내고는 웃으며 말했다.

"이모도 한 벌 맞추세요. 선물로 드리고 싶어요."

그 말에 마리앤은 단번에 얼굴이 확 폈다.

"정말?"

"그럼요."

"꺅! 고맙다, 벨라!"

마리앤은 언제 투덜거렸냐는 듯 신나서 드레스 샘플을 이것저것 들여다보았다.

그때 벨라는 마음속에 담아 두었던 회심의 한마디를 꺼냈다.

"드레스 맞추시는 김에 사촌의 드레스도 같이 맞추세요. '밀리'라고 했던가요? 승전 연회 때 밀리 얼굴도 한번 봤으면 좋겠네요."

그 말에 마리앤이 드레스를 고르다 말고 화들짝 놀랐다.

"밀리?"

믿을 수 없다는 듯 마리앤이 벨라를 바라보자 벨라는 순진한 표정으로 웃으며 말했다.

"네. 제 사촌 밀리요. 이모 딸. 이번에 소개해 주세요."

마리앤은 경직되어 벨라의 입만 멍하니 바라보았다.

"밀리를 네가 어떻게 아니? 혹시 내 뒷조사라도 한 거니?"

마리앤의 표정이 험악해졌다.

벨라는 아무것도 모르는 척 입을 열었다.

"이모가 전에 이야기해 주셨는데 기억 안 나세요? 사정상 이모가 키우지는 못하고 있지만 밀리라는 딸이 있다고 직접 말씀하셨는데."

벨라의 말에 마리앤은 목소리가 날카로워졌다.

"내가 언제 그런 말을 했어! 어디까지 알고 있는 거니?"

'어디서긴 어디서야. 당신이 과거에 밀리를 위해 나를 구렁텅이로 밀어 넣었다고 다른 사람에게 말해 놓고. 이 사람

저 사람 사채 쓰고 다니게 충동질하고 다니지 않았어? 그 애의 아버지가 사채업자이고 말야.'

벨라는 천연덕스럽게 당혹스러운 표정을 지었다.

"밀리 이야기는 공공장소에서 비밀이었나요? 죄송해요. 제가 눈치가 없어서……. 제게 사촌이 있다는 게 너무나 반가워서 그만."

벨라는 순진한 척 말을 이어 갔다.

"이모와 밀리가 같은 드레스를 입고 승전 연회장에서 함께하면 좋겠다고 생각했어요. 미안해요. 밀리 이야기는 두 번 다시 꺼내지 않을게요."

마리앤은 한쪽 눈썹을 찡그린 채 벨라를 노려보았다.

'마리앤 이모에게 밀리라는 아이의 존재가 역린 같은 것이로구나.'

벨라는 속으로 냉소적인 미소를 띠었다.

'과거에 나를 끌고 갔던 사채 업소 위치는 알고 있으니 그 사채 업소를 조사해 보면 밀리의 아버지가 누구인지 알 수 있겠지.'

벨라시아 저택으로 돌아올 무렵이었다. 마리앤과는 마담 플로라 숍에서 헤어지고 곧장 저택으로 들어가려는데 마차 앞에서 약간의 소란이 있었다.

"아, 그러니까 허락 없이는 아무도 들어갈 수 없습니다."

벨라는 루카스가 내민 손을 잡고 마차에서 내리는 중이었다.

"아, 저기 루카스가 있네. 루카스! 나 알지? 여길 좀 봐 봐!"
노파의 목소리에 루카스는 그쪽을 힐끔 쳐다보았다. 그러더니 아무 일 없었다는 듯 무시하고 저택 안으로 벨라를 에스코트했다.
"그래도 한때는 고모라고 불렀으면서 이렇게 안면 몰수할 수가 있어? 날 안 쳐다봐?"
노파는 기가 차다는 듯 소리쳤다.
"저놈이 싸가지 없는 건 예나 지금이나 한결같네! 야 이 짐승만도 못한 놈아! 그래서 사람 새끼는 거두어 기르는 게 아니라고 했다!"
쳐다보지도 않자 노파는 소리를 높였다.
"키워 준 은혜도 모르고 제 아비를 죽인 놈!"
경비병들이 삿대질하는 노파를 막느라 진땀을 흘렸다.
"어이쿠! 할머니! 이만 돌아가시라니까요! 무슨 노파가 괴력이 흘러넘쳐!"
"필요 없다 이놈들아! 이거 놔라! 루카스! 이 살인마야! 날 좀 봐라!"
라울린이 나와서 노파를 적극적으로 저지했다.
"이안을 불러 줘! 저 싸가지 없는 놈 말고 이안을 불러 줘!"
노파의 난동에 벨라는 뒤를 돌아보았다.
"신경 쓰실 필요 없습니다."
루카스는 벨라가 뒤돌아보지 못하게 했다.

이안은 할 일을 마저 마치고 오느라 따로 말을 타고 왔다. 그런데 벨라시아 저택 정문에 이르자 실랑이가 벌어진 모습을 보고 고개를 갸웃거렸다.

어떤 노파 하나를 경비병들이 당해 내지 못하고 난장판이 벌어지고 있었다.

"아이고! 젊은것들이 노인네를 치네!"

말은 그렇게 하고 있으나 경비병들을 때리고 꼬집고 물어뜯는 것은 노파 쪽이었다.

"무슨 노인이 이렇게 강력해?"

한 경비병의 팔뚝을 물어뜯는 노파를 저지하기 위해 무려 네 명이나 달려들어 각기 목과 두 팔과 허리를 끌어당기고 있었다.

"인정사정 봐드리는 것은 여기까지입니다. 더는 봐드리지 않습니다!"

"으랏!" 소리와 함께 노파는 길바닥에 나뒹굴었다.

"에구구구! 나 죽네, 나 죽어! 이 무지막지한 것들이 노인네를 내던지네. 귀족이면 다냐? 너희는 위아래도 없냐!"

땅을 손바닥으로 내리치는 노파의 목소리가 어쩐지 낯익었다.

이안은 불길한 예감에 마른침을 삼키며 말에서 훌쩍 뛰어

내렸다.

"아이고, 아이고, 억울하게 죽은 내 동생 돌려내라. 저런 살인마가 천벌을 받지 않고 고개 빳빳하게 들고 다니는 세상이라니! 정의는 어디 갔느냐! 어으으으으!"

팔을 물린 경비병의 팔뚝에서 피가 뚝뚝 흘러내렸다.

"입에서 나오는 대로 다 말인 줄 아나? 이 피 좀 봐! 이걸 어쩔 거야!"

경비병들이 화가 나서 노파에게 한마디 하려 하자 라울린이 고개를 저었다.

"미친 사람은 건들지 않는 게 상책이다."

라울린의 다독거림에 다친 경비병이 침을 퉤 뱉고는 안으로 들어갔다.

"고모?"

이안은 반신반의하며 노파에게 다가갔다. 울고불고하던 노파는 이안을 힐끔 보더니 눈을 크게 뜨고 일어났다.

"이안이냐? 세상에! 이렇게 컸구나. 어릴 때 모습이 그대로구나!"

노파는 이안의 얼굴을 두 손으로 감싸 쥐며 매달렸다. 그러나 이안의 표정은 그리 달가워 보이지 않았다.

"그래. 고모를 알아보는구나. 모르는 척 안면 몰수하는 그 놈과는 달리 그래도 너는 나를 알아봐 주는구나."

노파는 가슴을 치며 말했다.

"역시 같은 피가 흘러야 가족이지. 피 한 방울 안 섞인 남은 가족이 아니지."

"무슨 소립니까! 형과 저는 어머니가 같다고요! 그러는 고모야말로 제겐 남입니다. 대체 여길 왜 찾아온 겁니까? 교도소에서는 언제 출소하신 겁니까?"

노파는 처량 맞은 표정을 지으며 이안의 손을 강제로 잡았다.

"며칠 전에 나왔지. 재산은 몰수당했고, 사람들이 손가락질하니 억울해서 못 살겠다. 고향에서 살 수 없어서 수소문해서 왔지."

노파는 한껏 불쌍해 보이는 표정을 지었다.

"늙고 힘없고 돈 없어서 당장 목구멍에 들어갈 것도 없구나. 이 늙은 고모를 불쌍히 여겨 주렴."

이안은 끔찍한 것을 바라보는 듯 저도 모르게 미간을 찡그리고 있었다.

"본론부터 말해요. 이미 난 당신을 내 고모라 생각지 않고 그저 범죄자라고 생각하고 있으니."

"이안, 그 간교한 놈에게 세뇌를 단단히 당했구나! 그놈은 길러 준 은혜도 모르는 놈이다. 네 아빠가 하늘나라에서 얼마나 슬퍼하겠니 응?"

노파의 말에 이안은 벌컥 화를 냈다.

"지옥이겠죠. 지옥에 가야 마땅합니다. 형은 그저 저를 살리기 위해서였다고요! 형 아니었으면 저는 이미 죽었을 겁니다!"

"이안! 진실에 눈을 떠! 너는 그놈 손에 놀아나는 거야!"

노파의 말에 이안이 싸늘한 표정으로 노려보았다.

"고모. 당신도 죽어서 지옥에나 떨어질 겁니다. 누가 벨라시아로 와서 기다리다가 형을 흔들어 놓으라고 했는지 모르지만, 아버지도, 고모부도 영원히 꺼지지 않는 유황불 속에서 죗값을 치르고 있다면 좋겠습니다."

이안은 싸늘한 목소리로 말했다.

"오늘 이후로 한 번만 더 제 눈에 띄면 그땐 강제로 식민지 노역 배라도 태워 보내 버릴 겁니다."

"신경 쓰지 마십시오. 저러다 돌아갈 겁니다."

루카스가 그리 말하며 창문에 커튼을 쳤다.

호기심에 자꾸만 창밖을 힐끔거리던 벨라는 들켰다는 생각에 창문 밖을 들여다보지 않은 척 시치미를 뗐다.

노파는 기운이 천하장사인지 몇 시간째 밖에서 난동을 부리다가 어느 순간 조용해졌다.

"루카스, 아는 사람이에요?"

벨라의 말에 루카스는 대답하지 않았다. 아무 일도 없는 척, 듣지 못한 척 루카스는 벨라에게 뜨거운 차와 간단한 다과를 권하고는 몸을 돌려 밖으로 나갔다.

"내일 에스코트 예행연습을 위해 슈르츠가의 에릭 공자님이, 데뷔탕트에 관한 조언을 해 주실 하르트네 남작 부인과 함께 방문하실 예정입니다. 그럼 이만 편히 쉬십시오."

벨라는 루카스가 사라진 방향을 한동안 쳐다보았다.

생각해 보니 자신은 루카스에 대해 아는 것도 없었고, 그에 관한 것을 물어본 적도 없었다.

그는 늘 자신과 관련된 이야기만 할 뿐이었다.

인기척이 들려와 복도로 고개를 빼꼼 내밀어 보니 이안이 도착한 모양이었다. 벨라는 이안에게 물어보는 것이 가장 빠를까 싶어 그에게로 달려갔다.

루카스를 막아섰던 그 노파의 존재가 궁금했다.

"이안, 그 노파 갔어?"

"아……. 네. 그렇습니다."

어쩐지 이안의 표정이 시큰둥하고 어두웠다.

"그 노파가 누구인지 알아?"

이안은 벨라의 말에 우두커니 멈추어 섰다.

표정을 보니 들키고 싶지 않은 무언가를 들킨 듯한 표정이었다.

"말하면 안 되는 일이야?"

이안은 대답이 없었다.

"루카스에게 물어봤는데 아무것도 아니라는 말만 하고 더 이상 대답이 없어서. 그런데 이안도 대답이 없네?"

이안은 말없이 벨라를 바라보았다.

"내 아버지와 루카스 사이에 어떤 계약이 있었는지는 모르지만, 나로서는 그 내용을 모르잖아. 그래서 어쩔 땐 무뚝뚝한 루카스가 이해되질 않아."

'그래서 과거엔 루카스를 전혀 믿지 못했어. 루카스에 대해 아는 것이 아무것도 없었거든.'

벨라는 초조한 듯 입술을 혀로 한 번 축였다.

'그런데 지금도 루카스에 대해 아는 것이 없어. 조금만 더 다정했으면. 조금만 더 속마음을 보여 줬으면.'

벨라는 뒷말을 계속 삼켰다.

'루카스를 믿으니까, 더 캐묻지는 않았지만, 이안이라도 왜 그 노파가 살인마라는 소리를 하고 갔는지 솔직하게 말해 주면 안 될까?'

대신 벨라는 다른 말을 꺼냈다.

"알면 안 되는 일이라면 더는 묻지 않을게. 하지만 충분히 오해할 만한 상황인 건 알지? 누군가 루카스에 대한 나의 믿음을 흔들려고 보낸 것 같았어."

벨라는 잠시 한숨을 쉬었다.

"어떻게 내가 벨라시아에 올 줄 알고 그리젤리가 아닌 벨라시아로 바로 온 걸까?"

벨라의 말에 이안은 머쓱해하며 손가락으로 턱을 긁다가 한숨을 쉬며 입을 열었다.

"죄송합니다."

"아냐. 신경 쓸 일 아니야. 루카가 내게 거리 두는 건 하루 이틀 일도 아니고. 괜찮아."

벨라는 대충 둘러대었다.

이안이 조용히 바라보다가 말했다.

"형이 그러는 거 양해해 주십시오."

'그래, 나도 알아. 그쯤은 이해해. 하지만 과거에도 루카스는 나에게 일정 선 이상 가까이 오지 않았고 지금도 마찬

가지잖아.'

벨라는 속으로 투덜거렸다.

'나는 루카스에 대해 아는 것이 아무것도 없다고!'

"실은 형이 예전에 학대받은 기억이 있어서 누군가의 손이 근처에 오는 것도 싫어합니다."

'응?'

벨라는 저도 모르게 눈을 크게 떴다. 의외의 말이었다.

이안은 멋쩍은 듯한 표정으로 말했다.

"제 형이라서 하는 말은 아니고……, 우리 형 참 대단한 사람입니다. 그런 학대를 받고도 올곧게 자랐죠."

이안은 말을 잇지 못하고 잠시 멈췄다가 어렵게 다시 입을 열었다.

"쉽게 극복할 만한 상처가 아닌데도 형은 아무렇지도 않은 듯이 그 상처를 덮었습니다."

무슨 생각을 떠올리는 건지 이안의 파란 눈동자가 흔들렸다.

"만약 제가 형이라면 제 얼굴만 봐도 자신을 학대한 사람이 떠올라 진저리 쳤을 텐데 형은 저에게 '너는 너일 뿐이다'라고 말해 줬습니다."

이안의 목소리가 잠시 떨렸다.

"타인이 닿는 것도, 가까이 있는 것도 싫어하면서도 벨라 아가씨는 모셔야 할 주인이시기에 가까이 있는 겁니다."

이안은 주저하다가 말을 이어 갔다.

"그러니 형이 자신에 대한 언급을 피한다고 해서 서운하게 생각하지는 말아 주십시오."

벨라는 이안의 말에 눈을 느리게 떴다, 감았다 하며 루카스와의 거리를 떠올렸다.

그러고 보니 그는 늘 사람들 곁에서 떨어져 있었다.

"학대? 무슨 학대?"

벨라의 말에 이안은 쓴웃음을 지으며 말했다.

"형이 스스로 말하기 전까지는 묻지 마십쇼. 형은 그 일을 아예 떠올리고 싶어 하지도 않으니까요. 다만 그 늪에서 형을 건져 올려 주신 분이 아가씨의 부모님이십니다. 그러니 형에게 아가씨는 각별할 수밖에요."

이안은 굳은 표정으로 말했다.

"형이 뻣뻣하게 굴어도 형의 헌신을 오해하지는 말아 주십시오. 그 점은 제가 보장합니다."

벨라는 천천히 눈만 끔뻑거리다가 느릿하게 말했다.

"근데…… 이안이 왜 루카에게 나쁜 사람을 떠오르게 한다는 거야?"

벨라의 말에 이안의 표정이 어두워졌다. 그러나 애써 웃어 보이며 이안이 말했다.

"형과 저는 어머니는 같고 아버지는 다릅니다만, 형을 학대한 사람이 제 아버지란 사람이니까요."

"루카스, 루카스는 어릴 때 꿈이 집사였어?"

벨라는 식사를 마치고 냅킨을 내려놓으며 루카스에게 물었다. 접시를 치우며 루카스는 여전히 말이 없었다.

"루카스는 처음부터 집사를 해야겠다 하고 생각했던 거야? 원래 우리 집안 집사는 제이크 트리벳 씨였잖아. 기억이 희미하지만, 내가 아주 어릴 때 분명 제이크 트리벳 씨가 시중을 들었던 것이 떠올라."

벨라는 진심으로 궁금했다.

"차기 집사는 제이크 트리벳 씨의 아들이 한다 하지 않았나?"

접시를 치우던 루카스의 손이 잠시 멈칫하는가 싶더니, 여전히 아무 일 없었다는 듯 트롤리에 빈 그릇을 정리해 담았다. 벨라는 그런 루카스를 빤히 쳐다보았다.

"그럴 만한 사정이 있었습니다."

루카스는 달랑 그 말 한마디만 하고 더 이상 입을 열지 않았다.

벨라는 볼을 비죽거렸다.

루카스는 항상 이런 식이었다.

'이러니까 과거에 당신을 오해했잖아. 내게 조금이라도 당신 이야기를 하면 안 돼?'

벨라는 늘 깍듯하니 거리를 두는 루카스가 야속해서 요즘은 일부러 반말로 대하고 있었다.

'나와의 계약 관계가 내 실수로 공중분해 되었을 때에도 왜 나의 집사를 자처하며 늘 내 근처를 맴돌았던 거야?'

차마 속내를 그에게 직접 털어놓을 수 없었다.

루카스는 묵묵히 자기 할 일만 계속할 뿐이었다.

'내 아버지와의 인연 때문에? 그것이 목숨까지 걸 이유였어? 왜 내 아버지와 있었던 일조차 언급하지 않는지 이해할 수가 없어.'

벨라는 목구멍까지 하고 싶은 말이 차올랐지만 어쩐지 물어도 그가 대답할 것 같지 않아서 망설여졌다.

'당신의 속마음이 궁금해.'

벨라는 결국 끝까지 아무 말도 하지 않고 빈 그릇만 가지고 가 버린 루카스의 뒷모습을 멍하니 바라보았다.

'살인마!'

노파의 외침이 떠올랐다.

'정말로 루카스가 누군가를 죽인 걸까? 왜 그는 아무런 변명조차 하지 않는 것일까? 루카스, 내가 정말 당신을 믿어야 하는 것이 맞을까?'

벨라는 벽면에 쓰인 낡은 글귀를 바라보았다.

[—포르위네 사방으로 포리네 영지 또는 우리 가문의 힘이 미치는 곳에서 굶어 죽는 사람이 없게 하라.

—아르티드의 가주 된 자는 정치에 관여하지 말며, 관직에도 나서지 말라.

—장원에서 거두어지는 총수입의 3분의 1은 가문의 몫, 3분의 1은 아르티드가를 찾는 손님의 몫, 3분의 1은 어려운 이를 위해 쓰라.

—돈에는 영혼이 없다. 쓰는 이의 영혼이 담길 뿐이다.]

위의 세 구절은 무슨 말인지 잘 알겠는데 마지막 구절은 아직도 무슨 뜻인지 잘 알 수가 없었다.

예로부터 아르티드가는 돈 많은 호구 집안이라 불리는 것을 벨라도 잘 알고 있었다. 그런데 진즉 망하지 않고 지금까지 이어져 온 이유를 스스로도 잘 모르겠다고 생각했다.

5. 승전 연회의 버베나 꽃

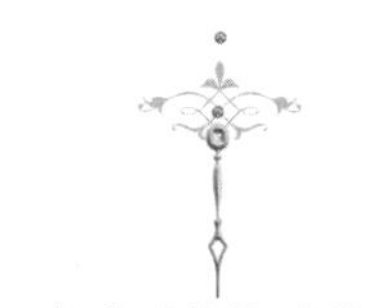

5. 승전 연회의 버베나 꽃

벨라가 손바닥을 내밀자 반짝이는 것이 내려앉았다.

종이 꽃가루가 높은 건물에서 아래로 흩뿌려졌고, 거리를 지나는 사람마다 붉은색 장미꽃을 나누어 가졌다.

개선문을 지나는 승전 장군의 모습과 총을 메고 발맞춰서 전진하는 병사들의 행진도 장관이었다.

온 국민이 하스로제—페로하트 전쟁에서 전해진 승전보에 열광하는 모습을 뒤로하고 벨라는 연회장으로 서둘러 들어갔다.

오늘은 첫날이니까, 황궁의 정원이며 대강당은 고위급 귀족들이 주름잡고 있을 것이고, 귀부인들을 위한 소강당 쪽이 지루한 일정을 피하는 데에 적당할 것이었다.

벨라는 뒤따라 느직느직 걸어오는 상대를 기다리며 짜증이 났다. 그녀의 에스코트 상대는 땅딸막한 모양새가 고모할머니를 빼다 박은 에릭 엘 슈르츠였다.

'제국의 세 기둥' 중 하나인 슈르츠 검법을 전수하여야 할 후계자인데, 저 짧은 팔다리로 검식이나 제대로 활용할 수 있을지 의문이었다.

벨라의 머릿속에 라울린이 검을 들고 분신술을 쓰듯 잔영을 남기며 적의 코앞에 돌진하던 모습이 떠올랐다.

'쩝. 슈르츠가의 검식이라 했건만.'

상상 불가. 에릭이 그럴 수 있으리라고는 상상이 되지 않았다.

'저 땀이나 어찌했으면.'

벨라는 에릭의 겨드랑이 양쪽이 흥건하게 젖어 있는 것을 보는 것만으로도 기분이 언짢아졌다.

벨라는 사심 가득한 슈르츠 공작 부인의 얼굴을 떠올렸다.

에릭이 아니었으면 찰스 숙부의 계략에 따라 벤자민과 함께할 뻔했던 탓에 감사하긴 하지만, '그래도 기왕이면 좀 더 근사한 상대의 에스코트를 받았다면 얼마나 좋았을까?' 하는 생각이 들었다.

문득 '좋은 상대란 어떤 상대인가?'라는 질문을 자신에게 던졌다.

그토록 기다렸던 승전 연회건만 마음이 가볍지만은 않았다.

황태자에게 이 기회에 꼭 조언해야 한다는 의무감 때문만은 아니었다.

'얼굴도 보고 싶지 않아.'

한때는 벨라가 사랑했던 사람들.

찰스 숙부의 첩자였던 트리스탄 선생, 구원자라 믿었는데 뒤통수를 때린 벤자민, 그리고 마지막 사랑이라 생각해 매달렸던 유진 엘 론다트.

그들과 마주칠까 봐 발걸음이 쉽게 떨어지지 않았다. 그냥 한 공간에 있는 것조차 싫었다. 과거에 자신이 얼마나 구차하게 매달렸었는지 떠오를 것 같아서 외면하고 싶었다.

과거의 삶이 너무 아팠기에, 더는 사랑에 매달리고 싶지 않았고, 딱히 결혼에 의미를 두고 싶지도 않았다.

지난 삶을 돌이킬 기회가 주어졌다. 그녀로 인해 불행해졌던 사람들을 행복하게 해 주고 싶었다.

벨라가 힘든 발걸음을 나름 씩씩하게 내딛는 이유였다.

'그러면 나도 행복해질 수 있을까?'

"사냥 좋아하십니까?"

에릭의 질문이 벨라를 현실로 돌아오게 했다.

시선만 마주치면 '데헤헤헷' 하고 웃는 에릭에게 별로 호감이 가지 않았다.

"저는 취미로 열쇠고리를 만들곤 합니다. 나중에 하나 선물로 드리겠습니다."

에릭도 어색한지 온통 이마에 흘러내리는 진땀을 손수건으로 연신 닦아 댔다.

'대체 왜 첫인상부터 별로인 걸까?'

아직 정확한 이유는 잘 모르겠지만, 벨라는 그의 눈빛이 썩 마음에 들지 않았다.

"폴로 경기의 진짜 매력은……."

벨라에게 이것저것 말 붙여 보려고 애쓰는데 여자들에게 환심 사는 것과는 거리가 멀어 저절로 하품이 나올 지경이었다.

걸음걸이마저 어찌나 느린지 벨라는 그가 자신이 있는 곳으로 걸어올 때까지 기다리고 서 있었다.

'후…….'

벨라는 한숨을 내쉬고는 소강당에 들어섰다.

황족의 피가 섞이거나 추천인이 어마어마하게 많아야만 승전 연회를 데뷔탕트 무대로 삼을 수 있었다. 그런 곳에 지금 자신이 와 있었다.

'잊지 말자. 나는 베아트리체를 찾으러 여기 왔고, 황태자 전하께 디노르센 전투를 조심하라고 설득해야만 해.'

긴장하지 않으려고 애쓸수록 긴장되었다. 조금이라도 긴장을 풀기 위해 벨라는 자신에게 속삭였다.

'사교계가 별건가. 누가 누구네 집 몇 대 손인지 얼굴하고 이름을 끼워 맞추고, 추천한 귀족들 이름 읊고, 웃으며 인사하면 되는 거지, 뭘.'

"아아, 저분이시구나. 어린 나이에 사업에 손대 대박 나고 돈을 깔고 지낼 지경이라는……."

"우리 나이 또래일 텐데 믿어지지 않아."

"어쩜. 친해져 보자고 먼저 말을 건네 볼까?"

"나 괜히 떨려. 굉장한 사람을 보고 있는 것 같아."

"어떻게 그렇게 사업적 감각이 뛰어날 수가 있지?"

왠지 낯부끄러워지는 칭찬 소리에 벨라는 두 뺨을 붉혔다. 벌써 사람들 사이에서 이렇게 빠르게 소문이 퍼졌나 보다.

"지나가기 전에 눈도장이라도 찍자. 서둘러."

벨라는 손에 들고 있던 부채를 펼쳐 얼굴을 반쯤 가렸다. 우르르 몰려오는 소리가 들렸다.

"안녕하세요? 저는 디펠로우 남작가의 셀레나라고 합니다."

"제 이름은 랜쇼 자작가의 요한나입니다. 만나 뵙게 되어서 영광입니다."

'……엇?'

벨라는 저도 모르게 미간을 찡그렸다.

그들이 달려오면 뭐라고 인사해야 하나 고민한 것이 민망스럽게도 다른 상대를 향해 달려가 호들갑을 떨며 잘 보이려고 애쓰고 있었다.

그 상대가 누구인지 시선을 옮긴 벨라의 얼굴이 경직되었다.

수많은 여자가 졸졸 따라붙어서 잘 보이려고 애쓰는 그 상대는 바로 벤자민 엘 프로스트였다.

순간 그와 시선이 맞닿았다. 벨라는 저도 모르게 어금니를 꽉 깨물었다. 구름떼처럼 여자들이 그의 한 걸음 한 걸음을 따라가며 아양 떠는 광경을 바라보아야만 했다.

"가지고 계신 주식이 그렇게 많으시다면서요? 어떻게 하면 그렇게 손대는 주식마다 천정부지로 치솟고 손해 보기 전에 딱 처분하실 수 있는지……, 비결이 무엇인가요?"

"저랑 나이도 비슷하신 것 같은데 어쩜 그렇게 박학다식하세요? 세상에나."

"부동산 정보 있으면 저도 알려 주세요! 어디에 투자하는 것이 전망이 밝은지 저도 아빠에게 부탁해서 투자해 보고 싶어요. 차근차근 배워 나가고 싶은데 시간 좀……."

"애인 있으세요? 좋아하는 여성상은 어떤 타입?"

장안의 화제는 단연코 벤자민 엘 프로스트였다.

"저 사람이래. 투자의 귀재라는 그 젊은 영식이 바로 저 사람이야. 손대는 것마다 몇 배의 수익을 올렸대. 그래서 프로스트 백작가에서 장남도 제쳐 두고 바로 후계자 자리를 줬다고 하더라고."

"정말? 와. 나이도 얼마 안 되어 보이는데 그렇게 경력이 화려해? 비결이 뭐야?"

"그냥 날 때부터 천재였대. 앞으로 무슨 일이 벌어질지 다 알고 있는 것처럼 행동해서 그 뭐지, 후계자 없이 대가 끊기는 바람에 각각 시집간 딸들이 있는 두 집안에서 싸움 나서 영지전 벌였다던 곳 있잖아."

"트리…… 뭐더라?"

"맞다! 트리에뷔어 자작령. 자기 가문이 그 땅을 고스란히 먹을 수 있게 큰 공헌을 한 게 저 벤자민 영식이라고 하더라고."

"아……, 저런 남자에게 시집가면 평생 호사스럽게 살 수 있겠다."

"아서라. 주변에 쫙 깔린 저 여자들을 봐. 다들 목적이 똑같을 텐데 뭐. 벤자민 영식이 기침만 해도 꺄르르르 하니 자지러지네."

"지금 나서 봐야 저 멍청한 여자들하고 같은 취급이나 받지. 무도회 시작되면 그때나 노려보자고."

그런 말을 묵묵히 듣고 있던 벨라는 펼친 부채를 접어서 말아 쥐었다. 회귀는 자신이 했는데 승승장구는 그가 하고 있어서 당황스러웠다.

"아, 이분이 화장품 사업으로 어린 나이에 벌써 큰 성공을 거두셨다는 소문의 그분이시군요."

처음 보는 얼굴이어서 벨라는 순간 당황했으나 동행한 집사 루카스가 그 사람에게 먼저 인사를 하며 힌트를 주었다.

"티프리스 후작가의 헬렌 님, 만나 뵙게 되어 영광입니다."

벨라는 며칠 동안 외웠던 귀족 가문들의 족보에서 간신히 헬렌의 이름을 떠올렸다. 티프리스 후작가의 방계 친인척이나 황후와의 친분으로 사교계에서 위세가 높은 인물이었다.

아직은 승전 개선식에 모두의 관심이 쏠려 있을 이른 시간인데 데뷔탕트 무도회가 본격적으로 열리기도 전부터 귀족들은 서로를 잘 아는 척 인사하고 다니느라 바빴다.

오늘 데뷔탕트를 갖는 귀족 영애가 벨라 말고도 몇 명 더 있었으나 그중에서 벨라는 사람들의 주목을 받는 데에는 반쯤 성공한 셈이었다.

"아니, 스타더스트 화장품 회사의 소유주가 이렇게 어린 아가씨였습니까?"

굳이 누가 추천해 주었다고 이름을 일일이 나열하지 않아도 다들 신기하게도 벨라를 알아보았다.

"코고트 백작 부인, 영광입니다."

루카스가 또 버벅거리는 벨라 대신 먼저 인사를 받고 벨라에게 시선을 넘겼다. 벨라는 루카스가 주는 힌트를 가뭄의 단비처럼 기뻐하며 사람들과 인사하고 다니느라 벤자민에 대해 신경 쓸 겨를이 없었다.

"안녕하세요! 벤자민 엘 프로스트 경. 소문 많이 듣고 궁금했었는데 이렇게 뵙게 되니 영광입니다. 호호."

가식적인 목소리.

간신히 잊고 있었는데 단박에 벨라의 귀를 쫑긋하게 만드는 목소리였다.

벨라를 '그리즐리 베어와 사는 골디락스' 같은 시골 촌년이라며 놀렸던 그녀, 알리사 엘 그란첼이었다.

롤빵을 돌돌 말아 머리에 붙인 듯한 화려한 꽈배기 머리 스타일에 꽃분홍색으로 온몸을 치장한 알리사 엘 그란첼은 오랜 시간이 지났어도 단번에 알아볼 수 있었다.

자존심이 하늘을 찌를 듯 콧대를 세우고 다니더니 벤자민이 꽤 먹음직스러운 먹이로 보였나 보다. 그 고고한 인간이 벤자민 앞에서 청순한 척 미소 지으며 눈웃음으로 추파를 던지고 있었다.

과거에 꼴 보기 싫어서 치를 떨었던 두 인간이 바로 눈앞에 있다.

벨라는 땅바닥이 출렁거리듯 아찔해지는 기분을 느꼈다. 하지만 여기서 꼴 보기 싫다고 물러날 수도 없었다.

그때였다. 익숙한 모습이 벨라의 눈에 띄었다. 그토록 찾던 친구, 베아트리체였다. 벨라는 숨을 멈추듯 그 자리에 얼어붙고 말았다.

베아트리체는 벤자민에게 교태를 부리는 알리사의 곁에서 그녀의 칭찬을 하며 연신 편을 들었다. 마치 시녀처럼 구는 그 모습에 벨라는 경악하고 말았다.

게다가 그녀는 베아트리체라 불리지 않았다.

"아그네사, 목을 축일 것 좀 가져와. 올 때 구두 바꿔 오라고 전해 줘. 이것은 대신 버리고 와."

아그네사 엘 셀레스몬이 그녀의 이름이었다.

진작 루카스에게 베아트리체 엘 롬바르트에 대해 조사를 부탁했지만 그런 사람을 찾지 못했던 이유를 깨달았다.

벨라가 기억하고 있던 베아트리체 엘 롬바르트라는 여자는 세상에 없었다.

그 사실이 벨라에게는 충격으로 다가왔다.

벨라는 과거 사채업자에 의해 술집 하데스로 팔려 왔다. 어설프게 도망치려다 들켜서 두들겨 맞고 골방에 갇혀 흐느껴 울고 있을 때였다.

잠긴 문의 작은 배식구 틈새로 들어오던 하얀 손. 얼굴도 알 수 없는 그 손이 달걀을 하나 손에 몰래 쥐여 주는 거였다.

'그것으로 열심히 멍든 곳을 문지르다가 배고프면 먹어!'

재빨리 말하고 후다닥 사라지던 그 손. 어찌나 핏기가 없고 새하얀 손이던지, 골방에서 풀려나왔을 때 그 손을 보고 그녀가 누군지 금방 알아봤다.

오렌지빛을 약간 띠는 금발 머리, 창백하고 새하얀 얼굴에 청남색 눈동자. 입술은 새파란데 반대로 두 뺨이 볼터치한 듯 분홍빛이라 금방 눈에 띄는 가녀린 미인이었다.

그 이후로도 쭉 벨라는 하데스에 적응하지도 못했고, 재랑 같이 있으면 재가 실수한 것을 덤터기 쓴다며 다른 창부들도 벨라를 따돌렸다.

'이렇게 사느니 죽자.'

독한 마음을 먹고 죽으려다가 발각되어 독방에 갇혀 울던 어느 날.

베아트리체가 독방에 몰래 들어왔다. 벨라의 입에 묶인 재갈을 풀어 주며 그녀가 말했다.

"지배인한테 이른 건 바로 나야. 네가 자해할 것 같길래……."

지독하게 슬퍼 보이는 눈을 한 베아트리체가 떨리는 목소리로 속삭였다.

"내 꿈은 여류 시인이 되는 거였어. 사람들 가슴속에 길이 남는 아름다운 시를 쓰고 싶었지. 처음부터 여기 오고 싶은 사람이 있었을까? 정신 차리고 보니 여기더라."

그녀는 조용히 속삭였다.

"거리의 민들레를 본 적 있니? 사람들이 아무리 밟고 또 밟아도 민들레는 환하게 피어. 벨라, 민들레처럼 질기게 살아. 살아남아서 꽃피워. 그래서 너를 짓밟은 사람들 보란 듯이 행복하게 살아. 그게 널 여기 밀어 넣은 자들에 대한 최고의 복수야."

자기 일도 아닌데 베아트리체는 그녀의 손을 잡고 펑펑 울어 주었다.

벨라는 누군가가 나의 일로 나만큼 슬퍼해 준다는 것이 이렇게 가슴 떨리는 일이라는 것을 그녀를 통해 배웠다.

하데스에서 귀족 시절의 이야기는 금기와도 같아서 서로 웬만하면 말하지 않았다. 서로의 본명도 알려 주지 않고 가명으로 통했다.

하지만 유일하게 그녀와는 서로의 본명을 말하고 친하게 지냈다.

비록 현재는 많은 것이 달라져서 찾을 수가 없었지만 한 가지 그녀를 찾을 단서가 있었다.

하스로제—페로하트 전쟁에서 승리해 일주일 동안 성대하게 열렸던 승전 연회에서 화려한 불꽃놀이를 구경했던 이야기였다.

다른 것은 몰라도 승전 연회에 가면 귀족 영애 시절의 베아트리체를 만날 수 있을 거라 생각했다.

'그토록 손꼽아 기다렸건만…….'

베아트리체가 아닌 아그네사는 비굴한 웃음을 흘리며 알리사 앞에서 연신 허리를 굽신거리고 있었다.

벨라의 눈동자에 불길이 활활 타오르는 것만 같았다.

뇌리에 그녀의 마지막 모습이 스쳐 갔다.

베아트리체가 기침을 심하게 하더니 피를 토했다.

'무슨 병인지 의사한테 진찰받아 보자!' 했더니 베아트리체는 한사코 '비밀로 해 줘. 제발!'이라며 벨라에게 애원했다.

하지만 기침을 참는 것에는 한계가 있었다. 손님 접대를 하다 참았던 기침을 하던 베아트리체는 피를 왈칵 토해 댔다. 기겁한 지배인이 급하게 의사를 불렀다.

벨라는 의사를 보고 이제 베아트리체가 치료를 받겠다고 생각했다.

그런데 그다음 날 자고 일어나 보니 베아트리체는 사라지고 없었다.

매일매일 베아트리체를 기다리던 나날, 벨라와 사이가 그다지 좋지 않았던 몰락 귀족 영애가 말했다.

'클레멘타인(베아트리체의 하데스식 이름) 기다려? 후훗. 헛수고 그만해. 벌써 죽었거나, 살아 있더라도 살아 있는 게 아닐걸?'

비아냥거리는 듯한 말에 벨라는 눈이 휘둥그레졌다.

'무슨 소리야? 그게!'

그녀는 그것참 고소하다는 듯한 표정으로 입을 가리고 웃었다.

'클레멘타인은 빈민 수용소에 딸린 클리닉에 넘겨졌을걸?'

'클리닉? 의사가 데려간 거야? 그럼 치료받고 있겠네?'

벨라의 말에 그녀는 어처구니가 없다는 미소를 지어 보였다.

'바보. 걔는 그런 것도 안 알려 주든? 거긴 병을 치료해 주는 데가 아니야. 그대로 방치해서 그 병을 연구하는 곳이지.'

그 말에 벨라는 가슴이 밑바닥이 없는 심연으로 쿵 하고 떨어지는 것만 같았다.

'가끔은 신약이라 해서 실험실에서 만든 거 강제로 먹이고

죽나 안 죽나 실험 일지 쓰는 곳이거든? 그러니 걔가 거기 가서 살겠니? 벌써 죽었을지도 모르지.'

화가 욱하고 치밀었다.

'그걸 너는 어떻게 아는데?'

'내 손님 중 하나가 거기 의사 놈팡이니까 알지. 안 그래?'

벨라는 그 처참한 말을 하면서 깔깔거리고 웃는 여자의 머리끄덩이를 확 잡아챘다.

생전 그토록 필사적으로 싸워 본 적은 처음이었다.

벨라는 생애 첫 친구를 그렇게 잃었다.

그렇게 그리워했던 친구가 굽실거리고 있었다.

그렇게 그리워했던 친구가 알려 준 본명이 가짜였다.

벨라의 입술이 바르르 떨렸다.

그때, 소강당 안이 술렁였다. 황녀 클라라가 나타났기 때문이었다.

모두 황송해하며 고개를 숙였다. 치마를 펼쳐 보이며 클라라에게 묵례했고 앉아 있던 사람들은 죄다 일어났다.

벤자민을 둘러싸고 있던 여자들이 언제 벤자민을 따라왔나 싶게 금방 얼굴빛을 달리하며 황녀를 향해 방향을 틀었다. 순식간에 벤자민은 홀로 남겨졌다.

"황제 폐하께서 대강당에서 승전 기념식 중이신데 여기 남아 있는 남자들은 뭐지? 남장 여자들인가?"

클라라 황녀는 무심결에 투덜거렸다. 그녀의 말에 귀족들이 킥킥거렸다.

소강당은 여성 전용이나 마찬가지였기에 데뷔탕트 할 숙녀를 에스코트하러 온 카발리에나 하인 정도만 머무르던 참이었다.

졸지에 하인처럼 치부된 벤자민은 흩어진 여자들을 보며 못마땅한 표정으로 클라라 황녀를 바라보았다.

클라라는 모두의 인사를 건성으로 받으며 누군가를 찾는 눈치였다.

'클라라 황녀는 알고 있을까? 과거에 그가 내게 강탈한 재산을 밑천으로 당신에게 온갖 화려한 프러포즈를 벌여서 결혼한 것을.'

벨라는 벤자민의 표정을 보며 어쩐지 고소하다는 생각이 들었다.

'그런데 한쪽은 안중에도 없는 분위기이고 한쪽은 시기라도 하듯 째려보는 상황이라니.'

그러다가 잠시 멈칫거렸다. 벤자민에게서 멀리 떨어져 있는 한 중년 남자가 눈에 띄었다. 머리가 희끗희끗하고 귀족치고 남루한 행색의 그자는 눈 한 번 깜빡이지 않고 벤자민을 노려보고 있었다.

왠지 그 남자의 눈빛이 마음에 걸렸다.

선연한 증오의 불길이었다. 말 한마디로도 욱하고 달아올라 살인이라도 저지를 듯한 표정으로 벤자민을 쏘아보고 있었다. 벤자민이 이윽고 몸을 움직여 자리를 옮기자 그 역시 서성거렸다.

"혹시 아르티드가의 벨라 님이 맞으십니까?"

한 여인이 다가와 벨라에게 물었다.

떨떠름한 표정으로 벨라가 긍정을 표시하자 여인은 얼굴에 화색을 띠며 황녀에게 황급히 달려갔다.

"황녀님, 저분이 벨라 엘 아르티드 양이십니다!"

황녀는 그 말을 듣자마자 함박웃음을 지으며 벨라가 있는 쪽으로 다가왔다.

예법상, 신분이 낮은 자가 먼저 인사하게 되어 있었다.

그러나 황녀는 마음이 급한지 벨라가 다가오기도 전에 서둘러 벨라를 향해 걸어오고 있었다.

"아르티드가의 이사벨라 엘 아르티드, 제국을 빛내는 별빛, 제국의 아름다움 황녀님을 뵈옵기에 먼저 인사드리옵니다."

벨라는 치맛자락을 움켜쥐고 정중한 귀족식 인사를 먼저 올렸다. 그제야 자신이 너무 서둘렀음을 깨달은 클라라 황녀는 멋쩍게 웃으며 벨라의 인사를 받아 주는 포즈를 취했다.

"아르티드 양, 내가 보낸 초대장은 받았어?"

마치 오래전부터 알고 지냈던 것처럼 친한 척 말을 건네는 클라라의 태도에 벨라는 깜짝 놀랐다.

"네에?"

"오라버니 이름으로 보낸 초대장, 그거 내가 보낸 초대장이나 마찬가지야. 벨라 양을 한번 꼭 만나 보고 싶었는데 마땅히 만날 기회가 없어서 얼마나 간절히 기다렸는지 몰라."

클라라는 신나서 벨라의 두 손을 살포시 잡고 말했다.

"보내 준 입욕제는 잘 쓰고 있어. 매일 거품 목욕을 하니까 피부도 고와진 것 같고 온몸에서 나는 향기에 나도 모르게 깜짝깜짝 놀라고는 해."

클라라는 진심으로 들떠 있었다.

"세상을 이렇게 아름답고 향기롭게 할 수 있다니. 벨라 양, 앞으로 나하고 친하게 지내면서 교류도 하고, 그런 기막힌 발상은 어떻게 하는지 조언도 해 주길 부탁해."

벨라는 어찌 된 영문인지 모르고 눈을 떴다, 감았다 했다. 그러나 이미 정신 차리고 보니 강제로 팔짱이 끼워진 채 흥분한 클라라에게 이끌려 황족들만이 앉는다는 승전 기념식 제일 높은 자리에 다다라 있었다.

자신을 지체 높은 자리에 앉히려는 것임을 깨달은 벨라는 눈이 휘둥그레졌다. 자신의 분수란 것이 있는데 어찌 감히 높은 자리에 가서 앉는단 말인가.

"황녀님, 여긴 제 자리가 아닌 것 같습니다."

벨라는 걸음을 멈추었다. 클라라는 왜 그러느냐는 듯한 표정으로 벨라를 바라보았다.

"이곳은 고귀한 자리, 저처럼 데뷔탕트 전인 일개 귀족이 앉을 자리가 아닌 듯합니다. 저는 귀족들을 위한 자리로 가서 앉겠습니다."

"뭐 어때, 이곳엔 꼭 황족이나 고급 관리만 앉을 수 있는 것이 아니라 황족이 초청한 사람도 앉을 수 있다고."

클라라는 고집을 부리며 벨라를 끌고 가려 했다. 그러나 이 작은 소동에 황족들이 뒤돌아보는 것도 모자라 개선장군 자격으로 앉은 자들까지 한꺼번에 벨라를 바라보는 것이었다.

벨라는 귓불까지 빨개져서 한사코 손을 내저었다.

"명령이야! 절대로 못 가! 이리 와! 감히 나의 명령을 거부할 거야?"

클라라는 천진난만하게 웃으며 벨라를 끌어당겼다. 함부로 뿌리쳤다가는 클라라가 뒤로 엉덩방아를 찧을 지경이었다.

황족의 좌석에 가서 앉는 것이 더 봉변을 당할 일인지, 클라라가 나자빠지는 것이 더 봉변을 당할 일인지 머릿속으로 상상하며 벨라는 클라라가 이끄는 곳으로 마지못해 다가가 앉았다.

"클라라. 이게 무슨 소란이니."

'헉…….'

앞 좌석의 귀부인이 뒤돌아보는데 황후마마였다. 벨라는 과거에서도 황후를 신문 속 흐릿한 흑백 사진으로나 봤을까, 실제 본 적도 없었는데 심지어 점이나 땀구멍까지 보일 정도로 가까웠다.

나이를 가늠할 수 없을 정도로 매끈한 피부의 황후, 그리고 클라라의 옆자리에서 고개를 내미는 것은 심지어 카이런 황자다.

"식 중에 자꾸 돌아다니면 어떡하냐? 네가 아직도 어린애인 줄 알아?"

핀잔 주는 카이런 황자에게 클라라는 웃음으로 딴청을 부렸다.

"자꾸 안 오겠다고 버텨서 소란스러웠지? 미안. 거봐. 얘전히 앉아 있으세요, 아르티드 양. 소란 피우면 안 돼!"

벨라는 부담스러워서 입매가 뻣뻣하게 굳어 갔으나 미소를 억지로 지어 보였다. 실룩실룩 입가가 떨려 왔다.

황후가 앞에 있다는 것은 황후 옆의 빈자리는 황제의 자리라는 뜻이고, 카이런 황자와 클라라 황녀가 앉는 자리라면 그녀의 자리는…….

벨라의 무릎이 떨려 오기 시작했다. 지금 덥석 앉은 이 자리가 황태자의 자리였으리라.

저 멀리 나팔소리와 함께 의장 행렬을 진두지휘한 눈부신 정복 차림의 황태자가 되돌아오고 있었다.

쥐구멍으로 숨고 싶은 심정이었다.

모든 국민들이 이 자리를 쳐다보고 있었고 이제 와 뛰쳐나갈 수도 없다.

'그런데 황태자는 대체 어디 앉는단 말인가.'

자신의 무릎 위에 앉으라는 것도 웃기고 자신이 바닥에 내려앉는 것도 웃기고, 이대로 뛰쳐나가는 것도 이미 늦었다.

점점 황태자가 다가오고 있었다.

'으아아아……! 제발 누가 날 좀 구해 줘요!'

벨라는 눈만 왕방울처럼 커진 채 사색이 되어 주변을 두리번두리번했다.

일어나려고 엉덩이를 들썩이자 옆구리가 따끔했다. 클라라가 눈을 흘기며 옆구리를 꼬집었다.

"한창 식이 진행 중인데 일어서는 거 실례인 거 알지?"

클라라가 귓가에 속삭였다.

황태자가 가까이 다가왔다가 자기 자리가 없는 것을 발견했다.

벨라는 엉겁결에 일어나다가 클라라가 뒤에서 치맛자락을 잡아당기는 바람에 엉덩방아를 찧듯 제자리에 주저앉았다.

황태자의 푸른 눈썹이 찡그려졌고 벨라는 사색이 되어 벌벌 떨고 있었다. 순간 벨라의 옆자리 사람들이 줄줄이 일어나 자리를 비웠다.

황태자는 당연하다는 듯 벨라의 옆자리에 앉았고 그 뒤로 다른 사람들이 차례로 자리로 돌아와 한 명씩 앉았다. 그리고 맨 마지막 사람은 자리가 없어서 뒤로 돌아 나갔다.

벨라의 심장이 터질 듯 쿵쾅거렸다. 이 민폐의 현장을 어찌 수습해야 할지 머릿속이 새하얘지고 있었다.

"오빠, 내 특별 손님이야. 누군지 알지?"

클라라는 황태자에게 속삭였다. 황태자는 그저 무표정한 얼굴로 벨라와 클라라를 한번 쓰윽 훑어보고는 행사 퍼레이드 쪽으로 시선을 돌렸다.

벨라는 바들바들 떨었다.

개선장군들을 일어나 옆자리로 비켜 앉도록 했고, 심지어 일어나 옆으로 밀려난 사람 중 하나는 슈르츠 공작이었다.

'신이시여. 여기서 개죽음당하라고 회귀시키셨나이까?'

벨라는 속으로 신께 빌고 또 빌었다.

'황태자의 자리에 버릇없이 앉았다는 이유로 참수형으로 생을 마감하게 하실 거면 뭣 하러 데려다 놓으셨습니까, 저는

여기 오고 싶은 생각도 없는데 억지로 끌려왔단 말입니다.'
이대로 생을 마감하기엔 아직 제 인생은 젊고도 짧으며 아직 그리젤리에서 이렇다 할 만한 활약도 못해 봤고…….
의장식을 하든지, 개선식을 하든지 아무것도 눈에 들어오지도 않았고 그저 지나간 날들이 주마등처럼 스쳐 가며 어떻게 죽음을 대비해야 하나 하는 걱정만이 무겁게 그녀의 목을 조르는 듯했다.
심지어, 황제의 만찬장에도 끌려갔다. 다들 이 처음 보는 어린 여자는 누군가 하는 듯한 의혹의 눈길로 벨라를 바라보았고 슈르츠 공작은 감히 어떻게 너 따위가 하는 듯한 눈길로 벨라를 뚫어지게 바라보았다.
황제가 개선장군들에게 영광을 돌리며 건배를 할 때 얼결에 샴페인 잔 사이에서 주스 잔을 들고 건배를 외치며 원 샷을 해야 했고, 클라라가 함께 케이크를 썰자며 7단 케이크를 자를 때도 얼결에 끌려나가 클라라에게 손목을 붙들려 케이크를 함께 잘랐다.
입가가 제멋대로 떨려 왔다. 이러다 경기 일으키지 싶었다.
온갖 산해진미가 펼쳐졌으나 차마 먹지 못하고 있는 벨라에게 이것도 맛있다 저것도 맛있다며 클라라가 잔뜩 들고와 벨라의 입에 쑤셔 넣어 주었다.
순간 벨라는 누군가 자신을 강렬하게 째려보는 느낌을 받고 주변을 둘러보았다. 미움받아도 할 말이 없는 상황이었다.
그런데 그것만으로는 설명하기 힘든 느낌이었다. 누군가가 자신의 솜털 하나까지 세세하게 관찰하는 듯한 느낌이 들어 머리카락이 쭈뼛거렸다.

고개를 드니 한 젊은 여성과 시선이 마주쳤다. 아까 클라라 황녀를 통해 인사 나누었던 사람 중 하나라는 것을 깨달았다.

'릴리스 대공녀? 앤서니 대공의 딸이라 했나?'

벨라의 또래로 보이는 그녀는 황후만큼이나 화려한 옷차림을 하고 연회의 주인공이 자신인 양 고개를 치켜들고 있었다. 그녀의 시선은 마치 상품을 까다롭게 고르는 손님과 같은 눈초리였다. 어쩐지 그 시선이 거북해진 벨라는 고개를 푹 숙였다.

"저…… 황녀님, 저 이만 내려가면 안 될까요?"

벨라는 클라라의 귓가에 필사적으로 속삭였다.

그런데 클라라는 귓등으로도 듣지 않았다.

"여긴 제가 있을 자리가 아닙니다. 저는 이따 무도회 때 데뷔탕트 예정이라서……."

"마다하면 영원히 미워할 거야."

농담인지 진담인지 모를 말을 클라라가 속삭였다.

데뷔탕트도 안 한 사교계 신출내기인 자신이 황족들 사이에서 이러고 있으려니 시작도 전에 매장당하는 것은 아닌가 싶어 떨려 왔다.

순간 뒤에 서 있던 루카스가 다가와 벨라에게 말했다.

"아가씨가 곧 아르티드입니다. 어깨를 펴십시오. 아가씨는 차기 후작입니다."

벨라는 그 말에 움츠러들었던 어깨를 펴고 심호흡을 했

다. 그리고 주변을 다시 둘러보았다. 중후한 인상의 티프리스 후작이 눈에 띄었다.

아버지가 살아 계셨다면 당연히 아버지도 이곳에 참석하셨을 거였다.

아버지 대신 왔다고 생각하니 떨림이 사라졌다. 그렇다고 완전히 적응된 것은 아니었지만 그래도 아까보다는 견딜 만해졌다.

무슨 맛인지도 모르겠고, 클라라가 뭔 말을 하는지도 모르겠다. 도망 못 가게 팔짱을 낀 클라라가 깔깔대고 웃는데 그녀가 왜 웃는지도 모른 채 그저 그녀가 웃으면 웃고 그녀가 손뼉 치면 손뼉 치며 얼떨결에 한동안 끌려다녔다.

그러다 황후가 클라라에게 기념 촬영이 있다며 부를 때에야 겨우 풀려날 수 있었다.

풀려나자마자 다리에 힘이 풀렸다. 용기는 거기까지였다.

벨라는 먹은 게 다 체한 기분이었다. 화장실이라도 가서 먹은 것을 토해 내면 기분이 나아질 것 같았다.

벨라는 휘청휘청 밖으로 걸어 나왔다.

아무리 찾아봐도 화장실이 없었다. 하는 수 없이 정원 후미진 곳이라도 가서 게워 내고 싶어서 정원 쪽으로 비틀비틀 걸어갔다.

그런데 때가 때이니만큼 정원에도 인간들이 얼마나 많은지 후미진 곳이란 게 존재하질 않았다.

소강당 쪽에 화장실이 있었던 것을 기억한 벨라는 필사적으로 그쪽을 향하다가 누군가와 부딪쳤다.

"아얏!"

"죄송합니……."

벨라는 사과를 하다 말고 상대를 바라보았다.

아까 그 증오의 시선으로 벤자민을 바라보던 남자였다.

벨라는 직감적으로 주변을 둘러보았다.

비교적 사람이 몇 명 없는 정원 한편에서 벤자민이 나오는 모습이 눈에 들어왔다.

남자는 벤자민에게 돌진하려다가 벨라와 부딪쳤던 것이었다.

어쩐지 느낌이 싸하니 좋지 않았다.

남자는 벤자민이 혼자 있을 때를 노리고 있는 듯했다.

'혼자 있을 때를 노린다는 것은 과연 무엇을 뜻하는가.'

벨라가 남자에게 말을 걸어 보려고 다시 고개를 돌리니 그새 남자는 그림자처럼 어디론가 사라져 버렸다.

남자는 분명히 살의를 품고 있었다. 사람을 죽일 만큼 미워해 보았기에 벨라는 느낄 수 있었다.

벨라는 멍하니 서서 벤자민을 바라보았다. 벤자민은 곧 다른 남자 귀족에게 붙들려 투자 상담 질문을 받고 있었다.

"벤자민 엘 프로스트 님 맞으시죠? 와……! 경제 잡지에서 봤습니다. 아직 스무 살이 채 되지 않았는데 어떻게 그런 공격적인 자산 투자를 할 수 있었죠? 정말 궁금합니다."

대낮부터 거나하게 술에 취한 노인이 비틀거리며 다가가 벤자민에게 삿대질을 했다.

"비결은 무슨 놈의 비결! 남의 약점이나 잡아서 강탈해 간

주제에! 어린놈이 그렇게 살다가는 어느 날 칼 맞는다! 꼭이다! 반드시 누군가의 칼을 맞고 뒈지는 수가 있을 거다. 에이! 고얀 놈!"

노인이 들고 있던 지팡이로 벤자민을 내리치려 하자 벤자민은 반대로 노인의 지팡이를 휙 잡고 뒤로 확 밀쳐 버렸다.

"어이쿠야!"

노인이 비명을 내지르며 뒤로 나자빠졌다.

"젊은 게 위아래도 없고 노인을 밀치네! 여기 보시오! 이 새파랗게 어린놈이 어른에게 하는 짓거리 좀 보시오!"

노인이 벤자민에게 마구 손가락질을 하는데 벤자민은 비아냥거리는 미소를 띠고 옷매무시를 가다듬으며 말했다.

"앞날을 읽을 줄 모르는 당신이야말로 자신의 무지함을 탓해. 탐욕에 눈이 어두워 앞뒤 재 보지도 않고 땅을 판 당신이 잘못한 거지, 내가 그 땅을 산 게 잘못은 아니야."

벤자민의 말에 노인이 버럭 소리를 질렀다.

"이건 명백한 사기다 이놈아! 내 땅 도로 내놔!"

"시세보다 높게 쳐 줬잖아. 그 정도면 감지덕지한 일 아니야? 덕분에 저택에 근저당권 잡힌 것들은 해결했잖아."

"그거야 네놈이 충동질한 탓이지! 그렇지 않았으면 나는!"

노인이 흥분하다가 심장 발작을 일으켰는지 가슴을 움켜쥐며 주저앉았다.

"여기! 누구 사람 없나? 이 노인 좀 보살펴 드려!"

벤자민은 시종들을 불렀다. 시종들이 달려가 노인을 부축하자 벤자민은 소매를 툭툭 털며 자리를 떴다.

"땅을 판 것도 당신이 한 일. 괜한 사람 시비 걸다 제 분을 제가 못 이겨서 발작 일으킨 것도 당신 스스로 벌인 일. 어디서 남 탓을 하나 모르겠네. 자기 앞가림이나 똑바로 하시지."

벤자민은 그대로 벨라의 곁을 스쳐 지나갔다. 그러다 둘의 시선이 마주쳤다.

벨라와 시선이 마주친 그는 뜻 모를 웃음을 흘렸다.

벤자민이 승승장구하는 비결이 저것이었나 보다.

과거의 기억을 꿈으로 보는 그는 남들을 등치고 재산을 가로채는 데에 미래의 정보를 쓰고 있었던 것이었다.

벨라는 입술을 깨물었다.

얼굴 마주하기도 싫은 벤자민이었으나 더 많은 사람을 불행하게 놔둬서는 안 된다는 생각이 벨라를 휘감았다.

과거에는 그저 자신 하나만 재산을 털리고 신세 망치는 것이었다면, 현재에는 수많은 사람의 재산을 털고 망쳐 놓을 인간이었다.

잘못된 삶을 고쳐 다시 살라고 주어진 이 기회를 이딴 식으로 써서는 안 되었다.

벨라는 저도 모르게 치맛단을 부여잡고 뛰었다.

"벤자민!"

그가 뒤돌아보았다.

"이러지 말아요!"

"아르티드 영애, 오랜만이군요. 무슨 볼일이라도?"

벤자민이 느물거리며 말했다.

벨라는 토악질이 나올 것 같은 기분을 간신히 눌러 참았다.

"신께서 무슨 의도로 당신께 앞으로 있을 일을 알려 주셨는지 모르겠지만 그 재능을 이런 식으로 쓰지 말아요!"

"이런 식?"

그가 입꼬리를 끌어 올렸다.

"이런 식이 대체 뭡니까? 영애께서 하시는 말씀의 의도를 못 알아듣겠습니다만?"

"그러니까, 신의 가호로 얻은 미래를 남들의 재산을 빼앗는 데 쓰지 말라는 거예요!"

벨라의 말에 그는 미간을 찡그리며 코웃음을 흘렸다.

"저는 빼앗은 적 없습니다만? 정당한 거래를 했고 제대로 된 투자를 했지요. 그들은 정식으로 제게 팔았다가 나중에 결과가 좋으니 배 아파서 시샘하는 것뿐일 텐데요? 그게 뭐가 문제란 말입니까?"

벨라는 그의 목소리만 들어도 짜증이 확 솟구쳤다.

"그러니까, 미리 알지 않았다면 당신이 개입하지 않았을 일이잖아요! 자연스레 흘러갈 일에 개입해서 여러 사람 파탄 내지 말란 말이에요!"

"파탄이라……."

그는 팔짱을 끼고 하늘을 잠시 쳐다보더니 눈빛을 반짝이며 입을 열었다.

"저는 불법적인 일을 한 것이 하나도 없습니다. 그게 뭐가 문젭니까? 시대의 흐름을 파악하지 못한 그들의 어리석음까지 제 책임입니까?"

벨라는 순간 어지러운 기분이 들었다. 과거의 그의 모습이 다시 겹쳐 보이는 느낌이었다.

벤자민은 씨익 웃으며 말을 계속했다.

"자신이 쥐고 있던 것의 소중함과 가치를 몰라보고 함부로 내던진 것을 저는 그저 주웠을 뿐. 제가 줍지 않았다면 다른 누군가가 주워다 횡재했을 일인데 그걸 단지 제가 주웠다는 것이 그리도 배 아프십니까?"

예전에, 그가 했던 말 그대로 다시 듣는 기분이었다.

"저는 그런 말을 하는 게 아니에요! 당신은 이미 충분히 부자이고 프로스트가의 후계자 자리까지 거머쥐었으니 그만하면 충분하지 않냐는 거예요."

벨라는 그가 자신의 과오를 반복하지 않길 바랐다.

"남들 눈에 피눈물 나게 하지 마요! 우연히 흘러가는 역사에 당신이 끼어들어서 결과물을 당신 것으로 만들지 말라고요!"

벨라 자신은 얼마나 지난날을 후회하고 반성했던가. 그리고 자신으로 인해 불행해졌던 사람들을 구하려고 얼마나 노력했던가.

"당신의 그런 행동이 얼마나 많은 사람을 불행하게 만드는지 생각해 보셨으면 해요!"

벨라의 말에 벤자민은 그녀의 눈동자를 한참 들여다보더니 피식 웃으며 말했다.

"딴 사람이면 몰라도 당신이 그런 말을 할 자격은 없는 것 같은데. 당신이야말로 미래에 대한 지식을 자신에게 유리한 대로 끌어다 쓰고 있으면서 내가 쓰는 것은 못마땅한 모양이군."

그의 잔인한 하늘색 눈동자가 갸름해졌다.
“당신이야말로 원래 그 화장품 회사를 만든 사람들에게서 그 기회를 빼앗아 성공하고 있지 않은가?”
벨라는 발끈하여 소리쳤다.
“웃기는 소리 하지 마요! 전 라보쉬 남작을 직접 고용해서 공장 총생산을 맡기고 있다고요!”
자신과 동급으로 치부하는 말에 견딜수 없는 분노가 치솟았다.
“본래의 역사라면 투자금이 없어서 동업자를 구했다가 동업자에게 모든 것을 털리고 자포자기해서 세상을 등졌을 인물이 지금은 행복하게 잘살고 있어요!”
벨라의 말에 벤자민은 손가락을 입술에 대고 쉬이 하는 손짓을 했다.
“목소리 낮추시오. 아르티드 영애. 혹시나 싶어서 떠보았는데 역시나 당신도 미래에 대해 무언가 계시라도 받았던 모양이군.”
그가 입꼬리를 끌어 올려 비죽 웃어 보였다.
“잘나가는 화장품 회사의 비밀도 결국은 나처럼 미래를 미리 보았기 때문이었어. 어차피 미래에 대한 정보로 잘 먹고 잘사는 거라면 피차 마찬가지. 당신이 말하는 원칙대로라면 당신도 그 화장품 회사를 당장 그만두지 그래.”
벨라는 그 자리에 차갑게 얼어붙은 것처럼 서 있을 수밖에 없었다.
벤자민은 그런 벨라를 힐끔 쳐다보더니 말을 이어 갔다.

"내 꿈속에서 당신은 나를 질투해 끝내 나를 살해하고 말았지."

벨라는 발밑이 푹 꺼지는 것 같은 두려움에 휩싸였다. 벨라의 표정을 보며 그가 눈빛을 반짝거렸다.

"날 죽일 운명이 예정되어 있는 사람과 얽히고 싶은 생각은 없어. 혹시라도 미래에 대한 정보를 이용해 나를 방해한다면 그때는 내 목숨을 지키기 위해서라도 당신을 제거할 테니까. 조심하라고."

머리를 쓸어 넘긴 벤자민이 마지막 쐐기를 박았다.

"꿈속 모습이나 현실 모습이나 멍청하고 무능하기는 변함없군 그래. 제 손으로 뭐 하나 할 수 없는 인간이."

벤자민의 그 말이 벨라의 가슴을 아프게 후벼 팠다.

"아니야. 그렇지 않아!"

벤자민은 큰 소리로 웃으며 멀어져 갔다.

"나는 매일매일 용기 내고 노력하고 있다고!"

변명처럼 내지르는 벨라의 목소리에 그저 비웃는 듯한 웃음소리만이 메아리로 돌아왔다.

벨라는 떨리는 주먹을 꽉 움켜쥐었다.

"난 그때와는 달라……. 난 달라졌다고!"

"수틀리면 날 찔러! 죽이러 올 미래를 기다리겠어."

멀리서 그의 목소리가 희미하게 들려왔다.

어느새 기나긴 승전 기념식이 끝나고 해가 저물어 가고 있었다. 반대로 정원에는 하나둘씩 가스등 불빛이 켜졌다.

화려한 무도회가 개막되고 있었다.

흥분을 가라앉히고 나서 생각해 보니 다른 사람들이 벤자민과 자신의 대화를 들었을까 하는 걱정이 들었다.

그리고 미래를 아는 것이 단순히 자신과 벤자민, 둘뿐일까 하는 생각도 들었다.

미래에 대한 이야기는 위험했다.

혹시라도 제2, 제3의 벤자민 같은 인간이 등장해서는 안 되었다.

'정말 내 화장품 회사도 벤자민 말대로 미래의 지식을 이용해 나를 위해 이기적으로 쓰는 것인가?'

"아가씨, 황녀님께서 찾으십니다."

루카스가 걸어오는 모습을 보고 다행히 그가 아무것도 듣지 못했구나 하는 생각에 안도의 한숨을 쉬었다.

"어딜 갔다 왔어? 레이디 벨라. 이리 와서 나랑 같이 이야기해야지. 행사 때문에 우리 이야기도 충분히 나누지 못했는데."

벨라는 쓴웃음을 지었다. 의도치 않았으나 클라라에게 강제로 끌려와 그녀의 질문 공세에 시달리다 보니 주변에 귀족 영애들이 꾸역꾸역 몰려들었다.

"어머. 이분이 그 스타더스트 입욕제를 판매하시는 분? 생각보다 연세가 있으실 줄 알았는데 이렇게 어리실 줄이야."

소강당에서처럼 제법 벨라를 알아보는 사람들이 꽤 있었다. 성인 귀족들은 놀라워하며 벨라를 감쌌고 나이 어린 귀족들은 벨라를 감탄의 시선으로 올려다보았다.

황족들이 앉는 자리에 얼결에 끌려간 것은 가슴 졸일 만한 일이었으나 나름 클라라는 벨라를 주목받게 해 주려고 했던 모양이었다.

황녀의 옆에 앉아 있던 처음 보는 얼굴에 대해 사람들이 관심을 기울이자 부탁한 것도 아닌데 클라라는 발 벗고 나서서 사람들에게 소개해 주었다.

"인사해요. 이쪽은 레이디 아르티드. 고인이 되신 다비드 엘 아르티드 후작의 외동딸이자 곧 성년이 되면 차기 후작이 될 인물입니다. 아버지 다비드 후작 자리를 대신해서 제 옆자리에 앉혔답니다. 오늘이 레이디 아르티드의 데뷔탕트 무대가 될 것이니 다들 축하해 주세요."

클라라에게 엎드려 절이라도 해야 할 판이었다. 이제 보니 클라라야말로 최고의 고객이라 할 수 있었다.

사람을 끌어다 주는 것도 모자라 이렇게 입소문까지 내주다니 사교계 데뷔식을 하지 않았음에도 불구하고 국무 대신 딸, 경제부 장관 딸, 대법관 딸, 국방 장관의 딸, 외교관의 딸, 철강 산업 대부호집 딸까지.

뭔 딸 뭔 딸……, 이름도 다 못 외울 지경으로 여자들이 몰려들어서 벨라에게 입욕제와 화장품에 대해 물었다. 정신이 하나도 없으면서 입이 귀밑에 걸리는 것은 어쩔 수 없었다.

운이라고 해야 하나. 황녀의 마음에 들어 맞이한 생애 첫 행운에 정신을 바짝 차리려고 애썼다. 그리고 이참에 이 기회를 살려 입욕제뿐만 아니라 다른 제품도 알리자 싶었다.

"요즘 가품이 많이 돈다고 하는데, 인기가 너무 많아서 제때 공급을 못 하는 탓이에요. 생산량 좀 늘려 봐요. 무슨 기초 화장품이 줄을 서서 기다렸다 사야 해요?"

여기저기서 정신없이 벨라에게 질문해 왔다. 벨라는 그들의 이름과 얼굴을 외우려고 애쓰며 루카스에게 부탁해서 가져온 캐리어를 꺼내 보였다.

사실 견본으로 가져온 색조 화장품들인데 너무 속 보이는 것 같아서 꺼낼 수 있으리라고 생각도 못 해 보았다. 하지만 벨라는 용기를 내기로 마음먹었다. 화장품 회사가 단순히 미래를 알아서 흥한 것이 아니라는 것을 증명해 보이고 싶었다.

미용이란 과거의 삶에서 벨라가 관심을 가졌던 단 하나의 취미 아니었던가.

"저……, 이건 이번 신제품인데, 황녀님께 선물하고 싶었는데 자신이 없어서 꺼내 보지 못했어요. 황녀님께서 제일 먼저 제 화장품을 사용해 주시는 영광을 주셨으면 좋겠습니다."

벨라가 꺼내 든 것은 색조 화장품이었다.

기초 화장품 종류는 시판되는 것이 많았으나 색조 화장은 자신이 창부이던 시절에 이런 게 있으면 좋겠다 하고 절실히 원하던 것들이었다.

기존에 얼굴에 칠하는 분 종류나 눈썹 그리는 목탄은 시제품이 있었으나 색이 들어가 피부의 단점을 보완해 주기에는 아직 미흡했다.

벨라가 살던 과거에 송유관 등지에 석유 찌꺼기로부터 얻은 석유 젤리가 바셀린이라는 이름으로 판매되면서 그 바셀린에 이런저런 색의 가루들을 섞어 여기저기 바르던 때가 있었다.

그리고 더러는 그런 색채 가루들에 함유된 중금속에 중독되어 피부가 썩기도 하고 이유 없는 병에 시달리기도 했다.

그럼에도 불구하고 여자란, 특히나 웃음 팔고 얼굴 파는 밤의 세계의 여자들은 치장이란 것을 피할 수가 없었다. 결과를 알면서도 써야 했던 그 모든 것들, 그 기억을 되살려 만든 것들.

과거엔 아무도 피부의 안전 따위 고려하지 않은 채 화장품을 만들었다면, 그때 화장을 하며 피부가 상해 본 벨라는 한발 앞서서 피부에도 안전한 것들을 만들어 내고 싶었다. 그것이 벨라가 보고 온 과거와는 다른 점이었다.

하마터면 아이디어에서 무산될 뻔했지만, 루카스가 좋은 생각이라며 밀어 주어 특허 신청 후 시제품으로 생산하게 된 것이었다.

아직 이 시대는 바셀린이 나오지 않은 시대였다.

눈썹을 길게 보이게 해 주는 마스카라, 입술을 붉게 보이게 해 주는 립밤, 뺨을 생기 있게 보이게 해 주는 볼터치…….

황녀는 벨라가 건네주는 제품을 사용할 줄 몰라 빤히 바라보았다.

아직 색조 화장품이 유행하기엔 십수 년이나 이른 시기. 벨라는 황녀를 자리에 앉혀 놓고 메이크업 시범을 보이기 시작했다. 과거에서 오랜 시간 색조 화장을 해 온 벨라로서는 이것이 낯선 일이 아니었다.

벨라의 손에서 립밤을 본 황녀는 시큰둥한 표정을 지었다.

"립밤이 뭐 그리 새롭다고. 립밤은 아주 오래전부터 많은 사람이 사용하던 것인데 별로 새롭지 않아 보이는걸?"

"맞아요. 저도 써 보긴 했는데 올리브오일이 시간이 지나면 썩어서 악취가 나더라고요. 으. 올리브오일 쩐내. 상상만 해도 괴로운걸요?"

국무 대신의 딸이 옆에서 맞장구를 쳤다.

"게다가 색이 화려한 건 이유 모를 병을 가져온다 하더라고요. 색이 진한 걸 보니 몸에 해롭겠어요."

대법관의 딸이 근심스러운 표정을 짓는 척하며 말했다.

벨라는 수줍게 웃으며 고개를 저었다.

"아닙니다. 이건 올리브오일이 아니고 호호바 왁스에 카렌듈라 오일을 섞고 보습제랑 제 특별한 레시피를 사용해 만든 립밤이에요."

혹시나 싶어서 가져왔던 허가증을 벨라는 꺼내 보였다.
"그리고 시판하기 전에 피부 테스트를 완벽하게 마쳤답니다. 인증받은 검사 기관에 의뢰해 안전성을 입증한 문서도 있답니다. 황녀님께만 처음 공개하는 것입니다. 악취 없이 반짝임을 유지할 수 있어요."
벨라는 황녀의 입술에 립밤을 발라 주었다.
황녀의 입술에 마치 꿀을 바른 듯 반짝이고 도톰한 윤기가 돌았다. 입술은 붉고도 미묘하게 분홍빛을 내는 싱싱한 꽃잎처럼 윤택하게 보였고 묘하게 청량한 향기마저 감돌았다.
시녀가 가져다주는 거울을 본 황녀가 입술을 이리저리 돌려 보더니 얼굴에 희색이 돌았다.
"어머! 이거 참 마음에 드네?"
마음에 안 들 수가 없었다. 일단 발색부터가 천연 꽃물이나 천연 돌가루처럼 얼룩지지 않고 곱게 펴 발라져 색상이 균일했으며 화려했다.
색만 예쁜 게 아니라 광택까지 돌고 입술에 부드러움까지 더해 보호의 효과까지 주었다. 십수 년 후에 유행할 제품을 미리 발랐으니 당연히 다른 영애들이 집에서 올리브 오일에 색소를 섞어 얼룩덜룩하게 바른 것들과는 차원이 다른 아름다움을 보였다.
다른 영애들 눈이 튀어나올 것처럼 반짝였다.
"이걸 만들어서 시판한다고? 내가 첫 고객이라고?"
클라라는 거울을 신기한 듯 바라보며 펄 듯 기뻐했다.
"다른 것도 보여 줘 봐! 세상에 이런 제품이 있다니! 마법의 묘약 같아!"

벨라는 웃으며 클라라의 눈에 아이라인을 그려 눈이 지금보다 두 배는 더 크고 깊게 보이게끔 해 주고 인조 속눈썹을 꺼내 클라라의 눈꺼풀에 살포시 붙인 후 마스카라를 발라 속눈썹이 길어지게 만들었다.

거울을 본 클라라는 충격을 받은 듯 거울을 빤히 바라보다가 괴성을 질러 댔다.

"꺄아아아악! 이거 진짜진짜진짜 마음에 들어 최고야아아아!"

십수 년 후엔 흔하디흔해질 마스카라와 인조 속눈썹이지만, 최초의 패션 리더가 된 클라라는 감격에 가슴이 벅차올라 그대로 벌떡 일어나 벨라를 부둥켜안고 뽀뽀를 퍼부어 댔다.

"황녀님! 진정하세요!"

벨라의 뺨에 선홍색 키스 마크가 뒤범벅이 되었다.

"내가 지금 진정하지 않게 생겼어? 꺄아아! 내가 꿈꾸던 꿈의 물품들을 벨라가 만들어 냈어! 벨라는 마법사야! 이렇게 나를 예쁘게 만들어 주다니! 이건 기적이야 기적! 꺅!"

클라라는 격하게 흥분하며 벨라의 목을 끌어안고 마구 흔들어 댔다.

그러더니 벌떡 일어나 황후에게 자랑하러 뛰어갔다. 그리고 놀란 황후도 헐레벌떡 벨라에게 다가왔다.

"이게 그 마법 같은 화장 도구들이니?"

'세상에, 이런……!'

사교계의 정점인 두 사람이 벨라의 물품에 넋을 놓고 있었다.

황후와 황녀 덕에 무도회는 아직 시작도 못하고 궁정 음악사들이 악기 연주만 반복하고 있었다. 무도회인데 춤을 춰야 할 아가씨들이 구름떼처럼 벨라와 황후, 황녀에게서 시선을 못 떼고 숨죽여 집중해 바라보고 있었다.

아직 메이크업 아티스트의 개념이 없는 시대였고, 그런 직업이 나타난다 해도 적어도 오랜 후의 일일 터였다.

다들 집에서 하녀들이 눈대중으로 치장해 주던 시대이고 화장 잘하는 하녀가 있다 하더라도 그 중요성을 별로 몰라주던 시대.

지금 벨라는 식은땀을 흘리며 눈을 살포시 감고 얼굴을 내맡긴 황후 앞에서 자신의 회사에서 나온 최초의 화장품을 이용해 기초 화장에서부터 베이스를 깔아 나갔다.

얼굴의 잡티를 잡고 점을 가려 주고 눈썹을 정리해 주는 것도 모자라 풍성하고 길게 만들며 입술을 칠하고 뺨을 칠하고 있었다.

벨라의 손길이 스쳐 가는 동안 황후의 얼굴이 눈에 띄게 아름다워지는 모습을 보며 여성 귀족들이 입을 헤 벌린 채 감탄사만 퍼부어 대고 있었다. 벨라는 뺨에 묻은 클라라의 입술 자국을 지울 짬도 없었다.

거울을 보며 황후 역시 자신의 얼굴을 몰라보겠다는 듯 감탄사만 퍼부었다.

화장을 마친 벨라는 오늘 가져온 화장품을 모두 털어서

황후와 황녀에게 바쳤다.

"제 회사의 보잘것없는 신제품을 마음에 들어 해 주셔서 저야말로 영광입니다."

벨라는 치마를 펼쳐 정중한 인사를 올렸다.

"황후마마와 황녀님께서 지니신 본래의 아름다움에 그저 살짝 색상만 넣었을 뿐인데 이렇게 화사하게 피어나실 줄은 저도 미처 몰랐습니다. 제게 이런 기회를 주셔서 가문의 영광으로 길이 간직하겠습니다."

벨라는 천연덕스럽게 말하며 속으로 쓴웃음을 지었다.

창부 시절에 지긋지긋하게 화장을 했었다. 이놈의 화장 안 하고 살 수는 없나 한탄하던 것이 엊그제 같은데 그때 갈고닦은 실력으로 천하의 황후와 황녀를 화장시킬 날이 오다니. 인생사 길고 짧은 것은 대 봐야 아는 것만 같았다.

화장품을 다른 이에게는 하나도 안 주고 자신과 딸에게만 바친 것에 대단히 만족한 황후는 함박웃음을 지으며 벨라에게 감사의 뜻을 전하고는, 주변을 둘러보며 생각났다는 듯이 말했다.

"우리 때문에 데뷔탕트 시작이 뒤로 미뤄졌구나. 자, 이제 무도회를 본격적으로 시작합시다. 왈츠곡을 부탁해요."

황후의 명령에 따라 대규모로 꾸며진 정원의 야외 무도회장에 일제히 가스등이 추가로 밝혀지며 흥겨운 곡이 연주되고 남녀 짝을 지어 왈츠를 추러 나오기 시작했다.

벨라의 카발리에로 왔으나 이래저래 끼어들 틈이 없어 온종일 주변만 맴돌던 에릭의 얼굴에 드디어 화색이 돌았다.

"유서 깊은 아르티드 후작가의 외동딸이자 실질적 후계자인 벨라 양께서 아직 사교계 데뷔를 못 하셨다죠?"

황후가 손수 나서서 벨라를 언급하니 모두의 주목을 끌지 않을 수 없었다.

"이 자리를 빌려 조상 대대로 제국에 헌신한 아르티드가의 공을 치하하며 벨라 양의 아름다운 날들을 나, 황후 줄리에타의 이름으로 축복합니다."

사람들의 부러움 섞인 탄성이 들려왔다.

"부디 이 연회가 벨라 엘 아르티드 양의 추억으로 곱게 간직될 수 있길 빌어요."

황후의 선언은 그 무엇보다도 벨라를 오늘의 주인공으로 만들고도 남았다.

어디 그뿐인가.

"사교계 첫 데뷔의 첫 댄스는 뜻깊은 사람과 해야 한다던데……."

황후는 뒤돌아보며 운을 띄웠다.

"벨라 양의 카발리에 분에게는 죄송하지만 벨라 양의 앞날을 축복하는 의미로 제국의 샛별, 제국의 희망 칼리아스 황태자가 첫 춤 상대가 되어 드리는 영광을 드리지요."

'헉!'

좌중이 술렁거렸다.

"칼리아스. 벨라 양을 에스코트해 주길 부탁해요."

벨라는 보고도 믿기지 않아서 그저 눈만 깜빡거릴 뿐이었다. 황후의 명령을 받은 칼리아스 황태자가 벨라의 눈앞에

다가와 손을 내밀었다.

벨라는 황태자의 손을 잡았다. 꿈인가 싶어서 눈을 느리게 감았다 떴다.

에릭 엘 슈르츠는 멋쩍은 미소를 지으며 뒤로 물러섰다. 자신은 꿔다 놓은 보릿자루 신세임이 틀림없었다. 황태자가 카발리에를 맡겠다는데 어쩔 수 없었지만 망신스러운 것은 사실이었다.

황태자는 벨라를 바라보며 살며시 미소를 지었다. 거의 무표정하기만 하던 황태자의 얼굴에 미소가 감돌자 사람들이 부러움에 가득 찬 시선을 던졌다.

"어머나, 공작가의 후계자께서 카발리에가 되어 주시는 것도 영광인데 황태자 전하께서 즉흥적으로 카발리에가 되어 주시다니 아르티드가가 그렇게 대단한 가문이었나요?"

"대체 어떤 아가씨이기에 저런 호사를?"

사람들의 속삭임이 들리지 않는지 황태자의 흰 장갑이 벨라의 뺨을 어루만졌다.

"어머. 손이 어디로 간대요?"

작게 들릴락 말락 한 소리로 누군가 소곤거리는 소리가 들렸다.

댄스가 벌어지는 중앙 자리로 옮겨 가야 하는데 황태자는 발걸음을 멈춘 채 벨라의 뺨을 만지작거렸다. 멀리서 보는 이들에게는 황태자가 지극히 사랑스러운 시선을 보내며 뺨을 어루만지는 것으로 보였으리라.

"춤이 그렇게 급하셨습니까, 레이디? 최소한 세수는 좀 하고 있으시지……."

황태자는 지금 자신의 하얀 장갑으로 벨라의 뺨에 묻은 선홍색 입술 자국을 닦아 내는 중이었다. 벨라의 얼굴이 홍당무가 되어 그의 웃는 시선을 피하고 있었다.

"황태자 전하께서 웃으며 뺨을 만져 주시다니. 세상에나. 믿을 수가 없어요."

"수줍어하는 척 고개 돌리는 아르티드 영애를 보세요. 어머!"

남의 속도 모르고 다 들으란 듯 들려오는 소리에 벨라는 더 얼굴이 화끈해졌다.

"뭐……, 나는 황후마마께서 '춤추라' 하면 춤추고, '서라' 하면 서고, '돌라' 하면 도는 꼭두각시이니 상관없습니다만. 레이디 벨라. 무도회의 첫 댄스는 저와 함께."

둘은 무대 정중앙에 서서 왈츠 포즈를 취했다. 그리고 다른 귀족가의 여인들도 제각기 자신의 파트너의 손을 잡고 왈츠를 시작할 준비를 했다.

서로 한 손은 살포시 잡고, 각자 다른 한 손은 상대의 어깨 위에, 그리고 상대의 허리에.

바이올린이 화려한 첫 음률을 뽐내자마자 이어진 관현악의 합주. 그 웅장하고 아름다운 선율에 발맞추어 벨라는 과거의 삶에서 갈고닦은 춤 실력이 자동으로 발휘됨을 느꼈다.

꽤 어려운 왈츠곡이어서 벌써 엇박자에 헛발이 나가는 귀족 여인들이 속출했다. 가벼운 웃음소리가 들려왔다. 첫 곡부터 왜 이리 어려운 곡인지 모르겠다.

“잘 추는군. 춤 꽤나 춰 본 듯하오, 아르티드 영애.”

비웃는 듯한 미소를 지으며 황태자가 벨라의 춤을 감상했다. 일부러 첫 곡을 어려운 곡으로 주문해 놓았는지도 모르겠다는 생각이 벨라의 머릿속을 스쳤다.

“뭐 이 정도는 기본이죠? 황태자 전하께서도 무척 잘 추시네요. 공부는 안 하시고 춤 연습만 하셨나 봅니다.”

가시에는 가시. 벨라는 왜 황태자가 삐딱하게 구는지 이해할 수는 없지만, 그의 심기가 불편하다는 생각에 낭만적으로 춤을 즐길 여유가 없었다.

‘이럴 때 실수하는 사람이 지는 것이리라.’

한 바퀴 뱅그르 도는 동작에 벨라의 풍성한 옷자락이 숨은 진가를 드러냈다. 속에 겹쳐 말아 올린 치맛단의 실크 레이스가 마치 꽃잎이 만개하듯 하얗게 펄럭이며 펼쳐졌고 동작을 멈추자 다시 연두색 드레스 속으로 존재를 감췄다.

“호오……!”

사람들의 시선이 벨라에게 쏠렸다.

마담 플로라가 과거에 이 드레스로 이름을 날렸다. 춤출 때 휙 드러나는 숨겨진 꽃잎 같은 레이스. 그녀의 옷은 무도회에 제격이었고 원래는 그 주인공이 되었을 다른 영애 대신 그 기회를 벨라가 얻었을 뿐이다.

‘이 무도회를 기점으로 마담 플로라의 드레스숍은 제국 최고의 명성을 얻게 되었더랬지.’

벨라는 사람들의 감탄사에 별 감흥이 일지 않았다. 오직 군데군데 복병처럼 숨어 있는 엇박자 구간에 집중했다.

의도가 무엇이었는지는 몰라도 다른 귀족들이 첫 곡부터 온갖 구간에서 실수 연발하고 서로 웃음을 터뜨리는데 중앙에 서 있는 황태자와 벨라만은 무슨 무도회 교과서에라도 실릴 듯한 칼군무를 추고 있었다.

당연히 시선이 안 쏠릴 수가 없었다.

짙은 밤갈색 곱슬머리를 휘날리며 청초한 연두색 드레스를 펄럭이는 벨라, 그리고 남청색에 금장식이 들어간 화려한 정복을 입은 푸른 머리칼의 황태자.

마치 둘의 옷은 세트로 맞춘 듯 잘 어울렸고 벨라가 몸을 뱅그르르 돌릴 때마다 마법처럼 그녀의 옷자락에선 하얀 실크 레이스가 만개했다가 사라졌다.

귀족들의 진을 온통 빼놓은 그 어려운 왈츠곡 다음 곡은 상대적으로 쉽고 조용한 왈츠곡이었다. 보통은 한 곡을 추고 헤어져 다른 상대와 춤을 추는 것이 관례이지만 실수만 연발하다 지쳐 버린 귀족들은 조용한 왈츠곡에 반색하며 첫 상대와 한 번 더 춤을 추었다.

"장사에, 춤에, 드레스로 주목받기까지, 못하는 것이 없군, 레이디 아르티드."

태연함을 가장해 표정 변화가 없는 황태자였지만 그도 인간인지라 격한 움직임의 전 곡 때문에 호흡이 거칠어져 있었다.

"황태자 전하도요. 뭐든 만능이시군요."

벨라는 눈웃음을 지으며 말했다.

"실수라도 하셨다면 좋았을 텐데."

벨라의 말에 황태자의 한쪽 눈썹이 살짝 치켜 올라갔다.

"뭐?"

황태자와 단둘이 이야기할 기회가 얼마나 있을까. 상황이 그다지 좋은 타이밍은 아니었으나 벨라는 황태자에게 그의 미래를 귀띔해 줘야겠다고 생각했다.

"실수하지 않으려고 애쓰지 마세요. 빈틈이 있어도 됩니다, 전하."

그 말에 황태자는 차가운 시선을 벨라에게 보냈다.

"그대가 무얼 안다고 그런 말을 쉽게 하나. 내가 얼마나 완벽하기 위해 애쓰는 줄은 그대는 모를 것이다. 황태자답게 살기 위한 길이 얼마나 힘든지 그대가 알까?"

황태자의 말에 벨라가 그의 귓가에 속삭였다.

"시간이 많지 않아서 짧게 말씀드릴게요. 사흘 후에 무도회 도중 자정에 불꽃놀이 하기로 되어 있죠? 그때 불꽃이 한껏 터지고도 한 상자의 화약이 안 터질 거예요. 체념하고 있는데 일시에 한꺼번에 불붙어서 박스째 터지는 사고가 벌어질 겁니다."

벨라는 턴을 돌면서 계속해 말을 이어 갔다.

"그 일이 실은 황태자 전하 시해 기도일 겁니다. 불꽃놀이 이벤트인 줄로 쉬쉬 덮어지겠지만."

"뭐?"

당황한 황태자의 눈이 커졌다. 멈춰 선 그를 재빨리 잡아끌며 벨라가 말했다.

"그 사건을 보시거들랑 제가 나중에 하는 말 한마디를 믿어 주세요."

황태자의 눈매가 매서워지며 부드러운 춤 동작과는 달리 으르렁거리듯 위협적인 목소리로 벨라에게 속삭였다.

"허튼수작으로 나의 관심을 끌어 보려는 속셈이냐? 그 불꽃놀이 사고를 네가 조작하는 것이면 어찌할 건데?"

"그럼 저를 가둬 두시든가요. 허튼수작 못 하게 말이에요. 언젠가 당신에게 당신의 미래에 대해 말할 기회가 있기를 바랐는데 우연찮게 그게 오늘이었을 뿐이에요."

벨라는 진심을 다해 말했다.

"전하께서 다치시지는 않겠지만 체험하시게 될 일 하나를 알려드리며 제 말에 귀 기울여 주시기를 바랄 뿐입니다."

그 말을 하자마자 황태자가 벨라의 손목을 부러뜨릴 듯이 움켜쥐었다.

"핫…… 아파요! 이것 놔주세요."

벨라는 고통스러워하며 눈매를 찡그렸다.

"내가 나이는 많지 않지만 수많은 사람을 겪어 보았다. 그 중에는 예언자인 척 헛소리로 나를 현혹하려는 미친 작자들도 있었지. 너도 그런 것이냐?"

손목이 너무 아파서 벨라는 발을 헛디뎠다. 잠시 휘청하는 사이 황태자가 그녀의 허리를 팔로 감아 안았다.

두근.

그의 가슴에 안겼다.

"미친 작자……, 말씀이 지나치시네요. 믿든 믿지 않든 저는 당신에게 사심 없습니다."

"훗. 웃기지 마라. 어린 날에 내가 네게 장난삼아 청혼했다 하여 그것을 빌미로 수작 부리는 것 아닌가?"

황태자는 불신의 시선을 벨라에게 보냈다. 그러나 벨라는 간절한 눈빛으로 그에게 대답했다.

"뭐라 말씀하시든 좋아요. 하지만 저는 당신께 관심 없습니다. 저의 고용인들이 훗날 당신을 따라 전장에 갔다가 음모에 말려들어 함께 몰살당하는 미래를 바꾸는 것뿐. 제 소중한 사람들을 살리고 싶을 뿐입니다."

느리고 쉬운 두 번째 왈츠곡이 끝났다. 세 번째 왈츠곡이 시작되려는 찰나 벨라는 황태자를 뿌리치고 옆자리의 다른 파트너에게 옮겨 가 인사를 건넸다.

황태자는 공평하게 무도회의 여성들과 번갈아 가며 왈츠를 춰야 했다. 그것이 초대한 자의 예의였다. 그러나 무도회 내내 황태자의 시선은 벨라에게 쏠려 있었다.

'제 소중한 사람들을 살리고 싶을 뿐입니다…….'

벨라의 말이 자꾸만 머릿속을 맴돌았다.

'함께 몰살당하는 미래를 바꾸고 싶다라…….'

그 말이 주는 이상하고 불쾌한 느낌을 지울 수가 없었다.

머지않은 미래에 자신이 죽으리라는 예언을 받은 것만큼이나 불길하고 언짢은 소리였다.

황태자의 호흡이 거칠어졌다.

사람들 앞에서 빈틈을 내보이는 것을 죽는 것만큼이나 싫어했던 칼리아스는 춤추는 내내 벨라의 말을 곱씹었다.

'생각할수록 기분 나쁘네? 자신의 소중한 사람들을 살리

고 싶을 뿐이다……?'

그건 마치 네가 죽든지 말든지 상관은 없으나 너 때문에 죽을 내 사람들을 살리기 위해 나는 할 수 있는 최선을 다하겠다, 라는 말로 들렸다.

'감히 너 따위가…….'

자신을 모욕한 것도 아닌데 은근히 기분 나빴다.

칼리아스는 내내 벨라를 찢어발기기라도 할 듯 노려보았다.

자신에게 그따위 말이나 내던진 그 앳된 아가씨는 춤이 즐거웠는지 볼이 발갛게 상기되어서 자수정빛 눈을 반짝거리며 파트너 남성들과 뭐라 뭐라 속삭이고 있다.

'확실하게 관심 끄는 데에는 성공했군.'

칼리아스는 으드득 이를 갈았다.

'내 기분은 이렇게 더럽게 만들어 놓고 자신은 어떻게 저리 시시덕거리고 다닐 수가 있지?'

이제 겨우 두 번 본 사이, 아니 세 번 봤나. 어릴 때 크리스마스 만찬회서 청혼하면서 한 번. 빌어먹을 입욕제 구걸하러 공장 가서 한 번. 사교계 첫 댄스 상대로 한 번.

'당신은 얼마 못 가 죽을 거야, 라는 말을 하기에 세 번의 만남은 너무 짧지 않나. 대체 무슨 꿍꿍이가 있기에……?'

칼리아스는 차갑게 곱씹으며 벨라를 노려봤다.

벨라가 너무 즐거워 보여서 더 열 받았다.

'네가 날 뭘로 보고 그딴 소리를 해? 내가 황태자가 되고 싶어서 된 줄 알아? 세상에 의지할 곳 하나 없는 내가 버티려고 얼마나 안간힘을 써 온 줄 알아? 평화로운 황실에 낀

이물질 같은 내가!'

칼리아스는 이글이글 불타오르는 눈으로 벨라를 노려보았다.

왈츠곡이 끝나고 잠시 쉬는 시간이 되자 한 귀족 남성이 눈치를 보며 황태자에게 다가와 말했다.

"저…… 전하. 레이디 아르티드 양에게 관심이 많으시다면 제 순서를 양보해 드리겠습니다. 제가 괜히 아르티드 양에게 집적거린 것 같아서 죄송합니다. 쭈욱 아르티드 양과 추십시오."

이건 또 뭔가 싶어 칼리아스는 그를 노려보았다. 그러자 그는 꽁지가 빠져라 도망갔다.

"으힉…… 살려 주십시오."

칼리아스는 괜시리 짜증이 났다. 벨라가 웃는 것도 짜증이 나고 다른 사람과 왈츠를 추며 무어라 속삭이고 있는 것도 짜증이 났다. 그냥 뭐든지 다 짜증이 났다.

지나가는 시종을 보자 잠시 불러 세워 그가 쟁반 위에 들고 있던 샴페인을 한 모금 들이켰다. 그리고 다시 벨라를 노려보다가 그녀의 앞으로 천천히 다가갔다.

지금 벨라는 자신의 파트너가 휙 가 버려서 어리둥절한 표정이었다.

그리고 다시 자신의 앞에 나타난 황태자를 보며 아무것도 모른다는 맹한 눈초리를 건넸다.

왜 이렇게 넋 나간 표정을 짓고 있는지 그마저도 짜증이 났다.

약간은 어색한 기운이 둘 사이에 흘렀다. 벨라는 황태자의 심정은 전혀 알지 못한다는 듯한 표정으로 눈이 마주치자 싱긋 웃었다.

음악이 다시 흘렀다. 평행하게 마주 선 채 3/4분의 3박자 선율에 맞춰 몇 걸음 걸어갔다가 멈춰 서고 다시 느리게 되돌아오는 동작이 이어졌다.

바이올린의 선율에 정중히 두 팔 벌려 인사를 한 후 손을 뻗자 황태자의 손이 벨라의 등 언저리에 닿았다. 우아한 벨라의 목선이 황태자의 눈에 띄었다.

이어지는 선율에 둘은 왈츠 스텝을 밟으며 연이어 뱅글뱅글 돌았다. 꽃송이처럼 사뿐사뿐 오른쪽으로 옮겨 갔다가 다시 또 뱅글뱅글 돌며 또 다른 꽃 한 송이가 만개하듯 제자리로 돌아오는 동작을 이어 갔다.

둘의 맞닿은 가슴에서 금방이라도 터져 나올 듯한 벨라의 심장 박동이 칼리아스에게로 전해져 왔다.

묘한 느낌이었다.

미묘한 불안감을 지닌 그녀의 속눈썹이 파르르 떨려 왔다. 그녀의 시선은 맞잡은 손끝에 가 있었고 그녀의 떨리는 호흡은 무언가 간질간질하듯 칼리아스의 목덜미에 와 닿았다.

'손안에 작은 새 한 마리가 가쁘게 팔딱거리는 듯한 느낌이 이런 것일까.'

왼발, 오른발, 그리고 가지런히 모은 발. 왈츠의 박자에 맞춰 몸이 움직이고 치마가 출렁이는 동안 짙은 어둠에 물들어 반짝이는 벨라의 눈동자가 보석 같다는 생각을 했다.

자꾸만 시선이 벨라의 새하얀 목덜미에 가닿자 황태자는 얼굴을 붉히며 고개를 돌렸다.

'레이디가 떨어서 덩달아 나도 떨리는 거다.'

칼리아스는 이를 악물고 미간을 찡그렸다. 쿵쿵짝 쿵쿵짝 왈츠의 부드러운 박자에 칼리아스의 가슴도 덩달아 고동치기 시작했다.

'어쩌면 춤이란 게 숨겨진 내 취향이었나. 아니면 레이디 아르티드가 워낙 춤을 잘 추니 실수할 염려 없어서 마음이 편해진 것인가.'

조금은 춤이 좋아질 것 같기도 하다는 생각을 하며 음악이 끝났다.

춤 상대로서 괜찮은 편이라는 생각을 하며 마무리 동작까지 우아하게 마치고 끝맺음 인사를 했다.

다음 춤도 같이 추자고 청할까 하는 생각을 하는데 벨라는 허둥지둥하며 야외 무도회장 밖으로 뛰쳐나갔다.

'뭐야……?'

칼리아스는 급작스런 상황에 어이가 없어서 입을 다물 수 없었다.

'감히 황태자를 놔두고 어디로 도망을 가는 것인가?'

자신을 쳐다보지 않고 어딘가 다른 데만 바라보고 있더라니, 춤추는 내내 딴생각을 했던 모양이었다.

칼리아스는 인상을 팍 썼다. 이런 홀대는 생전 처음이었다.

'춤추자고 줄 선 여자가 몇 명인데 감히 왈츠곡이 끝나자

마자 도망가 버리다니!'

갑자기 칼리아스는 화가 치밀었다.

벨라는 불길한 마음을 감출 수 없었다.

황태자와 제일 첫 곡을 춘 후에 파트너가 바뀌어 가다 정신을 차려 보니 눈앞에 유진 엘 론다트가 있었다. 정말 최악이었다.

마음속으로 마주치지 않기를 바란 사람들을 이곳에서 다 마주치고 있었다. 심지어 유진 엘 론다트 다음 차례는 벤자민이 될 것 같았다.

마치 더러운 타르 덩어리를 만지듯 벨라는 내키지 않는 손을 내밀어 유진의 손을 잡았다.

'아냐. 정신 차리고 똑바로 살아가면 이 인간이랑 더 이상 엮일 일은 없을 거야."

벨라는 벌벌 떨리는 심장을 부여잡고 정신을 차리려고 애썼다.

놈은 벨라의 하데스 시절 애인이자 그녀에게 자기 빚을 다 떠넘기고 도망간 놈이었다. 심지어 유부남이었다.

과거의 일이라며 입술을 질끈 깨물고 그의 손을 잡고 그의 어깨에 손을 얹고서 춤에만 몰두했다.

지금 이 자리에서 바들바들 떨고 있노라면 그 또한 치욕이라는 생각에 이를 악물고 버티고 있었다.
그런 벨라의 귓가에 그의 입김이 살며시 와 닿았다.
"벨라 엘 아르티드 양."
그의 목소리에 벨라는 저절로 등에 힘이 들어가며 몸이 굳는 것을 감출 수가 없었다.
잔인하고 아름다운 그의 연두색 눈에 짓궂은 미소가 떠올랐다.
"긴장 푸세요, 레이디."
벨라는 춤추다 말고 그의 눈을 올려다보았다. 어딘가 몽롱해 보이는 그의 처진 눈매가 참 선해 보이는 인상을 주었다. 생긴 것과는 달리 위선자임을 깨닫고 힘들어했던 기억이 벨라의 머릿속을 스쳐 갔다.
"춤은 즐기는 겁니다."
'즐기는 것 좋아하네.'
벨라는 입술을 물어뜯으며 간신히 참았다.
누가 알까. 이놈은 겉모습과는 달리 최악의 남성상을 모조리 지니고 있었다. 약물, 도박, 바람기에다 한술 더 떠 놀고먹는 빈대 정신까지.
사랑을 속삭이면서 이 여자 저 여자 뜯어먹을 만큼 뜯어먹고 더 이상 뜯어 갈 게 없으면 내빼는 그런 최저질 인간이건만 뭐가 좋다고 푹 빠졌는지 녀석의 위아래를 샅샅이 뜯어보며 스스로에게 되물었다.
'정말 이따위 인간에게 푹 빠졌었니?'
아마 오늘 입고 온 저 슈트도 어느 골 빈 여자가 사 준 것이겠거니 했다.

"믿으실지 모르지만 저는 어릴 때부터 꿈인지 생시인지 모를 예지몽을 꾸곤 했습니다."

벨라는 유진의 속삭임에 가슴이 쿵 하고 내려앉는 기분이 들었다.

'예지몽이라니! 설마하니 이놈까지 과거를 기억하는 것일까?'

"신기하네요."

유진이 싱긋 웃으며 속삭였다. 벨라는 그의 입에서 무슨 말이 나올지 가슴이 벌벌 떨렸다.

"이렇게 생긴 아가씨와 춤을 추는 꿈을 꾸었는데, 실제로 이런 순간이 오다니! 이 순간을 미리 본 것은 어쩌면 신의 계시일지도 모르겠네요."

벨라는 순간 어벙한 얼굴로 유진을 바라보았다.

"저와 춤추는 꿈을 꾸셨다고요?"

"넵!"

유진은 함박웃음을 지었다.

"이렇게 신이 축복하는 우리, 잠시 후 가볍게 샴페인이라도 한잔하면서 서로에 대해 좀 더 자세히 알아볼까요?"

처지고 선량해 보이는 눈동자에 미소가 가득했다.

"혹시 압니까? 우리는 신이 맺어 주신 예정된 짝일지도? 첫눈에 저는 당신을 알아보았습니다."

벨라는 그의 진의를 파악하기 위해 미간을 찡그렸다.

"하데스?"

벨라는 그가 과거를 기억하는 것인가 시험 삼아 한마디를 던졌다. 그와 만났던 곳, 술집 하데스.

"하데스!"

그가 놀라워하는 표정을 지었다. 그도 정말로 벤자민처럼 과거를 기억하는 것일까?

"혹시 저에 대한 평을 어찌 들으셨는지는 모르겠지만, 그것이 나쁜 소문이 아니기를 바랍니다. 하데스라뇨! 저는 그런 음탕한 술집은 출입도 하지 않습니다. 신께 맹세하지요. 저는 신실하고 정직한 사람이거든요."

'……?'

벨라는 긴장이 탁 풀렸다. 유진은 과거를 모르는 모양이었다. 그저 과거에서처럼 여자를 꼬시기 위해 작업 멘트를 날리는 중임이 분명했다.

이 자리를 벗어나고자 비틀거리며 발을 헛디디는 척하고 자리에 주저앉았다.

"아얏! 발목이!"

벨라가 주저앉는 시늉을 하자 멀리 있던 시녀들이 벨라 쪽으로 다가와 그녀를 부축하여 무도회 중심으로부터 벗어나게 도와주었다.

발목이 아파 쉬는 척하며 벨라는 벤자민 쪽을 바라보았다. 그러다가 화들짝 놀랐다. 내내 살기를 가득 품고 벤자민을 뚫어지게 응시하던 그 남자가 계속 그 주변을 맴돌고 있는 것이 보였다.

춤이 시작되자 다시 벤자민은 벨라의 시야를 벗어났고 그녀는 자꾸만 살기를 띤 남자를 쳐다보게 되었다. 자꾸 고개를 내빼고 보노라니 눈치 없는 에릭 엘 슈르츠가 이제야 기회라는 듯 벨라의 손을 잡고 다시 춤판으로 이끌었다.

춤추면서도 그 수상한 남자가 자꾸 신경 쓰여 왠지 불길한 예감이 스쳤다.

망설이며 춤추고 있는데 어느샌가 눈앞에 황태자가 서 있었다.

"발목이 아직도 많이 아픈가?"

무뚝뚝하니 묻는 말에 벨라는 애써 미소 지으며 대답했다.

"살짝 삐끗해서 아팠는데 잠시 쉬니 괜찮습니다."

어느새 벨라는 황태자와 손을 맞잡고 춤곡에 리듬을 맡기고 있었다. 슈르츠 영식은 다시 한번 황태자에게 기회를 빼앗기자 쭈뼛쭈뼛 물러났다.

무슨 이유에선지 황태자는 매우 기분이 언짢아 있었으며 무언가 불만이 가득한 눈으로 벨라를 째려보고 있었다. 벨라는 그가 왜 그런 표정을 짓는지 이유를 알 수 없을뿐더러 자꾸만 벤자민 쪽으로 신경이 쏠렸다.

벨라는 가볍게 고개를 털었다.

유진도 벤자민도 이젠 자신이 신경 쓸 바가 아니었다.

'과거에는 어땠을지 모르지만, 아니야. 이젠 되풀이되지 않을 과거야. 그러니까 신경 끄자.'

벨라의 귓가에 스스로의 목소리가 들려왔다. 하지만 쉽사리 신경을 끄기엔 살기 가득한 남자의 눈이 자꾸만 떠올랐다.

'……아마도 그 남자는 벤자민에게 원한이 있어서 해코지

하러 무도회에 참가한 것 같은 예감이 들어.'

벨라는 마른침을 삼키며 황태자의 눈을 마주 보았다.

타오르는 듯한 황태자의 황금빛 눈동자는 언제 보아도 세상의 것이 아닌 듯 신기했다.

황태자에게 집중해야 한다는 생각을 했다.

그런데도 자꾸만 정신이 흐트러졌다. 벤자민이 했던 말이 자꾸만 귓가를 맴돌았다.

'날 죽일 운명이 예정되어 있는 사람과 얽히고 싶은 생각은 없어. 혹시라도 미래에 대한 정보를 이용해 나를 방해한다면 그때는 내 목숨을 지키기 위해서라도 당신을 제거할 테니까. 조심하라고.'

정말이지 왜 자신이 회귀했는지 혼란스러워지는 시점이었다.

'벤자민을 과거에 죽였으니 이번엔 살려 주라는 뜻일까? 아무리 생각해 봐도 저 남자 위험해 보여. 벤자민이 다른 사람 손에 죽을지 모르는데 내가 가서 알려야 하나?'

벨라는 고개를 저었다.

'아냐. 다른 사람이 나 대신 벤자민을 없애 버리면 내 손을 더럽히지 않고도 그를 내 눈앞에서 치워 버릴 수 있어.'

벨라는 입술을 깨물었다.

'그가 저런 상황에 처한 것은 자업자득이야.'

저도 모르게 마른침을 삼켰다.

'벤자민이 사라져 버리면 나야말로 좋지 않아? 신경 쓰일 것도 없고, 더 이상 양심의 가책에 짓눌리지 않아도 되고…….'

벨라의 혼란스러운 마음을 아는지 모르는지 왈츠는 흥겨웠다. 그러나 황태자와의 춤에 몰입할 수가 없었다.

벨라의 가슴이 불길하게 고동쳤다.

'이래도 되는 걸까? 그가 다른 사람 손에 죽으면 나는 과거의 죄에서 벗어나는 걸까?'

벨라의 눈빛이 요동쳤다.

벨라는 벤자민 쪽을 바라보았다. 벤자민의 파트너가 된 귀족 영애는 나를 잡아 잡수시오 하는 듯한 표정으로 교태를 심하게 부리고 있었다.

둘은 왈츠를 추는 건지 서로 희롱을 하는 건지 알 수 없는 시시덕거림을 나누더니 왈츠가 끝나자 정원 으슥한 쪽으로 사라져 가고 있었다.

벨라는 그쪽을 바라보다가 문득 그 수상한 자가 벤자민의 뒤를 따라가는 것을 보았다.

'이렇게 해서 다른 사람의 손에 벤자민이 죽으면 내 마음이 편안해질까? 나의 미래에 드리울 그림자를 손 하나 까딱하지 않고 해치울 수 있을 텐데.'

벨라는 입술만 질겅질겅 씹었다. 그리고 벤자민을 죽이던 당시의 끔찍한 기억을 떠올렸다.

'그때는 내 자신이 아닌 것 같았어.'

치밀어 오른 울분에 한 마리 분노한 짐승이 되어 그를 찌르고 또 찔렀다.

사람이 아닌 짚 더미를 찌르는 것 같은 착각이 들었다. 처음 찌를 땐 가슴이 후련한 것도 같았다. 그러나 나중엔 이자가 적당히 찔리고 되살아나면 어떻게 하나 하는 공포감이 지배했다.

그래서 찌르고 또 찔렀다. 구역질 나는 끈끈한 피가 얼굴에 튀어 흘러내릴 때의 그 질척한 느낌은 지금도 섬찟하기만 했다.

벨라의 눈이 느리게 감았다 떴다를 반복했다.

이상했다. 울컥하니 눈물이 치밀었다.

'그 원수 같은 놈을 찔러 죽였는데 기분이 하늘을 날아갈 것 같기는커녕 더 깊은 수렁으로 빠지는 것 같았어.'

더 이상 떨어져 내릴 나락도 없다고 생각했는데 아니었다. 살인자가 된 것은 더 큰 나락이었다.

적어도 그 전까지는 자신의 인생만 망친 인간이었으나 그 후에는 남의 인생도 함께 망친 인간이 되었다.

사람들이 얼마나 자신이 억울해서 그랬는지 알아줬으면 하는 마음이 들었던 때도 있었다. 그러나 그 또한 나약하고 어린 생각임을 깨닫기까지 얼마 걸리지도 않았다.

사람들은 벨라의 인생 역경에 아무런 관심이 없었다.

그냥 흉악범이었다.

'억울하고 분해서 죽였다고!'

아무리 외쳐 봐야 사람들은 자신의 말에 귀 기울여 주지도 않았고 시끄러우니 닥치라고나 했다.

'속이나 후련해 봤으면.'

그 간절한 바람은 끝내 이루어지지 않았고 밤마다 눈을

감으면 자신의 얼굴에 질척거리며 흘러내리던 뜨끈한 피가 다시금 끼얹어지는 듯한 악몽에 시달렸다.

밤마다 벤자민이 꿈에 나왔다.

'너는 패배자고 쓰레기야. 이걸 봐. 나는 죽어서 널 구속시키기라도 하지만 넌 죽으면 누가 알아줄까? 사람들은 너의 죽음 따위 관심도 없을걸?'

밤마다 미친 듯이 소리를 지르며 잠에서 깨면 미친년이 또 발작한다며 정신 병원에 처넣어야 한다는 말을 퍼붓는 간수에게 두들겨 맞곤 했다.

'그 낡은 옷차림의 이름 모를 남자는 앞으로 그런 운명을 걷게 되겠지…….'

벨라의 눈에 저도 모르게 눈물이 고이려 했다.

'벤자민은 여전히 다른 사람에게 죄를 짓고 있어. 그 인간은 아무것도 변하지 않았어. 아니, 과거보다 더 행복을 누리며 살고 있어. 그런데 그 남자는 내가 갔던 그 미련한 길을 가려 하는가?'

한번 물어보고 싶었다.

그 남자는 과연 자신이 가려고 하는 길이 그 길인 것을 알고나 가고 있는 걸까.

벤자민 같은 쓰레기에게 농락당한 것도 모자라 살인자가 되어 남은 인생도 그에게 얽매여 망치리란 것을 말이다.

벨라는 루카스의 편지가 떠올랐다.

'그 절절한 한 글자 한 글자……. 그의 편지를 벤자민을 죽이기 전에 받았다면 얼마나 좋았을까?'

벨라는 목이 메어 왔다.

'모든 것을 돌이킬 수 없게 된 때 말고, 아직 벤자민을 죽이기 전, 그가 아직도 나의 곁을 맴돌고 있음을 깨달았다면! 남은 삶이나마 바로잡아서 열심히 사는 모습을 그에게 보여 줄 수 있었다면!'

벤자민을 죽이고 살리고는 그 남자의 선택이지만, 왠지 딱 한 번만 그 이름 모를 남자에게도 기회를 주고 싶었다.

'지금 가려 하는 길이 딱 그 한 가지 길뿐일까?'

받아들이고 받아들이지 않고는 그 남자의 몫이지만, 그자가 마치 과거의 자신만 같아 모른 척할 수 없었다.

그렇게 생각하니 벨라는 마음이 급해지기 시작했다.

'생각해 보면 오늘 하루 그 남자의 시선을 느낀 것이 몇 번이던가.'

벨라는 왈츠 음악이 끝나자마자 치마를 황급히 말아 쥐고 무도회장 밖으로 뛰쳐나갔다.

황태자가 당황한 듯한 표정을 지었으나 지금은 그를 챙길 여력이 없었다. 그 남자가 일을 저지르기 전에 딱 한 번의 기회는 줄 수 있기를 신께 기도하고 또 기도했다.

벨라가 서둘러 나오자 그녀의 경호 목적으로 따라온 라울린이 바로 따라붙었다.

"아가씨, 어딜 그리 급하게 가십니까?"

라울린의 목소리에 벨라는 뒤만 힐끔 바라보고는 그 남자가 갔던 방향으로 달렸다.

"사람을 찾고 있어. 무도회장에 어울리지 않는 남루한 옷차림의 중년 남자인데, 머리가 희끗희끗하고 남청색 낡은 연미복에 배꼽이 보일 정도로 몸에 비해 작은 셔츠를 입고 크라바트 대신 붉은 수건을 두른 남자 말야. 가죽 구두는 앞이 해져서 발가락이 보일 것 같은……."

"자꾸 회중시계만 들여다보고 있던 배 나온 남자 말씀하시는 겁니까?"

라울린이 벨라의 뒤에 바짝 따라붙었다.

"응. 맞아. 그 사람."

"대체 그 사람은 왜 찾으십니까?"

"그 사람이 사고 치기 전에 기회 한 번만 주려고."

"네?"

라울린은 눈을 크게 떴다.

"루카스 어디 있어? 루카스랑 이안이랑도 불러 줘. 그 남자 좀 꼭 보자고 전해. 여기 시종들의 도움을 받을 수 있다면 받고."

벨라는 벤자민이 귀족 영애와 사라졌던 으슥하고 미로 같은 정원으로 들어갔다.

"아가씨! 잠깐만요! 무작정 혼자 가시면 곤란합니다!"

라울린의 말에 벨라는 걸음을 멈춰 섰다.

인기척이 들렸다.

라울린이 긴장하며 벨라의 앞을 막아섰다.

네모반듯하게 정리되어 벽처럼 늘어선 사철나무가 부스럭거렸다.

그러더니 그곳에서 벤자민과 귀족 영애가 옷매무시를 가다듬으며 태연하게 걸어 나왔다.

"조용한 곳을 찾아왔더니만, 여기도 조용하진 않군."

벤자민은 불청객의 소란이 언짢은 듯 미간을 찡그리며 여자의 손을 잡고 다른 곳으로 자리를 피했다.

벨라는 안도의 숨을 내쉬었다. 아직까진 그 남자가 사고 치지 않은 모양이었다.

한숨 돌린 벨라는 라울린에게 애써 미소를 지었다.

루카스와 이안은 느닷없는 벨라의 부름에 짜증 내지 않고 사람을 풀어 일대를 뒤진 끝에 정원의 벤치에 혼자 머리를 웅크리고 앉아 있는 그 남성을 발견해 데려왔다.

"아가씨, 이 사람 맞습니까?"

루카스의 말에 벨라는 희미한 가스등 불빛 아래서 그 남자를 확인하고 고개를 끄덕거렸다.

"루카스, 저 사람을 벨라시아로 데려가서 따뜻한 식사 대접도 하고 무슨 사연이 있는지 물어봐 줘. 나는 무도회 대충 마무리하고 사람들에게 인사 나눈 후 라울린과 함께 돌아갈게. 부탁해."

느닷없이 루카스가 그 남자에게 다가가자 남자는 웅크렸던 고개를 들고 어리둥절한 표정을 지었다.

"신중하게 다시 한번 생각해 주셔서 감사해요. 어쩐지 식사도 거르신 것 같고 무언가 사연이 있는 것 같아 여쭤보려고 해요."

벨라의 말에 남자가 어처구니없다는 듯 실실 웃었다.

"아니, 대체 무슨 일이십니까? 어여쁘신 숙녀님께서 저 같은 별 볼 일 없는 인간에게 왜 관심을 가지시죠?"

그의 웃음에는 짜증이 가득했다.

"신경 끄시죠? 이유 없는 호의를 받을 만큼 인생 밑바닥은 아니니."

"당신, 흉기 소지하고 있죠? 벤자민 엘 프로스트라는 남자를 죽이려고 기회를 엿보고 있었죠?"

차가운 벨라의 말에 남자는 피식피식 웃을 뿐이었다.

"거참, 오지랖도 태평양급인 아가씨일세. 내게 흉기가 있는지 아가씨가 어떻게 아십니까? 잘 모르면 헛다리 짚지 말고 그만 꺼져 주시죠?"

"라울린. 저 남자 조끼 주머니 뒤져. 황궁 수비대에게 흉기 소지했다는 걸 들키면 모반으로 몰리는 수가 있어."

벨라가 단호하게 외쳤다. 라울린이 그 남자를 향해 다가서자 남자는 벌떡 일어나 품에서 단도를 꺼내 들었다.

"다가오지 마! 가까이 오면 죽여 버릴 거야! 나를 겁박하려는 수작 그만둬! 내 인생에 참견하지 마!"

라울린이 가소롭다는 시선으로 나서려고 하자 벨라는 잠시 그에게 움직이지 말라는 손짓을 했다.

벨라는 고개를 돌려 그 남자 쪽을 쳐다보았다.

"조용히 하세요. 황궁 수비대가 듣겠어요."

벨라는 계속해서 말을 이어 갔다.

"당신 인생이고 당신이 알아서 할 일이에요. 무슨 결과를 얻든 그건 당신의 의사이고 존중해요. 다만, 당신은 그 일을 저지르기 전에 알아 두어야 할 것이 있어요."

남자가 신경질적인 소리로 외쳤다.

"참견 마! 네가 뭘 알아! 내가 왜 이런 선택을 하려고 하는지 알지도 못하는 주제에! 새파랗게 어린 계집애한테 인생 조언 같은 거 듣고 싶은 생각도 없고, 들을 여유도 없어! 내가 뭘 하든 놔둬! 내가 감당할 일이야!"

남자가 잡은 단도의 끝이 바르르 떨렸다. 남자는 감정의 동요로 인해 크게 뜬 두 눈에 핏발이 섰고 흥분해 어깨를 쉴 새 없이 들썩였다.

"날 대체 뭘로 엮어서 감옥에 보내려고 하는지는 모르지만, 그냥 우연이야! 우연! 저놈하고 승전 연회에서 우연히 마주친 것뿐이고, 나는 행인일 뿐이야! 그러니까 허튼수작 그만둬!"

그는 조용히하기는커녕 더욱 시끄럽게 떠들어 댔다.

"너도 벤자민 그놈하고 한패인 거지? 응? 난 아직 아무 짓도 안 했어! 그러니까 날 제발 내버려 둬! 그냥 가던 길 가!"

벨라는 마치 당신이 무엇을 하려는지 이미 다 안다는 듯한 표정으로 그를 묵묵히 지켜보고 있었다.

그 무거운 침묵 끝에 벨라의 입술이 열렸다.

"그래요. 당신이 알아서 하세요. 당신 일이니까. 다만 이미 충분히 밑바닥 인생이라고 생각하는 것 같은데 그보다 더한 밑바닥이 있다고 말씀드리려는 겁니다."

벨라는 차분한 목소리로 말했다.

"하지만 아까부터 계속 회중시계를 들여다 보던데, 그 회중시계와 당신에 대한 이야기를 듣고 싶어요. 그다음에는 무엇을 하든 상관하지 않겠어요."

벨라의 목소리에는 무언가 모를 힘이 깃들어 있었다.

"황궁 수비대를 부를까요, 저의 초대에 응하시겠어요?"

벨라의 말이 끝나자 루카스는 그 남자에게 다가가 그녀의 명함을 내밀었다.

마차에 태워져 거의 강제로 끌려오다시피 벨라시아 저택에 도착한 그 남자는 신경질적인 모습으로 서성였다.

그의 이름은 앤드류 엘 셀레스몬 백작이었다.

남작쯤 되려나 하고 생각하고 있다가 그가 백작이라는 말에 다들 그를 다시 훑어보았다. 아무리 보아도 백작이 저런 후줄근한 옷차림을 할 리도 없었거니와 그는 항구에서 노역이라도 하다 온 듯 뼈마디가 굵었고 손등이 거칠었기 때문이었다.

"아무리 생각해 봐도 이건 지나친 오지랖이라 생각하지 않소이까?"

셀레스몬 백작이 벌컥 화를 냈다.

"네에. 저도 그렇게 생각합니다. 평소에 깡다구 있으면 말이나 안 합니다. 이럴 때만 어찌 간이 배 밖으로 나오시는지."

이안이 빈정거리듯 옆에서 말했다. 내내 가지 않겠다 난동부리는 셀레스몬 백작을 라울린과 낑낑거리며 제압하다시피 하여 마차에 태워 놨던 탓에 이안은 목이 뻐근한 듯 이리저리 고개를 돌려 보며 자신의 뒷덜미를 왼손으로 움켜쥐었다.

"우리 아가씨는 늘 내게 깊은 빡침이 무언지를 깨우쳐 주시는 분이시라니까. 세상 고마우셔."

들으라는 듯 큰 소리로 떠드는 것을 벨라는 애써 못 들은 척 그를 식당으로 데려갔다.

"거두절미하고 일단 식사하시고, 따님 이야기도 들려주세요. 하루 주무시고 나서 그러고도 계속해 살의가 인다면 어쩔 수 없죠. 더는 안 말려요."

벨라의 말에 이안이 대꾸했다.

"참 고맙습니다!"

벨라는 자꾸만 빈정거리는 이안을 째려보았다.

'그 정도면 충분히 알았으니 그만 빈정대.'

입만 벙긋거리며 이안에게 말했으나 그는 못 본 척 자꾸 고개를 돌렸다.

"생각 없소이다."

셀레스몬 백작은 시선을 회피하며 식당에 들어가지도 않으려고 했다.

벨라는 그런 그를 빤히 바라보다가 말했다.

"그럼 식사 대신 이야기만이라도 여기서 나누죠. 네페라, 간단한 먹을거리랑 차라도 내다 줘."

벨라는 고갯짓을 해 명령했다. 이안은 투덜거리면서도 그를 강제로 의자에 앉혔다.

셀레스몬 백작은 이제 묵비권을 행사하려는 모양이었다.

벨라는 전혀 개의치 않으며 그의 건너편 자리에 앉았다.

"이야기하기 싫으시면 회중시계 구경이라도 시켜 주세요. 실은 그 회중시계 때문에 자꾸 당신이 눈에 띄었으니까요."

셀레스몬 백작은 귀찮다는 듯 품에서 회중시계를 꺼내서 툭 하고 던지듯 벨라 쪽으로 시계를 밀어 보냈다.

벨라는 남자의 회중시계를 건네받고 이리저리 살펴보았다. '셀레스몬'이라는 글자가 양각으로 새겨진 회중시계는 연식이 꽤 오래된 듯 묵직하고 세월의 흔적이 많이 남아 있었다.

벨라는 그 회중시계의 뚜껑을 조심스레 열어 보았다. 그 안에는 가족사진이 들어 있었다.

벨라는 숨이 순간 멎는 듯했다.

가족의 모습이 다정하게 찍혀 있는 그 흑백 사진에는 벨라의 눈에 익은 소녀의 얼굴이 담겨 있었다.

어쩐지 이 남자가 눈에 밟혔던 이유가 있었던 모양이었다. 그러고 보니 눈앞의 저 초라한 남자가 아그네사와 닮은 듯도 해 보였다.

"베아트리체 엘 롬바르트."

"그 이름을 어떻게 아십니까?"

무심결에 벨라가 그 이름을 읊조리자 셀레스몬 백작이 화들짝 놀란 듯한 기색을 보였다.

"우연히 들은 이름인데……, 무슨 사연이 있나요?"

셀레스몬 백작은 고개를 푹 숙이고 한동안 거친 호흡을 가다듬다가 어렵사리 입을 열었다.

"금지된 이름인데 알고 계시다니 놀랍군요. 그럼 롬바르트가가 멸문된 것도 아시겠군요. 하아.”

그는 머리카락을 쥐어뜯으며 고개를 숙였다.

“시집을 낸답시고 하필이면 외가의 성으로 필명을 내는 바람에 오해를 사서 곤란한 일을 겪었었죠.”

벨라는 베아트리체가 필명이라는 사실에 눈을 크게 떴다.

“제 아내가 롬바르트 백작가의 외동딸이라 작위를 전할 이가 없어서 원래대로라면 제 딸 아그네사가 그 이름을 이어받아야 합니다만, 쓸데없이 그 성을 가져다 쓴 게 화근이었습니다. 딸아이 시집이 나오자마자 판매 금지당해 버렸습니다.”

셀레스몬 백작은 잠시 침묵하다가 말을 이어 갔다.

“뭐, 아시는 분은 다 아시는 이야기겠지만, 롬바르트 가문이 앤서니 엘 칼데이라 대공의 심기를 거스른 죄로 멸문당했죠. 덕분에 시집 내는 데 든 비용이 죄다 빚이 되었습니다.”

벨라는 머리를 한 대 얻어맞은 것 같은 느낌이 들었다. 아그네사가 자신의 이름을 거짓으로 알려 준 것은 아니었다는 생각이 문득 들었다. 그런데 의아한 기분이었다.

벨라는 마른 입술에 침을 몇 번 바르고 그에게 물었다.

“그런데 왜 무도회장에서는 서로 모르는 사람처럼 멀리 서서 쳐다보지도 않고 아는 체도 안 한 것인가요? 당신 딸도 무도회장에 있었는데.”

“제 딸을 아시는 분이셨군요. 어쩐지……. 계속 저를 쳐다보시더라니. 실은 몇 번이고 욱해서 찌를 수도 있었으나 레이디께서 그 순간마다 저를 쳐다보고 계셨기에 차마 보는 앞에서 찌를 수가 없었습니다."

셀레스몬 백작은 고개를 떨구고서는 무언가 코를 훌쩍이는 듯한 소리를 내더니 말했다.

"실은……, 제가 영사기 사업에 손댔다가 망했습니다. 요즘같이 세상이 빠르게 변하는 시대에 소위 돈 좀 벌어 보고자 했는데, 손댄 것마다 손해를 보고 사채를 빌려다 쓰다 보니, 하아……."

그는 깊은 회한에 가득 차 신음했다.

"정말이지 영사기 사업만큼은 전망이 밝아 보였습니다. 사진을 1초당 24프레임씩 돌려서 하나의 움직임을 만들어낸다는 것이 짜릿하고 신비롭더군요. 이것만큼은 꼭 성공해 보리라 하고 투자를 했는데……."

그는 흐느끼는 소리를 냈다.

"망할 프로스트가의 영식이 짜고 친 함정이더군요. 제게 투자하자고 꼬드긴 놈도 그놈이 보낸 끄나풀이었고."

벨라는 벤자민이 사기 치는 방식을 잘 알았다. 자신도 그와 결혼식까지 올렸는데 그 결혼식 자체가 가짜 아니었던가. 이미 거미줄처럼 덫을 깔아 놓은 후에 셀레스몬 백작에게 접근했을 것이 뻔했다.

벨라는 측은한 눈빛으로 그를 바라보았다.

"법에도 호소해 보고 언론에 가서 투고도 넣어 보고 별짓을 다 해 봤습니다만, 그 사악한 놈은 오히려 저를 무고죄로 고소하더군요. 너무 힘들고 세상 꼴 보기가 싫어서……."

벨라는 그를 보며 과거에 자신이 위임장에 서명을 남겼던 순간을 떠올렸다.

"그사이 빚이 엄청나게 불어서 담보 잡힌 영지도 다 넘어갔고 어떻게 해결 방법이 없는 겁니다. 그 와중에 그 아이가 그란첼가의 돈이라도 빌려 보고자 그란첼가의 영애 꽁무니나 졸졸 따라다니는 꼬락서니가 보기 싫어서 서로 남 보듯 피했던 겁니다."

그는 수치스러운 듯 고개를 더 푹 수그렸다.

그리고 계속해서 코를 훌쩍이더니 한참 후에 말했다.

"이제 당신의 그 호기심은 충족되셨습니까? 몰락 귀족 구경하시니 기분 좋으십니까? 그러니 더 이상 제게 관심 갖지 마십시오."

'아아…… 이럴 때 대체 무어라고 위로해야 하는가…….'

벨라는 가슴이 먹먹해졌다.

할 말을 잊은 벨라는 그저 그를 멍하니 바라보았다.

'나도 같은 일을 당해 봐서 잘 알아요……, 라고 대답해 줄 수는 없지 않은가.'

눈앞의 셀레스몬 백작은 과거에도 파산하여 딸이 사창가에 팔려 가게 하는 무능한 아버지였고, 현재에서도 똑같이 재현하고 있는 아버지였다. 과거엔 대체 누구에게 속아서 재산을 날린 것인지는 모르겠지만 현재에서는 그게 벤자민일 뿐이었다.

'결혼? 나는 사창가에 팔려 오지 않았더라도 결혼은 꿈꾸지 않았을 거 같아. 그냥 시나 쓰면서 혼자 조용히 살고 싶

었어.'

꿈꾸듯 말하던 베아트리체.

그녀에게서 결혼의 모든 환상을 앗아가 버린 무능한 셀레스몬 백작은 자신의 꿈에 취해 집안일 따윈 돌보지 않는 무책임한 아비였을 뿐이었다.

'이렇게 벤자민을 살해할 생각을 하며 끝까지 베아트리체에게 부끄러움을 남겨 주겠구나…….'

벨라는 문득 알리사 엘 그란첼의 꽁무니를 비굴하게 졸졸 따라다니던 아그네사가 떠올랐다.

알리사에게 그리 아첨하고 있었던 것은 그녀의 천성이 아첨을 좋아해서가 아니라, 돈을 빌리지 못하면 다음 순서는 사창가로 팔려 가는 일이었기에 생존의 위협을 느끼고 절박하게 매달리는 중이었을 것이었다.

벨라는 식당 밖으로 나와서 루카스에게 속삭였다.

"루카, 저 사람이에요. 제가 찾아봐 달라고 했던 롬바르트가의 베아트리체라는 영애의 아버지가……."

루카스가 차분한 목소리로 대답했다.

"일전에 조사했을 때는 롬바르트가는 대가 끊겨서 존재하지 않는 것으로 알려져 있었기에 찾을 수 없었습니다만, 앤서니 대공의 미움을 받아 시집 유통이 전면 금지되었다면 심부름꾼이 알지 못한 것은 당연한 일입니다."

"아그네사 엘 셀레스몬을 조사해 줘."

결국 셀레스몬 백작은 식탁에 앉아 늦은 저녁을 허겁지겁 먹었다.

'찌르고 싶더라도 일단 배가 든든해야 찌를 수 있으니 오늘은 식사하세요. 당신이 신세 망치는 건 상관없는데 당신 딸이 큰일이니 도와줄게요. 오늘은 늦었으니 내일 법률 고문을 불러서 상담해 보도록 하죠.'

이 말을 남긴 채 벨라가 나가자 셀레스몬 백작은 루카스에게 투덜거렸다.

"당신 주인은 원래 저렇게 모자란 짓을 자주 하시오? 남이 뭘 하든 말든. 약점을 이용해 붙잡아 두다니."

그가 먹다 남긴 접시를 한쪽으로 치웠다.

"초대 아르티드가의 가주께서는 엘프와 혼인하셔서 자식을 얻으셨다고 전해집니다. 어디까지나 신화적인 이야기이지만, 그 덕분인지 대대로 아르티드가의 가주는 사람을 너무나 잘 믿고 자신이 가진 것을 잘 퍼주는 버릇이 타고난다는 설이 있죠."

셀레스몬 백작은 호기심이 인다는 듯한 표정으로 루카스를 바라보았다.

"그걸 누군가는 '고생을 찾아가는 나침반' 내지는 '손해 볼 일을 기가 막히게 알아보는 촉'이라고 하기도 하고, 자석처럼 오지랖 부릴 대상을 잘도 끌고 옵니다."

루카스의 말에 셀레스몬 백작은 먹다 말고 쿡 하고 웃어 버리고 말았다.

"죄송합니다. 흐흐."

셀레스몬 백작은 저도 모르게 튀어나온 음식물을 냅킨으로 닦았다.

"하지만 그리 오지랖을 부린 덕에 대대로 많은 사람을 살렸고, 가신들이 충성이 높기로 유명하지요. 어쩌면 저도 그런 사람 중의 하나이기도 하니 말입니다."

루카스는 그 말을 하며 미소를 지었다.

"하긴…… 얼핏 들은 것도 같소. 아르티드가는 대대로 바보가 난다는 말. 어쩐지 알 것도 같소이다."

그는 씁쓸한 표정을 지으며 먹던 음식을 마저 먹었다.

"그러니 당신 같은 사람을 집사로 부리는 비결일까? 당신을 몇 번 본적이 있소. 내 기억이 맞다면 영재로 이름깨나 날렸던 유년 시절을 보내지 않았나?"

루카스는 그의 말에 희미한 미소를 지으며 디저트로 뜨거운 찻주전자를 가져왔다.

"당신, 한 번 본 것은 다 외운다던 그 아이 맞지 않나? 그래서 당신 아버지란 자가 항상 도박판에 끌고 다니던 그 아이 맞지?"

쪼로록 하고 찻잔에 따라진 찻물에서 수증기가 뽀얗게 솟아올랐다. 정갈한 자세로 찻잔을 모두 채운 루카스는 느른한 미소를 지으며 말했다.

"기억하고 계셨군요. 저만 기억력이 좋은 것은 아닌가 봅니다. 당신은 주로 도박을 즐기는 친구분의 뒤치다꺼리를 하러 오시곤 했죠. 당신과 이야기를 나눠 본 적은 없으나 얼굴을 뵌 순간 몇 번 뵌 적이 있다는 것을 깨달았습니다."

셀레스몬 백작은 조용히 찻잔에 김이 어리는 것을 바라보고 있다가 이내 찻잔을 들고 한 모금 마셨다.

"내 기억력이 그렇게 좋은 것은 아니나 워낙 그 사건이 충격적이어서 자넬 기억하고 있는 것뿐이지. 그게 좀 큰 사건이었던가. 솔직히 그때의 그 꼬마가 이렇게 커서 아무 제약 없이 거리를 활보하고 다니리라고는 꿈에도 생각지 못했소."

찻잔을 들고 루카스를 바라보는 셀레스몬 백작의 눈빛이 어둡게 반짝였다. 루카스는 빈 접시를 주방으로 내가며 일말의 흔들림도 없이 그 특유의 차분한 분위기를 유지하고 있었다.

그런 루카스의 뒷모습에 대고 백작이 말했다.

"존속 살해가 그리 흔한 일도 아닐뿐더러, 이렇게 멀쩡한 모습으로 살아가기도 힘들지."

잠시 무거운 침묵이 감돌았다. 그러나 이내 루카스는 아무 일 없었다는 듯이 되돌아와 그의 맞은편 자리의 의자를 빼서 앉았다. 그리고 그의 푸르고 다갈색인 두 개의 눈동자가 백작을 똑바로 응시했다.

"정당방위."

루카스의 말에 셀레스몬 백작은 코웃음을 치듯 고개를 돌리고는 다시 찻잔을 입술에 대었다.

"모든 것을 후작의 후광으로 덮어 버린 건가? 거참 든든한 백이군. 나도 그 프로스트가의 쓰레기나 찔러 죽이고 당신의 주인에게 손 벌려 구제받으면 되겠군."

늦은 밤의 선선함 때문에 피워 둔 벽난로의 장작에서 타닥 하는 소리와 함께 불티가 흩날렸다.

흔들리는 불빛에 루카스의 눈빛도 일렁거렸다.

루카스는 백작의 말에 고개를 비스듬히 기울인 채 팔짱을 끼고 말없이 그의 차 마시는 모습을 지켜보다가 그가 찻잔을 내려놓자 입을 열었다.

"사람들은 흔히들 잘 모르는 일에 대해 다 아는 듯 왈가왈부하곤 합니다."

루카스는 운을 띄운 후 말을 이어 갔다.

"그 일이 있었을 때 한쪽 눈의 시력을 잃었습니다. 그보다도 죽임을 당할 뻔했죠. 죽지 않고 겨우 산 건 동생이 죽기를 각오하고 아버지의 팔에 매달린 덕분이었습니다."

루카스는 숨을 깊게 들이마시고는 다시 입을 열었다.

"아버지는 이성을 잃고 동생의 배를 찔렀죠. 저는 정당합니다. 그 상황에서 저 역시 동생이 죽는 것을 보고 있을 수 없었으니까요. 아마 그 작자는 여차하는 사이 동생을 죽이고 저도 마저 죽였을 겁니다."

루카스의 말에 백작은 의미심장한 비웃음을 날릴 뿐이었다.

"뭐, 죽은 사람은 말이 없으니……, 산 사람이 갖다 붙여서 둘러대면 그만 아닌가?"

루카스는 잠시 눈을 천천히 감았다가 느리게 뜨더니 말을 이어 갔다.

“당신 같은 귀족들이 흔히 오지랖 집안이라 일컫는 아르티드의 가주께서는 심지어 자신의 영지에서 일어난 일도 아니었는데 자기 일처럼 가슴 아파하며 재판의 모든 과정을 함께해 주셨고, 기꺼이 저의 후견인이 되어 주셨습니다.”

루카스는 그때를 떠올리는 듯 조용히 눈을 내리깔았다.

“존속 살해의 흉악범인 소년에게 손을 내밀어 주시며 흘리신 눈물을 기억합니다. 어른이 어른답지 못해서 후원만 하고 결과를 지켜보지 않아 네가 이런 지경에 처한 줄도 몰랐다며 미안하시다 하셨죠.”

루카스의 목소리가 약간 떨렸다.

“앞으로 제대로 된 후원을 해 주시겠다고 약속하셨고, 어른의 약속이 무엇인지 보여 주겠노라고 하셨습니다. 그래서 저 또한 제 어린 주인께 맹세했습니다. 대를 이어 어른의 약속이 무엇인지 갚겠다고 말입니다.”

언제 목소리가 떨렸냐는 듯 루카스의 목소리는 다시 침착하게 가라앉았다.

“당신에게는 그저 오지랖이라 보일지 모르나 당신은 당신의 주변 사람들에게 단 한 번이라도 그런 어른인 적이 있었는지 묻고 싶습니다.”

루카스의 말에 셀레스몬 백작은 표정이 굳어진 채 고개를 숙이고 찻잔을 내려놓았다.

“당신은 당신의 가족과 가신들에게 어떤 사람들입니까?”

아무 말 못 하고 고개만 숙이고 있는 셀레스몬 백작에게 루카스가 다시 말을 건넸다.

"당신은 셀레스몬가의 가주입니다. 당신의 모습이 곧 가문의 얼굴입니다."

셀레스몬 백작의 어깨가 움찔했다.

"당신 외의 사람들은 얼굴에 먹칠하든지, 빚에 허덕이며 대충 살다 죽어도 상관없다면야 그냥 당신 마음 내키는 대로 행동하십시오."

셀레스몬 백작은 차마 고개를 들지 못했다.

"몰락한 귀족의 모습으로 남느냐, 몰락한 데다 살인까지 저지르고 남은 가족들은 어찌 되든 말든 혼자 죽고 뒷감당은 알 바 아니라고 미루어 두시든가."

루카스의 눈빛이 날카롭게 빛났다.

"적어도 나의 주인님께 도움을 받고 싶으시다면, 당신에게 속한 자들이 함께 살아날 방법을 모색해 보십시오."

셀레스몬 백작은 루카스의 말에 잔뜩 굳은 채 어깨를 움츠렸다.

"사람 죽이고 그 죗값을 치르느니 마느니 같은 그런 단순한 도움 하나만 받고 입 씻을 생각 따윈 하지 마십시오."

루카스의 눈빛은 단호했다.

"당신이 그따위 성의 없는 태도로 도움을 구한다면 이 집안의 가신들이 들고일어나 당신을 가만두지 않을 겁니다."

셀레스몬 백작은 고개를 떨궜다.

"간섭이 싫으시다면 뒷문을 열어 두겠습니다. 알아서 판단하십시오. 어쨌거나 당신의 선택이고 당신의 인생이니 말입니다."

루카스는 그리 말하며 일어나 정중히 인사를 올리고는 식당 밖으로 걸어 나갔다.

남은 차가 싸늘하게 식어 가는 동안 백작은 멍하니 계속 그 찻물만 바라보고 있었다.

어두운 복도를 걸어가는 루카스의 시야에 낯익은 인영이 어른거렸다. 그것은 어린 날의 자기 자신이었다.

낡은 나무 의자에 앉아 두 주먹을 꼭 쥐고 있는 어린 소년. 왼쪽 눈자위는 피멍이 들어 있었다. 온통 맞고 찢어져 부어터진 몸보다 마음이 더 아팠다.

소년의 어깨가 파르르 떨리고 있었으나 자세를 고쳐 꼿꼿하게 허리를 펴고 앉아서 멍하니 어두운 한구석을 바라보고 있었다.

사람들이 말했다.

'가엾어라. 열이면 열 중 아홉은 차라리 잘 죽었다고 말할 텐데. 그런 것도 어찌 아비라고……. 끌끌.'

'저 아이는 이제 어떻게 한담? 설령 정당방위가 인정된다 해도 제 아비를 죽인 놈이라 앞으로 남은 삶은 살아도 산 게 아닐 텐데.'

'무죄라도 이런 정신적 충격을 겪고 정상적인 성인으로 자

랄 수 있겠어? 저러다가 애가 비정상적으로 자라면……?'

'보아하니 어미는 일찍 죽었고 아비마저 제 손으로 죽였으니 애를 똑바로 훈육하고 보호해 줄 일가친척 하나 없는데.'

'아비를 죽인 것은 그 어떤 경우든 간에 패륜이고 죄악이야!'

'아무리 사정이 딱하다고 해도 절대로 벌어지면 안 될 일을 벌인 거야!'

'애를 학대한 것은 아비의 죄라 해도 그건 법대로 처리할 일이고 그 어떤 경우에라도 사람이 사람을 죽여서는 안 되는 거야!'

'차라리 유죄 판결받고 평생을 감옥에서 살다 죽는 게 오히려 더 온정을 베푸는 것일지도 몰라.'

'한창 가치관이 정립되어야 할 나이에 이런 충격적인 일을 겪으면 반드시 비뚤어지게 되어 있어.'

'지금 불쌍하다고 무죄 처리 해 주면 미래의 흉악범을 세상에 풀어 놓는 거나 마찬가지야.'

'범죄 예방 차원에서 그냥 존속 살해죄를 적용하는 것이 나아.'

그냥 멍했다. 이 모든 것이 그저 웡웡거리는 메아리로 들리고 자신이 살았는지 죽었는지, 시간은 흘러가는지 아무것도 모른 채 앉아 있을 뿐이었다.

자신이 처벌받을지 처벌받지 않을지를 두고 사람들이 수군거리는데 정작 자신이 궁금한 것은 동생 이안의 생사였다. 동생을 지금 누가 보호하고 있는지, 칼에 찔린 부위를 치료라도 받고 있는지 아니면 벌써 죽어 버린 것인지 궁금했다. 하지만 아무에게도 물어볼 수 없었다.

남의 일을 바라보듯 루카스는 멍하니 벽만 바라보았다.

누군가가 자신의 눈앞에 서 있었다. 키가 큰 어른이었다. 옷이 참 멋지다 하는 생각부터 들었다. 멍하니 바라만 보고 있는데 그 어른이 자신의 눈높이에 맞추어 한쪽 무릎을 꿇고 자신과 마주 보았다.

"네 이름이 루카스냐?"

짧은 밤갈색 곱슬머리를 단정하게 빗어 넘긴 잘생기고 젊은 멋쟁이 어른은 미소를 지으며 루카스의 눈동자를 바라보았다.

"많이 아팠겠구나."

그가 손을 들어 루카스의 피멍이 든 왼쪽 눈 쪽을 쓰다듬으려 했다. 루카스는 반사적으로 두 손을 머리에 얹으며 몸을 웅크렸다.

그 남자의 손이 루카스의 몸에 닿으려다 크게 놀라 움찔거리다가 다시 거둬들여졌다.

"네 허락 없이 함부로 네게 손대지 않으마. 나는 너를 때리지 않는다. 걱정하지 말아라."

아무 대답이 없는 루카스에게 그가 부드러운 음성으로 말했다.

"미안하다. 너를 후원만 하고 제대로 자라는지 들여다보지 않은 내 탓이구나. 네가 주변에 도움받을 만한 어른이 아무도 없게끔 방치한 내 탓이다. 어른으로서 부끄럽구나."

루카스는 그를 쳐다보았다.

"루카스. 내 너를 이번에는 정말 제대로 후원하고 싶다. 이대로 삶을 접어 버리기엔 네 지나온 시간은 네가 앞으로 살아가야 할 시간에 비하면 한참은 짧다. 네가 정당한 재판을 받을 수 있게 제대로 된 변호사를 선임해 주겠으며, 앞으로 남은 시간 동안 네가 제대로 된 보호와 제대로 된 교육을 받을 수 있게 돕겠다."

그의 눈빛은 한없이 따뜻했다.

"그래서 세상엔 나쁜 어른만 존재하는 것이 아니라는 믿음을 네게 주고 싶구나."

그의 말이 루카스의 얼어붙은 가슴에 잠깐 미풍이 되어 불었다가 이내 스스로가 품은 마음의 냉기에 다시금 싸늘하게 얼어붙었다.

"늦었어요. 저는 아무런 가망이 없어요. 제 남은 삶은 버린 삶이나 마찬가지라고 어른들이 말하는 소리를 들었어요. 제가 무죄를 받아 봤자 사회에 해악을 끼치는 흉악범으로 자랄 거래요."

루카스는 남의 이야기 하듯 말을 이어 갔다.

"유죄를 받아서 감옥에서 평생 썩는 편이 사회를 위한 길이고, 돌봐 줄 부모도 없는 저에게도 최소한의 밥과 잘 자리를 제공해 주는 좋은 기회가 될 거래요. 그러니 그냥 놔두세요."

그 말을 덤덤하게 내뱉던 루카스의 어깨가 크게 들썩이기 시작했다. 그는 슬픈 눈빛으로 루카스를 말없이 바라보고 있더니 루카스의 눈앞에 그 크고 따뜻한 손을 펼쳐 보였다.

그가 왜 손을 내미는지 이유를 짐작하지 못한 루카스는

눈을 크게 뜨고 그의 진초록빛 눈동자를 바라보았다. 그가 슬픈 미소를 지으며 입을 열었다.

"누가 너더러 늦었다고 하더냐. 너처럼 인생을 제대로 시작해 보지도 못한 아이가 늦은 거면 대체 어느 어른이 자기 삶은 제대로 살았고, 남들보다 더 좋았더냐고 묻고 싶다."

무언가 울컥하는지 그는 잠시 말을 잇지 못했다.

"그런 어른이 나타나면 내게 말해다오. 뭐가 그리 잘나서 남의 남은 앞날을 두고 이러쿵저러쿵할 자격을 갖췄는지 내가 검증해 보마."

그는 다정하게 물었다.

"루카스, 네 지난 시절 중에 다시 돌아가고 싶은 시간이 있느냐?"

그의 말에 루카스는 한참 동안 자신의 기억을 더듬어 보았다. 그리고 천천히 고개를 저었다.

"돌아가고 싶은 시간이 없어?"

그의 말에 루카스는 천천히 고개를 끄덕였다.

"네 아버지를 죽인 시간을 되돌리고 싶지는 않고?"

그의 말에 그만 루카스의 눈에서 눈물이 왈칵 터졌다. 루카스는 눈물을 펑펑 쏟으면서도 이를 악물고 고개를 저었다.

"그 시간이 되돌려졌다면 다른 결과가 있었을까?"

루카스는 망설이며 눈물을 흘리지 않으려고 안간힘을 썼다. 그러나 눈물이 자꾸만 흘러나와 시야를 가려 두 눈을 질끈 감았다.

"그 시간을 돌렸다면 아마 너와 네 동생이 죽었을 거로 생각하는구나, 그렇지?"

루카스는 눈물만 쉴 새 없이 흘리며 고개를 끄덕거렸다.

"네 손을 잡아도 되겠느냐?"

그의 손이 다가왔다. 그리고 주먹을 꼭 쥔 루카스의 차디찬 두 손을 그 크고 따뜻한 손으로 모아 쥐었다.

"그래서 내가 잘못했다는 것이다. 네가 아닌 내가."

그의 말에 루카스는 고개를 들었다.

"너는 영재성을 인정받아 내가 후원하던 아이 중에 하나다. 그저 돈만 부쳐 주고 나는 네가 잘 자라고 있는 줄로만 알았다."

그의 어깨가 떨렸다.

"그 돈이 네 아비에게 탐심을 불러일으킬 줄도 몰랐고, 정작 그 돈으로 너는 도박판에만 끌려다니고 있는 줄을 몰랐다."

그의 목소리도 조금은 떨리는 것 같았다.

"내가 좀 더 신경을 썼더라면. 그리고 네 주변의 어른들이 최소한 너의 상황을 내게 알려라도 줬더라면 너는 그 끔찍한 일을 네 손으로 직접 저지르지 않을 수도 있었다."

그의 목소리는 한없이 따뜻했다.

"미안하다. 어른이 어른답지 못해서 어린 네가 네 스스로 네 동생과 네 자신을 지켜야만 하게 만들었다."

루카스의 눈이 커졌다.

"루카스, 나에게도 올바른 어른이 될 기회를 주렴. 나도 네가 올바른 어른으로 자랄 수 있도록 최소한의 기회를 네게 주고 싶구나."

자신을 따뜻하게 바라보던 그 남자의 눈에 고인 눈물. 그는 남자치고 눈물이 많았다.
그러나 그 눈물이 차디차게 얼어붙은 루카스의 마음에 흘러내려 꽁꽁 언 얼음을 녹이고 갈라져 생채기 난 깊은 틈새를 채웠다.

루카스는 어두운 복도를 걸으며 잠시 눈을 느리게 감았다 떴다.
'어른다운 어른……. 당신은 나에게 있어 최초의 어른이었고, 가장 닮고 싶은 사람이었습니다. 다비드 후작님.'

아침에 벨라가 눈떴을 때는 셀레스몬 백작이 뒷문으로 나가 버려 자취를 감춘 지 한참 된 후였다.
잠시 낙심했지만 곧 잊어버렸다. 잊어버릴 수밖에 없었다. 아침부터 영애들과 귀족 부인들이 어떻게 알았는지 벨라시아 저택에 꾸역꾸역 몰려들어 그야말로 발 디딜 틈이 없이 북적거렸기 때문이었다. 황후와 황녀가 사용한 화장품을 구경하기 위해서였다.
색조 화장을 향한 욕구가 이렇게 활발할지는 꿈에도 몰랐다. 적어도 오랜 시간이 흐른 후에 조금씩 팔릴 줄 알았다. 벨라가 살았던 과거에는 그랬다.

아마도 색조 화장을 처음 시작한 이가 술집의 밤무대 가수여서 그런지도 모른다.

화장품은 술집을 경로로 유통되었고 여염집 아가씨들은 창부들이나 화장을 한다며 꺼리다가 남편들을 술집에 빼앗긴 반감 탓인지, 아니면 지독한 불황으로 인한 반발심이었는지, 나중엔 퇴폐 분위기가 상류층까지 확대되어서 화장술이 정착하기까지 우여곡절이 많았다.

그런데 최초로 화장을 한 이가 황녀와 황후여서 그런지 화장의 역사가 확 바뀌어 버리는 순간이었다. 무도회에 나가는 여성들이 나도 황후마마처럼 화장하고 싶다고 벨라에게 우르르 몰려들었다.

화장품 판매를 목적으로 미리 공장에 몇몇 평민 여성들을 고용해서 화장하는 법에 관한 교육을 한 적은 있었다. 그런데 이런 폭발적인 수요를 감당하기엔 한참 모자랐다.

게다가 귀족들에게 화장을 시켜 주려니 아침 일찍부터 황후의 부름이 내려왔다.

황궁에 가느라 저택에 몰려든 여자들에게 화장을 시켜 줄 새가 없었다. 급한 대로 이안에게 공장 쪽 화장술 교육을 해 둔 직원을 빨리 데려오라 시키고, 루카스에겐 화장품이 생산되는 대로 바로 가져오라고 부탁했다.

그렇게 벨라는 종일 황궁에서 끌려다녀야 했다.

승전 연회에 와서 춤은 얼마 춰 보지도 못하고 정신없이 황후와 황녀를 따라다니며 시녀 아닌 시녀 역할을 하다 보니 황후가 말했다.

"정식으로 나의 시녀가 되지 않겠니? 나의 시녀가 되는 것은 너의 가문에도 영광일 것이다."

벨라는 잠시 고민했다.

벨라시아에도 쓰여 있는 구절이지만 아르티드가의 에티켓 규범집에도 강조된 글귀, '높은 관직에 오르지 말라. 높은 관직에 오르느라 신경 쓰기보다 우리 영지와 사용인 역시 소중하다는 것을 기억하라'라는 구절이 떠올랐다.

대대로 아르티드가는 관직에 오르지 않았다. 토착 귀족으로서의 영지 내 특권에 만족하고 살 뿐이었다.

후손이 매우 귀하고 드문 가문임에도 불구하고 정치적인 일에 휘말려 처형당한 후손은 손에 꼽을 정도로 적었다. 그것도 본인이 직접 정치에 끼어들어서가 아니라 정치하는 친구와 잘못 사귀어서 불똥이 튄 정도.

시녀도 벼슬인가…… 하고 잠시 고개를 갸웃했다.

시녀직은 귀족에게 있어 일종의 명예직이자 누구를 모시느냐에 따라 가문의 명예가 되기도 했다.

조상들의 유지가 '관직에 나서지 말라'였으니, 이 일은 고사해야 마땅했다.

벨라는 크게 숨을 들이켰다.

"제국의 달이신 아름다운 황후마마께 신의 축복과 감사를 드리옵나이다."

그러나 시녀직은 황후의 기분을 거스르거나 결혼을 하게 되는 경우 먼저 말하고 물러날 수 있는 일인 만큼 당분간은 받아들이기로 마음먹었다.

"여러 가지로 미흡한 저에게 황후마마를 모실 영광을 주셔서 진심으로 감사합니다. 하지만 저희 아르티드가의 유훈이 관직에 오르지 말라는 것이라 다른 시녀님들께서 저의 화장 기술을 전수 받을 때까지만 황후님을 곁에서 모셔도 될는지요. 유훈을 어길 수는 없습니다."

"호호. 아르티드가의 유훈은 유명하지. 그럼 당분간이 될지라도 연회가 끝나고 나면 나의 정식 시녀로 기용하기로 하지."

황후의 말에 벨라는 밝은 표정을 지었다.

'시녀직은 관직이 아니라 봉사하는 자리니까 선대 가주들도 이해해 주실 거야. 이안과 라울린, 그리젤리 사람들을 살리는 일이라면 뭔들 못하리.'

아직 황태자에게 말하지 못한 것이 많았다. 이런 기회를 놓칠 수는 없었다.

벨라는 과거에서 유명한 밤무대 가수를 화장시켜 주다가 메이크업 아티스트로 크게 대성했던 어느 창부 출신의 여자를 떠올렸다.

그 여자가 과거에 최초의 메이크업 아티스트였는데 이번엔 벨라가 최초의 메이크업 아티스트가 얼결에 된 셈이었다.

과거에도 벨라는 화장은 꽤 잘하는 편이었다. 화장하는 것이 재미있었다. 그래서 동료들도 대신 화장시켜 주곤 했다.

벨라의 특기는 단골에게 얻어맞고 멍든 동료의 멍을 가려주고 잡티가 많은 얼굴을 감쪽같이 깨끗한 얼굴로 만들어 주는 거였다.

이렇게 빠르게 대박 날 줄은 몰랐지만, 비참하고 가난하던 그때를 생각하며 그간 틈틈이 메이크업 연습을 반복한 게 이리 통할 줄이야.

여자의 아름다워지고자 하는 욕망은 시대를 초월해서 항상 뜨거운 이슈였던 것이었다.

벨라 스스로도 감회가 새로웠다. 왠지 뜨거운 덩어리가 가슴으로 치받쳐 오르는 느낌이 들었다.

현재와 과거를 통틀어 유일하게 노력해 온 한 가지로 인정받는 일이니 말이다.

황후는 여유 있는 미소로 자신을 향해 허리를 숙여 정중하게 인사하는 연회장의 사람들에게 화답했다. 그러고는 상대가 눈치채지 못하게 힐끔힐끔 그들의 얼굴을 하나하나 뇌리에 새겼다.

연회에서 눈에 띄려고 별별 화려한 머리 장식과 고급 의상과 값비싼 장신구를 주렁주렁 달고 온 여자들의 얼굴에는 조잡한 화장품들이 색색으로 발려져 있었다.

'저 입술을 보라. 붉은색이 얼룩덜룩하게 뭉치고 기름이 번져 번들거리는 입가를. 재채기 한 번 하고 흘린 눈물에 시꺼멓게 흘러내리는 목탄 가루와 머리에 뿌린 반짝이들.'

얼굴만 하얗게 분칠해 놓고 목덜미부터는 색이 확연하게 달랐다. 그 모습에 황후는 속으로 깔깔거리고 웃었다.

황후의 입술은 타고난 것처럼 자연스럽게 붉으면서도 색유리라도 덧입힌 듯 밝은 광채를 띠었다.

게다가 그녀의 콤플렉스였던 목 뒤의 엄지손톱만 한 왕점이 원래부터 없었던 것처럼 감쪽같이 가려져서 이번엔 시원스레 목덜미를 드러내는 올림머리를 하고도 당당히 고개를 치켜들 수 있었다.

황후는 자신만이 갓 세수한 듯한 물광을 은은하게 띠고 있어서 기뻤다. 게다가 가장 맘에 드는 것은 속눈썹. 이렇게 풍성해질 수가 있다니 스스로도 신기했다. 앞으로는 매일매일 속눈썹을 붙이고 다녀야겠다고 속으로 마음먹었다.

황후는 사람들이 자신을 향해 경탄의 눈빛을 보내는 것이 너무나도 행복했다. 그간 황후여서 당연히 주목을 받았으나 이렇게 사람들이 한눈에 첫사랑에 빠진 소년 소녀 같은 눈빛을 보내는 것은 생전 처음이었다.

티 나지 않는 화장이라 사람들은 황후에게 피부가 곱다느니 입술이 원래 그렇게 붉고 혈색이 좋으셨느냐니, 목덜미가 희고 고우시다느니 하는 칭찬을 했다.

황제마저 요 근래 처음 보는 초롱초롱한 눈빛을 하고 자신을 바라보니 그야말로 꿀맛 같은 순간이었다. 빼앗긴 그의 총애도 다시 되돌릴 수 있을 것 같은 자신감이 붙었다.

황후는 황제의 옆자리에 앉아 있는 여자아이를 흘겨보았다. 대외적으로 황제의 정실은 황후였으나 비공식적인 애첩이란 게 있기 마련이었다.

황제의 사랑이 변하지 않을 줄 알았다. 언제까지나. 그러나 황제는 자신도 모르는 사이 첩실의 자식을 둘이나 더 보았다.

둘 다 여아이고 황실의 일원이 될 수 없다는 점에서는 황후에게 그다지 문제 되지 않았으나 공공연한 비밀로 귀족들 사이에 그 애첩들의 위세 이야기가 떠돈다는 것을 잘 알았다. 지금도 저렇게 황제 자신의 옆자리에 앉힌 것을 보라.

서녀 신분이어서 말만 쉬쉬할 뿐 이렇게 공공연한 자리에서 자신의 옆자리에 앉혀 총애하고 있다는 뜻을 분명히 전하고 있다니.

그러나 그런 서녀의 어미가 얼룩덜룩하니 뭉친 립밤을 바르고 서 있는 모습이 황후의 눈에 들어온 순간 통쾌하기가 이루 말할 수 없었다. 영원히 저 여자는 이런 화장의 혜택을 받지 못했으면 좋겠다는 생각이 황후의 머릿속을 스쳤다.

황후가 바라보는 쪽을 힐끔 바라본 클라라 황녀가 귓속말을 제 어미에게 건넸다.

"밀레나 백작 부인의 몰골이 꼭 물에 빠진 생쥐 같아 보이네요. 어쩜 입술이 저렇게 엉망인지. 저런 입술엔 키스하기도 역겹겠어요. 그렇죠?"

황후는 짐짓 황녀를 나무랐다.

"어머. 클라라. 그런 점잖지 못한 말은 교양 있는 여인이 사용해서는 안 된단다."

하지만 자신의 마음을 잘 알아주는 클라라가 좋아서 슬그머니 황녀의 손을 잡아끌었다. 메이크업 도구를 들고 다른 시녀들과 뒤편에서 조용히 따르던 벨라는 황후와 황녀의 시선이 닿는 곳을 바라보았다.

과거에서는 알지 못했던, 숨겨진 서녀의 존재. 그것도 둘씩이나.

워낙에 전 황후가 반역을 도모했다는 이유로 처형당한 사건이 충격적이어서 그랬는지 사람들은 그 이야기만 떠들 뿐 황제에게 숨겨진 자식이 있다는 소리는 하지 않았다. 그런데 이렇게 공공연하게 돌아다니고 있을 줄은 꿈에도 몰랐다.

백작 부인 밀레나라는 여자는 깡마른 여인이었는데 불면 날아갈 듯 가녀리고 보호 본능을 유발하는 여인이었고 그런 그녀의 딸인 메디아 공녀는 제 어미를 닮아 목이 길고 허약하게 생겼다. 말수도 별로 없었고 비교적 조용히 있었다.

그러나 또 하나의 서녀는 약간 달랐다. 바로 황제의 옆에 떡하니 앉아서 제가 무슨 황녀라도 되는 양 도도하게 고개를 치켜들고 아래를 내려다보는 그녀는 벨라 또래였고 눈매가 약간 치켜 올라간 것이 성격도 만만찮아 보였다. 도도한 고양이를 연상시키는 앙칼진 얼굴이었다.

하지만 벨라의 시선은 그녀의 주변 사람들에게 머물렀다.

제시카 공녀와 각별한 사이인 듯, 그 옆에는 앤서니 대공의 딸 릴리스가 앉아 있었고 그 뒤에 알리사 엘 그란첼이 서 있었다.

'끼리끼리 논다더니.'

하나같이 성격 나쁘게 생긴 세 여자 사이로, 온갖 잡심부름을 하며 굽실거리는 아그네사가 있었다.

알리사 엘 그란첼.

감히 백작가 영애 주제에 당당하게 후작가 영애인 벨라의 기를 팍 죽이고 공공연하게 사교계에서 왕따를 시키던 그녀.

그녀가 그리 뻐기고 다녔던 데에는 뒷배에 그녀의 아버지 길버트 엘 그란첼이 있었다. 과거에 벨라는 알리사의 무리에 끼어들고 싶었다. 그녀와 함께 다녀야 사교계의 주류인 것만 같았다.

자신은 부모도 없는 고아여서 후작가의 영애라 해도 그런 따돌림을 받고 무시를 받은 것이 당연한 줄 알았다. 일찍 돌아가신 부모에 대한 원망으로 스스로를 위안하는 것이 고작이었더랬다.

그런데 지금은 황후 뒤에 서서 그 사교계라는 것을 바라보노라니 코웃음이 나왔다.

'기껏 내가 저런 계집애한테 밀려서 그렇게 서러워했단 말이지?'

벨라의 시선은 알리사에서 릴리스 엘 칼데이라 대공녀로 향했다.

앤서니 엘 칼데이라 대공의 딸. 황제를 숙부로 둔 그 도도한 릴리스 공녀는 실세 중의 실세로 보였다. 그 교만하기 이를 데 없는 알리사도, 콧대 높은 제시카 공녀도 릴리스의 앞에서 설설 기었다.

그녀는 검은 머리카락이 치렁치렁한데 매섭게 빛나는 금안이 혈통을 증명하듯 인상적이었다.

얼굴은 벨라의 또래처럼 앳되어 보였으나 클라라 황녀에게 그녀의 나이가 서른에 가깝다는 말을 듣고 깜짝 놀랐다. 칼데이라 공국이 크기는 작으나 엄청난 부를 지니고 있어서 제국에서도 함부로 할 수 없다는 이야기도 놀라웠다.

클라라 황녀가 벨라에게 속삭였다.

"생긴 것도 마귀할멈같이 재수 없게 생겼지? 릴리스 말야. 흥. 어쩔 땐 제가 황녀인 듯 군단 말야? 언젠가 한번 본때를 보여 주려고 벼르고 있어."

클라라는 며칠 만에 벨라가 자신의 절친이라도 된 양 허물 없이 그녀에게 다른 사람들의 흉을 보곤 했다. 덕분에 벨라는 그사이 많은 것을 파악하게 되었다.

자신에게 온갖 이야기를 나불나불 털어놓는 클라라 황녀를 벨라는 물끄러미 바라보았다.

'이렇게 사람을 쉽게 믿고 자신에게 허물이 될 이야기를 아무 때나 내놓다니.'

자신도 경솔한 성격 탓에 벤자민에게 그리 속아 결혼했을지도 모른다.

그때, 벨라는 자신을 몹시도 째려보는 시선을 느꼈다. 고개를 돌려 보니 저 멀리 황태자가 쓱 돌아서는 모습이 보였다.

클라라가 웃으며 벨라의 어깨를 콩콩콩 두들기는 바람에 다시 고개를 돌렸다. 또 뒤통수가 따가운 느낌에 고개를 또 돌리면 황태자가 째려보고 있었다.

벨라는 대체 왜 황태자가 자신을 째려보는지 도통 알 수가 없었다.

'뭔가 할 말이 있으면 와서 하지 왜 나를 째려보는 걸까? 찝찝하게.'

벨라는 혼자 속으로 투덜거렸다.

황태자와 첫날 춤춘 이후 자신에게 춤을 신청하는 이는 아무도 없었다. 심지어 카발리에였던 에릭마저 벨라와 눈이라도 마주치면 쩔쩔매며 저 멀리 물러났다.

'접근하는 남자도 하나 없지, 황태자는 내내 가자미눈을 하고 자길 째려보고 있지, 푼수 같은 클라라 황녀는 입만 열면 주변 사람 흉이 재밌다고 해 대고 있지, 어느 장단에 맞춰야 할지 모르겠다.'

벨라는 말을 아끼며 그저 고개만 끄덕끄덕하니 서 있을 뿐이었다.

'아. 재미없어.'

벨라는 하품을 늘어지게 하려다가 입을 다물었다.

벨라의 경호 역으로 온 라울린이 귀족인 줄 알고 집적대는 아가씨들이 보였다.

"저는 평민이고 아르티드가의 영애를 호위 중입니다. 춤은 곤란합니다."

라울린은 거절하고 있으나 입이 귀밑까지 째지고 있었다. 보나 마나 '어딜 가나 이 몸의 인기란'이란 말을 하며 속으로 우쭐하고 있을 것이 빤히 보였다.

'흥. 얄미워라. 나는 농담 하나 걸러 오는 흔한 영식도 하나 없는데.'

그런데 웬일인지 어딘가를 바라본 라울린이 태도를 바꾸

더니 아가씨들을 한 무더기 이끌고 춤추러 가는 거였다.

"뭐야, 경호원이 자리를 이탈하면 어떡해!"

벨라는 집에 가서 두고 보자고 미간을 찡그렸다.

바람둥이지만 일에서는 공사가 분명하던 라울린이 보란 듯 불량한 모습을 보이는 것은 처음이었다.

벨라는 라울린이 쳐다봤던 쪽을 바라보았으나 대체 누굴 쳐다보고 저러는 것인지는 알 수 없었다.

"이거 너무 불공평한걸요, 아가씨?"

익숙한 목소리에 벨라는 뒤를 돌아보았다. 연미복을 근사하게 차려입었으나 여전히 껄렁해 보이는 이안이 늘 부스스하던 회색 머리카락을 단정하게 빗어 넘기고 평소 안 하던 나비넥타이까지 한 채 벨라에게 다가와 두툼한 서류 뭉치를 내밀었다.

"이안이 웬일이야? 어디 만담장 나가?"

벨라는 이안이 내미는 서류 뭉치를 받아 들며 눈웃음을 지었다.

"엣? 만담장이요?"

이안이 뜬금없다는 표정을 지으며 벨라에게 만년필을 내밀었다.

"형이 화장품 생산 건으로 아가씨께 의견을 여쭤보라 해서 심부름 왔습니다만. 갑자기 생산량이 폭증해서 공장 사람들은 중노동에 시달리고 있는데 아가씨는 여기서 하품이나 하시고 계시깁니까? 이거 상당히 억울한데요?"

벨라는 이안이 입은 고급스러운 의상이 어색해서 자꾸 웃음이 나왔지만, 사실대로 말했다가 다시는 이런 옷 안 입는다고 방방 뛸까 봐 속으로 웃음을 삼켰다.

"이것도 비지니스야. 비지니스. 아, 그리고 추가 생산 관련해서, 이 색상과 이 색상은 황후마마 한정으로 사용하기로 했으니까 더는 생산하지 말고 따로 포장해 두라고 전해 줘."

벨라는 루카스에게 보낼 메모를 빠르게 휘갈겨 썼다.

"내가 팔자 좋아 보일지 모르겠는데 나도 죽을 맛이거든? 나름 첫 사교계 데뷔인데 오늘이 무도회 마지막 날이건만, 나한테는 아무도 춤추자고 하질 않아. 내가 그렇게 매력이 없나?"

그 말에 이안이 발끈했다.

"누가 감히 아가씨께 매력이 없다고 싸가지 없는 말을 합니까? 당장 제가 손봐 드리죠!"

진짜 한 대 칠 기세이길래 벨라는 황급히 그를 달랬다.

"아니. 내 느낌이 그렇다고!"

"그러니까 그 느낌이 들게 한 놈을 제가 무릎 꿇려 드리겠습니다. 아오!"

"뭘 그렇게 흥분하고 그래. 말이 그렇다는 거지."

벨라는 이안에게 서류를 내밀었다.

이안은 주변을 두리번거리더니 벨라에게 작은 목소리로 속삭였다.

"저놈입니까? 아가씨를 함부로 대하는 쉬키가."

이안이 감히 황태자를 손가락으로 가리키고 있었다.

벨라는 허둥지둥 이안의 손가락을 붙잡아 내리며 그의 옆구리를 콱 꼬집었다.

“미쳤어. 감히 황태자 전하를 손가락으로 가리키는 불경이라니. 누가 보기라도 하면 손가락이 잘릴 거야.”

“황태자고 뭐고 간에, 계속 아가씨만 뚫어져라 쳐다보고 있지 않습니까? 황태자가 저러고 있는데 세상에 어느 간 큰 놈이 아가씨께 춤을 신청하겠습니까?”

그는 분통이 터진다는 듯 말을 이어 갔다.

“황태자께 무슨 큰 실례라도 했습니까? 춤추다 발을 밟아 신발이 벗겨졌다든가, 개망신이라도 줬습니까? 아무리 그런다 해도 그렇지 황태자가 쪼잔하게 아가씨를 상대로 저런 협박질입니까?”

이안이 벌컥 화를 냈다.

“응? 협박 같은 거 한 적 없는데?”

벨라가 어처구니없다는 시선을 보내자 이안이 이를 북북 갈며 말했다.

“저러고 있는 것 자체가 협박이나 마찬가지 아닙니까? 나름대로 우리 아가씨 첫 데뷔 무대인데 저렇게 잡쳐 주면 되겠습니까?”

이상한 데서 광분한 이안을 말려 보았으나 이안은 간이 배 밖으로 나온 듯 흥분을 가라앉힐 줄 몰랐다.

마침 쉬는 시간이 끝나고 관현악단의 음악 연주가 점점 춤곡풍으로 바뀌어 가는 가운데, 벨라는 주먹을 우드득거리고 있는 이안의 손을 끌고 무도회장 한가운데로 내달렸다.

“어, 어……?”

이안이 당황했으나 이미 때는 늦었다. 갑자기 이안의 얼굴이 새빨갛게 달아올랐다.

벨라가 한껏 휘어지는 눈웃음을 보내며 속삭였다.

"왜 그래?"

"저, 저, 저……, 추, 추움 춤춤출 줄 모…… 모른…… 모른다고요!"

그는 어찌나 당황했는지 말까지 더듬고 입가도 떨었다.

"걍 눈치껏 춰!"

"추…… 춤을 제가 어떻…… 게요! 으악!"

이안이 당황해하는 모습이 재밌어서 벨라는 꺄르르 웃고 말았다.

"준남작 작위 선물해 준 지가 언젠데 여태 기본 소양조차 안 갖췄어? 이런, 이안 실망인데?"

벨라의 짓궂은 말에 이안은 더는 붉어질 수 없는 얼굴로 귀까지 달아올라 부자연스럽게 굳은 어깨를 움츠렸다. 거구의 남자가 뻣뻣하게 굳은 모습이 왜 그리 재밌는지 벨라는 웃음을 참을 수가 없었다.

"저, 저는…… 이, 이만……."

이안의 옆구리에 껴 있는 서류 뭉치를 빼서 벨라는 자신의 드레스 등짝에 밀어 넣었다. 그리고 머리카락을 두 손으로 훑어 펼쳐 내려 서류 뭉치의 존재를 덮어 버렸다.

"으아아아아악!"

그는 기겁하며 뒤로 한발 물러섰다.

"춤 한 곡만 추고 가. 그대로 도망가면 내 등짝에 서류가 끼어 있는 거 사람들이 다 본다? 나 놀림거리 되어도 돼?"
"아가씨! 정숙하지 못하게 이게 뭡니까!"
이안은 벨라의 등 뒤에서 서류를 빼내지 못하고 허둥대다가 왈츠곡이 시작되자 그녀에게 덥석 손이 잡혀서 한 손은 잡고 한 손은 강제로 벨라의 허리에 놓였다.
"으악!"
이안은 마치 징그러운 뱀이라도 만지듯 손을 가져다 대지도 못하고 바로 떼며 펄쩍 뛰었다.
"아니, 춤 한 곡 춘다는데 뭐가 정숙하지 못하다고 그 난리야? 이안, 내 손만 잡아도 이상한 생각 하고 그랬던 거야?"
벨라가 눈을 갸름하게 뜨며 이안을 흘겨보았다.
"그…… 그건 아니지만……."
이안은 말도 제대로 잇지 못하고 간신히 벨라의 허리에 손을 대었다.
"이대로 인기 없는 영애로 남는 게 더 창피한 거다 뭐. 나한테 반한 척하고 춤 한 곡만 춰 봐! 앞으로는 날 에스코트하려거든 이런 것도 좀 배워 두라고."
벨라는 입을 삐죽이며 왈츠 스텝도 모르는 이안에게 슬쩍 눈치 주고는 춤을 리드하기 시작했다.
"눈치껏 해. 눈치껏. 옆자리 신사분이 추는 거 흉내라도 내. 이안이 평소 그랬잖아. 눈치만 있어도 반은 간다고."
이안은 당황하여 자꾸 벨라의 발을 밟고, 치마를 밟고, 뻣뻣한 나무토막이 몸부림치는 것처럼 왈츠 추는 흉내를 내었다.

"픕……."

이안이 이렇게 당황한 것은 처음 보았기에 벨라는 이 상황이 너무나 재밌었다.

그때였다.

"그렇게 엉터리로 추려거든 양보해 주시길."

벨라와 이안의 눈이 커졌다.

둘 사이에 끼어들어 벨라의 손을 가로채 간 것은 황태자였다. 그것도 이글이글 불타오르다 못해 눈에서 섬광이라도 쏟아져 나올 듯한 짜증스러운 표정으로.

"황궁의 무도회에 그런 격이 떨어지는 엉터리 춤이라니!"

황태자는 화를 벌컥 내며 벨라의 손을 강제로 잡아당기더니 한 손을 벨라의 허리에 휙 감고는 원래 파트너마냥 그녀를 끌고 격하게 턴을 돌기 시작했다.

당황한 벨라의 시선이 애처롭게 이안에게 가닿았다.

일순간 이안의 얼굴이 굳었다.

아무리 귀족들의 세계에 대해 잘 모르고 예법 따위 관심 두고 익힌 적이 없다고는 하나 춤추다 말고 파트너를 밀어내듯 가로채 가는 경우가 있다는 말은 들어 본 적이 없었다.

이안의 눈에 마치 사악하고 뿔 달린 대마왕이 작고 예쁘고 가녀리고 착하고 순진하고 소중한 공주를 납치해 가는 상황처럼 보였다.

벨라의 사슴 같은 눈망울이 이안의 가슴에 푹 하니 박혀왔다. 이안은 저도 모르게 분노가 치밀어 올라 부들부들 떨리는 주먹을 들었다 놨다 했다.

한 손을 잡고 다정하게 파트너의 치맛자락이 둥글게 물결치도록 뱅글뱅글 도는 왈츠 특유의 턴 동작이 벨라와 황태자에게서는 살벌한 댄스 대결처럼 보였다.

춤추던 다른 이들도 황태자 커플을 힐끔힐끔 바라보았다. 물결치듯 부드러워야 할 춤이 무슨 마셜아츠를 하듯 힘껏 떠밀었다가 확 돌려 버렸다가 벌컥 잡아당겼다가 하며 난리가 났다.

"저…… 전하! 대체 왜 이러세요?"

벨라는 숨이 차서 헐떡거리며 칼리아스와 왈츠를 추었다.

"짜증 나! 짜증 난다고!"

칼리아스가 조용히 벨라의 귓가에 으르렁거리듯 속삭였다.

"대체 왜요? 무슨 이유로?"

벨라는 숨이 차서 두 뺨이 발갛게 달아올랐다.

칼리아스의 눈빛이 마치 칼날에 반사된 빛처럼 금속성을 띠며 번뜩거렸다.

"그냥. 전부 다 짜증 나. 네 얼굴도 짜증 나고 네가 황후마마 뒤에서 시중드는 꼴도 짜증 나고, 춤추다 말고 날 내버려 두고 어딘가로 도망가 버린 것도 짜증이 나고!"

칼리아스의 말에 벨라는 뒤늦게서야 깨닫고 "아……!" 하는 작은 신음 소리를 냈다.

"첫날……, 제가 먼저 가 버려서 그렇군요. 죄송해요. 마침 무도회 끝날 시간이기도 하고, 춤 순서는 끝났기에 급한 일이 있어서 달려나갔는데, 그다음 날 말씀드렸을 때는 아무 말씀 없으시기에 괜찮으신 줄 알았는데요."

벨라는 칼리아스와 칼군무를 추는 것이 부담스러워 헐떡거리다가 생각났다는 듯 말을 이었다.

"설마, 계속 저를 기다리셨어요?"

그 말을 하자마자 칼리아스의 얼굴이 새빨갛게 물들었다.

'어라?'

머리카락이 푸른 사람이 얼굴이 새빨개지니 조금만 빨개져도 색채 대비가 분명했다. 게다가 점점 칼리아스의 숨이 가빠지기 시작했다.

벨라는 한껏 휘어지는 눈매로 눈웃음을 지었다.

"그랬군요. 저를 기다리셨군요. 연회 기간 내내."

벨라의 보라색 눈동자는 투명한 빛을 발하며 반짝이고 있었고 살짝 벌어진 분홍 입술 사이로 드러난 하얀 치아가 눈부셨다. 발그레한 뺨에 살포시 팬 귀여운 보조개 두 쌍과 그 무엇보다 아름다운 그 두 눈…….

칼리아스는 잠시 당황하다가 이내 미간을 한껏 찡그리며 말했다.

"내가 그리 한가한 사람으로 보이나? 전혀 그럴 리가 없지 않은가."

그러더니 칼리아스는 그 뒤로 아무 말 없이 왈츠만 추었다. 물론 아까처럼 짜증 부리듯 거칠게 춤을 리드하던 것은 어느 정도 가라앉았다.

두어 번의 춤곡이 바뀐 후 갑자기 누군가가 벨라의 손을 휙 낚아채 갔다.

"헙!"

벨라는 눈을 크게 떴다. 바로 옆자리에 끼어든 이안이 벨라의 허리를 감싸 안았다. 절묘한 타이밍이었다.

파트너가 바뀌는 부분에서 이안이 난입해 벨라를 데려가는 바람에 다른 파트너와 춤을 마친 귀족 영애가 이게 웬 행운이냐 하며 얼른 칼리아스의 손을 잡았다.

"이안!"

벨라는 이어지는 춤곡에 맞춰 왈츠를 추며 이안을 놀랍다는 눈빛으로 바라보았다. 이안은 씨익 웃으며 말했다.

"눈치만 있으면 반은 간다고 늘 말씀드리지 않았습니까? 잠시 쉬는 동안 사람들 춤추는 거 보고 연습 좀 해 봤는데 이 정도면 아까의 실수가 만회되겠습니까?"

이안은 아까와는 다른 기색으로 열심히 춤을 추기 시작했다. 여전히 스텝이 꼬이고 박자가 엇나가기는 했지만 노력하는 모습이 겉으로 드러날 만큼 열과 성을 다하고 있었다.

벨라는 까르르 웃었다. 태연한 척 능숙한 척 왈츠를 추는 이안이었지만 미소 짓느라 부들부들 떨리는 그의 입꼬리와 축축하게 땀에 젖은 손바닥이 모든 것을 말해 주고 있었다.

벨라는 그런 이안의 정성을 피부로 느끼며 잔잔한 미소를 띤 채 그에게 몸을 내맡겼다.

"윽."

황태자의 파트너가 짧은 신음 소리를 냈다. 황태자가 춤에는 전념하지 않고 계속 곁눈질로 옆자리 여자만 바라보다가 정작 자신의 파트너의 발은 번번이 밟고 말았다.

"아!"
황태자는 당황했다. 자신이 실례를! 그것도 번번이!
그러나 미안하다는 말은 황태자에게 허락된 단어가 아니었으므로 그는 미간을 찡그릴 뿐이었다.
"꺅!"
그만 상대의 발을 또 밟고 말았다. 그녀의 분홍색 드레스에 황태자의 발자국이 선명하게 아로새겨지고 말았다.
"긴 연회 동안 매일 자리를 지키느라 피곤했던 모양이다. 드레스는 새것으로 변상할 터이니 마음에 담아 두지 말라."
칼리아스는 자신의 파트너에게 속삭였다. 그러자 그 말을 들은 파트너가 황태자의 얼굴을 빤히 바라보더니 대답했다.
"소문이 사실인가 봅니다."
"응?"
황태자의 파트너가 그에게 속삭였다.
"아르티드가의 영애에게 어릴 적에 청혼도 하셨다더니, 연회 내내 시선을 떼지 못하시는 것을 보니 저 아가씨를 마음에 담아 두신 모양입니다."
그 말에 황태자는 머리를 누가 프라이팬으로 갈긴 듯한 충격을 느꼈다.
"지금 보니 마음에 담아 두신 정도가 아니라 흠뻑 빠지신 모양입니다."
황태자의 스텝이 꼬였다. 하마터면 다리에 힘이 풀려 그대로 자빠질 뻔한 것을 간신히 추슬러 넘어지지 않았다.
"내가?"

황태자는 자신도 믿기지 않는다는 듯한 시선을 파트너에게 보냈다. 춤을 무슨 정신으로 췄는지 그때부터 기억나지 않았다. 멍한 눈을 들어 주변을 둘러보니 왈츠곡이 끝나고 파장 분위기였다.

순간 화들짝 놀란 듯 황태자는 주변을 둘러보았다.

다들 쉬는 시간 겸해서 뿔뿔이 흩어졌고 시종장이 황태자에게 다가와 서프라이즈 이벤트인 불꽃놀이를 시작할 시간이라고 귓속말을 건넸다. 그러나 지금 황태자의 눈에는 벨라의 뒷모습만 눈에 들어왔다.

벨라는 지금 두 남자에게 에스코트 받아서 발코니 쪽으로 걸어가고 있었다.

벨라가 루카스를 발견하자마자 한달음에 달려가 그의 팔에 팔짱을 꼈다. 물론 집사 쪽에서는 팔을 빼며 주인을 말렸으나 신난 그녀는 깡충깡충 뛰며 그의 팔을 놓지 않았고 이내 이안의 팔도 끌어당겨 양쪽에서 팔짱을 끼고 아이처럼 좋아하는 거였다.

몇 번의 시도 끝에 팔짱을 푼 집사가 뭐라 뭐라 주인에게 훈계를 늘어놓는 모습이 보였으나 벨라는 그 훈계마저도 기쁘다는 얼굴을 하고 있었다.

이상하게 배알이 뒤틀리는 기분이 들었다. 이 기묘한 기분을 뭐라 표현해야 할지 모르겠다. 그녀의 뒤통수가 왜 이리 짜증 나고 얄미운지, 그런데 왜 시선을 뗄 수가 없는지 알 수가 없다. 왜 미운지 그 이유도 잘 모르겠다…….

'저 아가씨를 마음에 담아 두신 정도가 아니라 흠뻑 빠지

신 모양입니다.'

아까의 파트너가 한 말이 자꾸만 맘에 걸렸다.

황태자는 미간을 찡그린 채 시종장을 따라 걸어가면서도 힐끔힐끔 뒤를 돌아보며 자리를 떴다.

"저……, 이제는 확답을 주시겠어요?"

아그네사는 기어들어 갈 듯한 목소리로 말을 꺼냈다. 알리사는 고개를 휙 돌리며 이야기하는 데 방해받아 기분 나쁘다는 듯한 표정으로 아그네사를 훑어보았다.

"무슨 확답?"

아그네사는 얼굴이 화끈하게 달아오르는 것만 같았다.

그러나 이제는 체면이고 뭐고 없었다. 아그네사는 깊게 숨을 들이켠 후 입을 열었다.

"그란첼 백작님께 잘 말씀해 주셔서, 돈을……."

아그네사는 말꼬리를 흐렸다. 그간 그렇게 돈 빌려 달라, 상황이 급박하니 선처해 달라 누누이 말해 오지 않았던가. 새삼스레 알아듣지 못하는 척하는 알리사가 원망스러웠다.

"돈을……, 뭐?"

옆에 있던 제시카 공녀가 키득거리며 웃었다.

아그네사는 얼굴이 새빨갛게 달아올라 다시 한번 기어들어 가는 목소리로 말을 이어 갔다.

"돈을…… 빌릴 수 있게 도와주신다고 하셨잖아요. 기한이 일주일도 남지 않았어요."

제시카 공녀는 비웃음을 가득 담아 아그네사의 말을 우스꽝스럽게 따라 읊었다.

"기한이 일주일도 남지 않았어요? 누가 보면 돈 맡겨 놓은 줄 알겠네."

"셀레스몬가의 레이디께서 지금 뭐래니?"

릴리스 공녀가 싸늘하게 아그네사를 훑어보았다.

알리사가 웃음을 한껏 담아 대답했다.

"파산할 게 뻔한데 기한을 늘려 봤자 뭐가 달라지는지 모르겠지만, 제 아버지께 부탁해서 기한 연장을 해 달라고 하시네요. 아버지께서 들어주실지는 모르겠지만. 가뜩이나 가주가 영지를 제대로 돌보지 않아서 영 엉망이라 차압 들어가도 건질 것 없더라고 하시더랍니다."

그 말에 제시카 공녀가 까르르 웃었다.

"그럼 말 다 했네. 오늘 망하나 내일 망하나, 망하기는 마찬가지 아닌가? 그걸 뭐 구차하게 와서 고개를 숙여? 귀족으로서의 자존심도 없나?"

"그러게 말이에요."

뭐가 그렇게 재밌는지 셋은 깔깔깔 웃어 댔다.

아그네사의 눈에 눈물이 가득 고였다. 아마도 알리사는 부려 먹기만 실컷 부려 먹은 채 자신의 부탁은 들어주지 않을 것이 뻔해 보였다.

"흑……!"

아그네사는 눈물을 감추려 입가를 손으로 가리며 밖으로 뛰쳐나갔다.

최대한 구석지고 어두운 곳으로 달려갔다. 그리고 두 손으로 얼굴을 가린 채 흐느꼈다. 앞으로 벌어질 일들이 점점 현실로 다가오는 듯했다.

사채업자에게 기한 내에 일부라도 상환하지 못할 시에 딸이라도 넘기겠다고 각서를 쓴 아버지가 원망스러웠다. 어디다 넘길지는 말하지 않아도 뻔했다.

아버지는 그렇게 사고만 치고 잠적해 버렸다. 세상 어디에도 도움을 청할 곳이 없었다. 이제 돌아갈 집도 빼앗길 것이고 살던 땅도 공중 분해될 것이었다.

펑……!

불꽃놀이가 하늘을 수놓기 시작했다.

펑…… 피이이이익 펑…… 펑펑…….

까만 밤하늘에 붉고 노랗고 파란 아름다운 불꽃 무늬가 잠시 하늘을 수놓았다가 아롱지며 사라져 갔다.

아그네사는 울던 것도 잠시 멈추고 하늘을 바라보았다.

어쩐지 저 불꽃이 자신을 닮은 듯했다. 아무 희망도 없는 새까만 밤하늘에 쏘아 올려져 아주 짧은 시간만 아름답게 불타오르다 사라지는, 그러나 아무도 그 존재를 기억하지 못할 불꽃이 자신과도 같아 보였다.

홀린 듯 그 불꽃을 아그네사는 눈물 젖은 눈으로 바라보았다.

그때였다. 누군가가 아그네사의 어깨에 손을 얹었다.

"찾았다……, 내 친구."

아그네사는 화들짝 놀라 뒤를 돌아보았다.

그곳에는 눈가가 촉촉하게 젖은 밤갈색 머리의 한 소녀가 서 있었다.

—2권에서 계속

마지막은 다정하게 1

초판 인쇄 2019년 6월 18일
초판 발행 2019년 6월 28일

지은이 수레국화꽃말
펴낸이 신현호
편집부장 예숙영
책임편집 최은지
편집디자인 한방울
영업 · 관리 김민원 조인희
물류 이순우 최준혁 박찬수

펴낸곳 ㈜디앤씨미디어
출판등록 2002년 5월 1일 제117-90-51792호
주소 서울시 구로구 디지털로 26길 111 JnK디지털타워 503호
대표전화 (02)333-2513 팩스 (02)333-2514
전자우편 dncbooks@dncmedia.co.kr
디앤씨북스 블로그 http://blog.naver.com/dncbooks

ISBN 979-11-264-4806-7 (04810)
ISBN 979-11-264-4816-6 (세트)